Londres

À

deux heures de train du continent, c'est toujours le même étonnement : le long de la Tamise se jouent ces mystères de Londres qui font se juxtaposer la majesté d'un passé jamais révolu, les audaces d'une évidente modernité, l'effervescence perpétuelle d'une foule dense et bigarrée. Palpitant, vibrant, électrisant, le Swinging London *so pop* des années 1960 est bien la ville *that rocks* ! De l'inébranlable cérémonie du *tea time* au flegme des Horse Guards paradant devant Buckingham Palace à l'heure où les clubbers vont enfin se coucher, de ses gratte-ciel toujours plus nombreux, toujours plus hauts, aux *street food markets* où goûter aux saveurs de tous les ailleurs, la "ville-monde" défie l'espace comme le temps. Et puisqu'elle a donné son GMT à la planète entière, elle lance aussi déjà les modes de demain... Il est temps d'aller régler sa montre à l'heure de Big Ben !

*"There's nowhere else like London.
Nothing at all, anywhere"*
Vivienne Westwood
*"Il n'existe rien de tel que Londres
Rien, nulle part"*

SOMMAIRE

6 Reportage
L'East End super star

19 Préparer son voyage

20 En un clin d'œil
22 ★ Les incontournables
30 Selon vos envies
36 Les itinéraires
36 - 3 jours à Londres
40 - Une journée *on the rock*
43 - Une journée avec Harry Potter

47 West End
48 Plan 1 Mayfair, Soho, Covent Garden
50 Plan 2 St. James's, Westminster
52 ★ Les incontournables
54 Nos conseils
56 Rendez-vous avec...
58 Piccadilly et Mayfair
66 Soho
76 Covent Garden-Trafalgar Sq.
88 Buckingham-St. James's
96 Westminster

105 De Marylebone à Camden Town

106 Plan 3 Marylebone, Bloomsbury, Islington, Camden Town
108 ★ Les incontournables
110 Nos conseils
112 Rendez-vous avec...
114 Marylebone
120 Bloomsbury-Islington
130 Camden Town

135 La City et l'East End

136 Plan 4 La City, Clerkenwell
138 Plan 5 L'East End
140 ★ Les incontournables
142 Nos conseils
144 Rendez-vous avec...
146 La City
160 Spitalfields
168 Hoxton-Shoreditch
172 Hackney-Dalston-Stratford

177 La rive sud

178 Plan 6 South Bank, Bankside, Southwark
180 Plan 7 Lambeth, Peckham, Brixton
182 ★ Les incontournables
184 Nos conseils
186 Rendez-vous avec...
188 South Bank
194 Southwark

203 De South Kensington à Notting Hill

204 Plan 8 Knightsbridge, Kensington, South Kensington, Chelsea

206 Plan 9 Notting Hill, Kensington Gardens
208 ★ Les incontournables
210 Nos conseils
212 Rendez-vous avec...
214 South Kensington-Chelsea
226 Kensington-Notting Hill

235 Le Grand Londres

236 Plan 10 Le Grand Londres
238 ★ Les incontournables
240 Nos conseils
242 Rendez-vous avec...
244 Le Grand Londres

253 Comprendre

254 Histoire
260 Population
262 Architecture
265 Arts et design
267 Mode et shopping
270 Gastronomie
271 Musique
273 Théâtre et *musicals*

275 Carnet pratique

276 Avant de partir
277 Agenda
280 Transports
284 Sur place

289 Hébergements

292 Le West End
293 De Marylebone à Camden Town
294 La City et l'East End
295 De South Kensington à Notting Hill

296 Index

L'EAST END SUPER STAR

La vie d'une ville ne fonctionne pas toujours de façon statique. Le quartier d'East End, autrefois une zone à fuir, est soudainement devenu séduisant. Il était infréquentable, le voici sexy, narcissique, ouvert à toutes les cultures.

Texte **François Simon** Photo **Vincent Mercier**

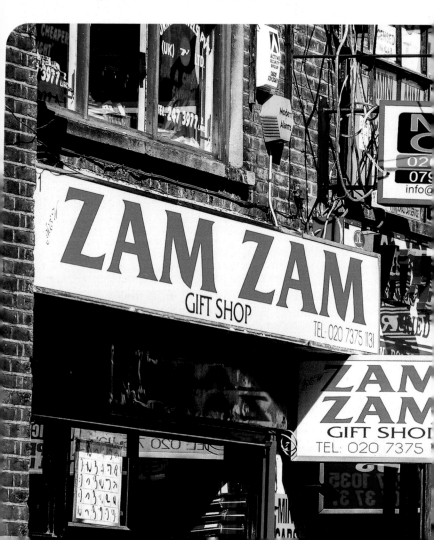

Foisonnement d'enseignes sur fond de briques

I l doit y avoir un destin des quartiers. Certains ont vocation à être sérieux, le front haut, la mise impeccable. Ce sont les premiers de la classe, ceux qui récoltent les lauriers. Mais aussi les devoirs. À eux, les beaux bâtiments, les demeures cossues, les rues manucurées. À Londres, la City et le West End jouent parfaitement ce rôle. Ils déploient palais royaux, théâtres, résidences fastueuses, grands magasins. Ils assument tout : être la vitrine de la ville, assurer son prestige et exalter l'identité britannique. Les siècles peuvent passer, ils sont là dans leur stoïcisme, leur faconde bourgeoise, leur diction aristocratique. La vie peut rouler ailleurs, ils garantissent le service 24h sur 24. Du coup, cela laisse une paix royale aux autres quartiers. Ces derniers peuvent jouer, mal se tenir, rire et danser jusque tard dans la nuit. Eux aussi expriment leur nature, suivent leur vocation et en cela l'East End a un costume taillé sur mesure.

Dickens disait déjà : "L'East End de Londres est un monde en soi." Certes. Mais au-delà d'une formule qui renvoie à un charmant truisme, il faudrait presque soulever un pan de l'histoire pour réaliser que ce quartier délimité par les murailles médiévales de la cité de Londres et le nord de la Tamise est issu d'un autre temps. Lui qui nous semble si attrayant aujourd'hui revient pourtant de loin. Quasiment des portes de

Jeunes filles sur la route du shopping

Désormais, l'East End se livre à nous comme un paysage après la pluie.

l'enfer, des entrailles de la Terre. Parviendrait-on à imaginer un passé de terreur et de malheur, que l'on serait encore loin de la vérité ! On y trouverait Jack L'Éventreur, la racaille, la misère, les bombardements. Une

sorte de chaudron terrible où se mêlent industries toxiques (le tannage nécessitant de l'urine, le foulage), état sanitaire effroyable, épidémies ravageuses, mares pestilentielles, cochons et vaches

Les Docklands, ou la frontière sud de l'East End

dans les arrière-cours, fabrication de cordes, production de poudre à canon, fonte de suif et préparation de viande de chat. Ainsi l'East End engendrait-il indigence et la surpopulation. On n'imagine guère d'où vient ce quartier, ni dans quel état il surgit au début du 20ᵉ s. Comme sonné, éreinté par une histoire sans nom. Et paradoxalement retrouvant une innocence, perdant ses mues successives. Neuf.

Le quartier a su se réinventer, sorti de la glaise et de la peine, pour offrir à présent un univers coloré, vivant, mais qui ne sera jamais vraiment charmant. C'est la disgrâce rayonnante des rescapés, le sel de la terre sans cesse métissée par les réfugiés huguenots, les tisserands irlandais, les juifs ashkénazes, les Bangladais... L'East End que nous traversons aujourd'hui est comme

Figures de l'East End

L'East End est bien
vivant, presque
rugissant.

un galet lisse, lavé par les marées,
frotté aux cultures, aux luttes. Même
l'accent anglais s'y trouva rudoyé
avec ses emprunts multiples (romani,
yiddish, etc.). Les consonnes ordi-
naires et dentales passèrent un sale
quart d'heure se faisant abraser, glot-
ter. La diphtongue fut joliment mal-
menée, se laissant brosser comme
un rocher sous les vagues. L'accent
cockney est né ici dans la bouche des
marchands des quatre saisons, lors
des luttes ouvrières, dans les brouil-
lards toxiques et le crachin.
Désormais, l'East End se livre à nous
comme un paysage après la pluie. Les
couleurs à vif surjouent leurs pig-
ments, le ciel est net. Voici les quartiers de Shoreditch, Spitalfields ou
Dalston, Hackney, Bethnal Green ou
encore Whitechapel.

**Grâce à de spectaculaires tra-
vaux** et des investissements massifs,
les Jeux olympiques de 2012 ont permis au quartier de basculer plus encore en avant. Ils ont bousculé ces
zones hésitantes, entre une rivière
polluée, les chantiers navals désaffectés et les entrepôts. Ils ont fait

Le vintage à la mode

Un quartier en pleine mutation

jaillir sur d'anciens marécages un stade olympique immaculé et un gigantesque centre commercial. Neuf lignes de train, enfin modernisées, relient comme le zéphyr le centre et l'East End. Même un train – le Javelin Shuttle – a le temps de prendre son élan pour relier comme une flèche Stratford à la gare de St Pancras, terminal de l'Eurostar.

Ces quartiers dont la mode s'amourache se sont gentrifiés, comme partout en Europe. Ils accueillent une nouvelle génération venue se frotter à une vie décomplexée, chamarrée, multiculturelle, s'essayant au fameux "vivre ensemble". Et souhaitent tout en même temps rester attractifs, sans pour autant devenir touristiques, la hantise des quartiers séduisants. Les rythmes se sont apaisés, les maisonnettes ont repris des couleurs, le shopping est presque devenu un langage.

À Shoreditch et Dalston, il faut venir en fin de semaine pour se mêler à la foule des badauds chenillant dans les marchés, poussant les portes des magasins vintage. On ralentit le pas

comme si l'esprit de la bohème allait nous gagner depuis l'asphalte. Un esprit néanmoins impalpable, traversant les nuits rythmées des dernières musiques, prenant son temps le long des chemins de halage de la rivière Lea. On y pédale, on marche dans Victoria Park, on essaie de briser les rythmes de la vie.

Il faudrait se perdre un petit peu. "Flâner, disait Honoré de Balzac, c'est la gastronomie de l'œil". On pourrait même dire un érotisme, tant Londres devient enfin tactile : friperies, jeans écolos, magasins griffés sur Shoreditch High Street, fleurs au Flower Market de Columbia Road... On y mange à pleines mains autour des stands de Brick Lane (non loin de la Old Truman Brewery). L'univers gastronomique devient pluriel, joliment nomade. Les propositions sont si fidèles à leurs racines qu'il est difficile de résister aux petits plats épicés, aux sandwichs écumant de verdure, aux bagels ventrus, à la crème ourlée d'un cappuccino, aux vapeurs odorantes d'un pho.

Au bout d'un moment, naît comme un tourbillon de sensations kitsch. La vie ressemble alors aux spirales des vinyles proposés en plein air. L'East End suit son nouveau sillon, mélangeant les repères, les dates, se laissant volontiers graffité (Redchurch street), interpellant, riant aux éclats... On se dit alors que l'East End est bien vivant, presque rugissant. Les épreuves du temps l'auront parcheminé, solidifié, lui auront même donné cette gouaille, cet appétit féroce de la vie. En cela l'East est un véritable voyage dans le temps.

L'East End suit son nouveau sillon, mélangeant les repères, les dates, se laissant volontiers graffité, interpellant, riant aux éclats...

Préparer son voyage

20   **En un clin d'œil**

22   **Les incontournables**

30   **Selon vos envies**

36   **Les itinéraires**

Conduit Mews, une allée d'anciennes écuries, à Paddington, au nord de Hyde Park

 EN UN CLIN D'ŒIL

Londres vue d'un satellite ou par le petit bout de la lorgnette : des chiffres et des données pour cerner l'identité de la capitale britannique.

DÉCALAGE HORAIRE

Ôtez 1h pour avoir l'heure de Londres : la ville est située sur le Greenwich Mean Time (GMT) qui donne l'heure zéro à la planète.
La France est à GMT +1.

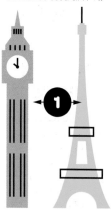

SUPERFICIE

Le Grand Londres , ainsi que l'on désigne couramment la capitale britannique, couvre environ 1 600 km² et se divise en deux zones : Inner London et Outer London.

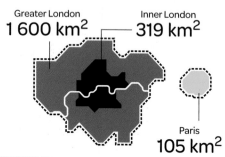

Greater London
1 600 km²

Inner London
319 km²

Paris
105 km²

LA TASSE (DE THÉ) EST PLEINE

Shocking ! La consommation des Britanniques décroît et n'est plus que de 3 tasses par habitant par jour. Le café et les *coffee shops* connaissent, eux, un véritable boom.

1980

2017

NIGHTLIFE

Avec 500 théâtres et salles de spectacle et 3 800 pubs, Londres est la reine de la nuit.

MELTING-POT

Près de 50 communautés étrangères de plus de 10 000 habitants et 300 langues parlées pour 8,6 millions d'habitants : Londres est l'une des villes les plus cosmopolites au monde !

NOVEMBRE 2012

Jubilé de diamant de la reine Elizabeth II. En 2015, elle bat le record de son arrière-arrière-grand-mère Victoria qui régna plus de 63 ans et 7 mois.

CHERCHEZ LA REINE

Quand Sa Majesté la reine est au palais, on hisse la bannière royale (rouge, or, bleu) ; sinon, c'est l'Union Jack qui flotte sur Buckingham.

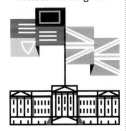

JARDINS ANGLAIS

Les 8 parcs royaux de Londres abritent 500 000 fleurs (dont 100 000 roses), 170 000 arbres, 21 lacs et étangs, et 110km de sentiers, pistes cyclables et parcours équestres. L'ensemble des espaces verts de la capitale représente 30% du territoire londonien.

LES *FROGGIES* À LONDRES

Londres, XXIe arrondissement de Paris ? Certes, 220 000 Français y vivent, mais ils n'en font pas pour autant la 6e ville française. Devant les Américains et les Allemands, les *Froggies* sont toutefois les plus nombreux à visiter la capitale outre-Manche (2 millions par an).

IT'S RAINING AGAIN

La moyenne annuelle des précipitations à Londres est moindre qu'à Paris et le nombre de jours de pluie sensiblement le même dans les deux capitales. *Incredible !*

Londres   Paris

109   111

LES INCONTOURNABLES

★ **BUCKINGHAM PALACE** (p.88) On ne présente plus le logis de sa majesté la reine. Son faste, mais peut-être plus encore l'indémodable rituel de la relève des Guards, en font un détour obligé.

★ **THE NATIONAL GALLERY** (p.81). Quelque 2 000 chefs-d'œuvre et un voyage de toute beauté à travers l'histoire de l'art européen, de 1250 à 1900. Un must absolu !

★ **LONDON EYE** (p.188) Une autre façon de faire un tour en ville : la plus grande roue d'Europe hisse ses capsules panoramiques haut dans le ciel de Londres.

★ **TATE MODERN** (p.194) De 4 à 5 millions de visiteurs par an, du jamais vu pour un musée d'art moderne et contemporain. Avec ses formats XXL et son approche ludique, l'ex-centrale électrique fait passer tous les courants.

★ **NOTTING HILL** (p.227) Coup de foudre garanti pour ce quartier chic et bohème, ses maisons pastel et ses vitrines peintes sagement alignées.

★ **PANORAMA SUR LA CITY** (p.189) Non, vous n'êtes ni à Dubaï ni à Manhattan et la *skyline* hérissée de tours géantes s'élevant devant vous est bien celle de la City !

★ **THE BRITISH MUSEUM** (p.120) Il faut sept jours dit-on, pour faire le tour de sa richissime collection, hymne aux cultures du monde entier. (Re)trouvez, parmi plus de 8 millions d'objets, certains des plus fabuleux trésors de l'humanité.

★ **TOWER OF LONDON** (p.151) La forteresse bâtie par Guillaume le Conquérant servit de prison et de lieu d'exécutions. Heureusement, on y frissonne désormais plutôt devant l'éclat souverain des joyaux de la Couronne.

★ **HYDE PARK** (p.219) De tous les parcs londoniens, c'est le plus aimé, le plus vaste et le plus représentatif du jardin à l'anglaise ; une nature au charme savamment maîtrisé, idéale pour une balade sous les frondaisons.

★ **WESTMINSTER** (p.96) C'est dans la lumière du matin que le Parlement, la tour de Big Ben et l'abbaye forment le tableau le plus parfait, peint jadis par Monet.

★ **VICTORIA & ALBERT MUSEUM** (p.216) Ses 10km de galeries et 2,5 millions d'œuvres en font le royaume des arts décoratifs. Cours magistral d'art de vivre au pays du *home sweet home*.

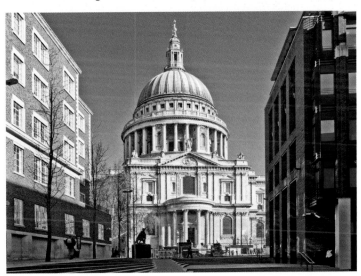

★ **ST. PAUL'S CATHEDRAL** (p.146) "Est-elle encore debout ?" demandait Churchill à son propos, chaque matin, lors du Blitz. Ne manquez ni la vue du haut de son dôme ni l'effet acoustique de la Whispering Gallery.

SELON VOS ENVIES

Personnalisez votre séjour en multipliant vos expériences selon vos goûts et vos envies.

Révisez vos classiques

Reprenez les fondamentaux tout en allant de surprise en surprise : à Londres, classique rime avec excentrique.

→ Buckingham Palace ▬ **P.88**
→ Westminster ▬ **P.96**
→ St. Paul's Cathedral ▬ **P.146**
→ Tower of London ▬ **P.151**
→ Tower Bridge ▬ **P.152**
→ Windsor Castle ▬ **P.230**
→ Greenwich ▬ **P.246**
→ Kew Gardens ▬ **P.248**

Royal

Parades en uniforme et cérémonies hautes en couleur rythment la vie de la capitale royale. Qu'il s'agisse de la relève de la Garde ou des fournisseurs de la reine où faire provision de souvenirs *so British*, le décorum n'exclut ni l'humour, ni l'extravagance.

→ Fortnum & Mason ▬ **P.64**
→ Buckingham Palace ▬ **P.88**
→ Relève de la garde ▬ **P.89**
→ St. James's Palace ▬ **P.90**
→ Spencer House ▬ **P.91**
→ Westminster Abbey ▬ **P.96**
→ Horse Guards ▬ **P.99**
→ Banqueting House ▬ **P.100**
→ James Smith & Sons ▬ **P.126**
→ Lord Mayor's Show ▬ **P.143**
→ St. Paul's Cathedral ▬ **P.146**
→ Tower of London ▬ **P.151**
→ Harvey Nichols ▬ **P.223**
→ Kensington Palace ▬ **P.226**
→ Windsor Castle ▬ **P.230**
→ Hampton Court Palace ▬ **P.248**
→ Beating Retreat ▬ **P.278**
→ Trooping the Colour ▬ **P.278**
→ State Opening of Parliament ▬ **P.279**

Pour lui dire "I love you"

Tout le monde dit "I love you" et Londres offre mille occasions d'échanger des serments d'amour : au fond d'un pub sans âge, au fil des maisons colorées de Notting Hill, sur le vert printemps d'une pelouse, autour d'un drink juste sous les étoiles, le long de la Tamise et de son féerique décor, à bord d'une gigantesque grande roue, faites-lui tourner la tête !

→ Mo Café **P.62**
→ Polpetto **P.71**
→ Yauatcha **P.71**
→ St. James's Park **P.92**
→ Cinnamon Club **P.103**
→ 'Smiths' of Smithfield **P.159**
→ Vertigo 42 **P.159**
→ The Big Chill Bar **P.164**
→ Columbia Road Flower
   Market **P.169**
→ London Eye **P.188**
→ Bar 190 **P.225**
→ Holland Park **P.229**
→ Windsor Castle **P.230**
→ The Cow **P.230**
→ Kew Gardens **P.241**
→ Hampstead Heath **P.244**
→ The Holly Bush **P.250**

Covent Garden

Arty

Riche de prestigieuses institutions comme la Royal Academy of Arts, première école d'art du pays, et de sa Tate Modern, aujourd'hui le musée d'art moderne et contemporain le plus visité au monde, Londres donne le la à la scène artistique internationale !

→ Burlington House – Royal Academy of Arts **P.58**
→ Courtauld Gallery **P.79**
→ The National Gallery **P.81**
→ ICA – Institute of Contemporary Arts **P.91**
→ Tate Britain **P.98**
→ The Wallace Collection **P.114**
→ The British Museum **P.120**
→ Whitechapel Gallery **P.162**
→ Tate Modern **P.194**
→ Victoria & Albert Museum **P.216**
→ Saatchi Gallery **P.217**
→ Kenwood House **P.245**

So British !

Barbier de *gentlemen*, fournisseurs de la reine, paradis du parapluie, boutiques punk... : ici Londres.

→ Burlington Arcade **P.59**
→ Geo. F. Trumper **P.62**
→ Fortnum & Mason **P.64**
→ Marks & Spencer **P.64**
→ Liberty **P.72**
→ The London Silver Vaults **P.87**
→ Jermyn Street et Princes Arcade **P.94**
→ James Smith & Sons **P.126**
→ Camden Markets **P.130**
→ British Boot Company **P.132**
→ Exmouth Market **P.155**
→ Paul Smith **P.232**

Melting-pot

Capitale d'un empire qui régnait sur le quart de l'humanité, Londres ne cesse de brasser les peuples. De Chinatown à Banglatown en passant par la City et ses traders venus des quatre coins du monde pour faire affaire, la capitale se révèle un creuset unique.

→ Chinese New Year **P.55**
→ Chinatown **P.68**
→ Banglatown (Brick Lane) **P.161**
→ Bethnal Green **P.163**
→ Hoxton **P.168**
→ Brixton Village and Market Row **P.198**
→ Carnaval de Notting Hill **P.211**
→ Portobello Road **P.227**

Londres, capitale des enfants rois

Au pays des petits princes, les enfants sont rois. De carrosses dorés en momies mystérieuses, d'un parc où se perdre comme à la campagne aux capsules futuristes du London Eye, de la plus ancienne forteresse habitée du monde au plus grand toboggan de la planète, la ville de Peter Pan recèle des trésors pour petits et adolescents !

→ Hamleys **P.65**
→ London Transport Museum **P.77**
→ Benjamin Pollock's Toy Shop **P.86**
→ Churchill War Rooms **P.100**
→ The Sherlock Holmes Museum **P.114**
→ Madame Tussauds **P.114**

East End district, quartier de Hackney

→ ZSL London Zoo **P.116**
→ Tower of London **P.151**
→ Museum of London **P.153**
→ V&A Museum of Childhood **P.163**
→ Toboggan ArcelorMittal Orbit **P.173**
→ Sea Life London Aquarium **P.188**
→ London Eye **P.188**
→ The London Dungeon **P.190**
→ *HMS Belfast* **P.196**
→ Science Museum **P.215**
→ Natural History Museum **P.215**
→ Harrods **P.223**
→ Kensington Gardens **P.229**
→ Train aérien DLR **P.240**
→ Museum of London Docklands **P.246**
→ *Cutty Sark* **P.246**
→ National Maritime Museum **P.247**
→ Old Royal Observatory **P.248**
→ Warner Bros Studio Tour **P.249**

Points de vue, images de Londres

Look out ! Ouvrez grand vos yeux et profitez des plus beaux points de vue sur la ville.

→ 5th View **P.62**
→ Westminster Cathedral **P.99**
→ Primrose Hill **P.131**
→ St. Paul's Cathedral **P.146**
→ 20 Fenchurch Street **P.150**
→ Monument **P.151**

→ Tower Bridge **P.152**
→ Vertigo 42 **P.159**
→ Toboggan ArcelorMittal Orbit **P.173**
→ The Queen's Walk **P.184**
→ London Eye **P.188**
→ Hungerford Millennium Footbridges **P.189**
→ OXO Tower **P.191**
→ Tate Modern **P.194**
→ The Shard **P.196**
→ City Hall **P.197**
→ Télécabines Emirates Air Line **P.240**
→ Hampstead Heath **P.244**

Assiette anglaise

Des adresses où l'accent anglais se savoure jusque dans l'assiette.

→ The Gallery at Fortnum & Mason **P.64**
→ Gordon's Wine Bar **P.84**
→ Rock & Sole Plaice **P.84**
→ Simpson's-in-the-Strand **P.84**
→ The National Dining Rooms **P.85**
→ Sheekey **P.85**
→ Seafresh **P.102**
→ The Golden Hind **P.118**
→ North Sea Fish Restaurant **P.125**
→ The Pig and Butcher **P.126**
→ St. John **P.158**
→ Leila's Shop **P.170**
→ The Anchor & Hope **P.192**
→ M. Manze **P.196**
→ The Butlers Wharf Chop House **P.201**
→ Pig's Ear **P.221**
→ Brew House Kenwood **P.250**
→ The Pavilion Café **P.251**

The Duke of Cambridge

Un pub, un vrai

Un pub ? C'est du bois ciré, de la moquette, un jeu de fléchettes et des clients tout droits sortis d'un épisode de *Chapeau melon et Bottes de cuir*... et le fameux coup de cloche de 22h30 annonçant la fermeture traditionnelle à 23h !

→ Lamb & Flag **P.83**
→ Gordon's Wine Bar **P.84**

→ Ye Olde Cheshire Cheese ■■ **P.87**
→ The Lamb ■■ **P.128**
→ Jerusalem Tavern ■■ **P.156**
→ Prince George ■■ **P.174**
→ The Market Porter ■■ **P.200**
→ The Rake ■■ **P.198**
→ The Royal Oak ■■ **P.198**
→ The Anglesea Arms ■■ **P.221**
→ Windsor Castle ■■ **P.230**
→ The Cow ■■ **P.230**
→ The Holly Bush ■■ **P.250**

Tea time

Le rite victorien de l'après-midi. Tout un art, du plus raffiné des palaces à la plus cosy des pâtisseries.
→ Mo Café ■■ **P.62**
→ The Parlour at Sketch ■■ **P.62**
→ The Diamond Jubilee Tea Salon at Fortnum & Mason ■■ **P.62**
→ The Ritz ■■ **P.63**
→ Maison Bertaux ■■ **P.69**
→ Pâtisserie Valérie ■■ **P.69**
→ Foyles Café ■■ **P.69**
→ Savoy ■■ **P.83**
→ Paul Rothe & Son Delicatessen ■■ **P.117**
→ London Review Cake Shop ■■ **P.123**
→ Kensington Palace Orangery ■■ **P.229**
→ Louis Pâtisserie ■■ **P.250**

À faire au grand air

Certains Londoniens n'hésitent pas à finir l'année par un *dip* dans l'eau glacée du lac Serpentine. Mettez-vous au diapason et profitez de chaque éclaircie pour vous offrir un grand bol d'air !
→ Canoter sur le Boating Lake de Regent's Park ■■ **P.116**
→ Embarquer pour une flânerie sur le Regent's Canal ■■ **P.131**
→ Se mettre au vert sur les pelouses du London Fields Park et piquer une tête au Lido après un tour au très branché Broadway Market ■■ **P.172**
→ S'offrir une glissade géante sur le toboggan ArcelorMittal Orbit ■■ **P.173**
→ Applaudir Shakespeare les cheveux au vent au Globe ■■ **P.184**
→ Attendre le coucher de soleil un soir d'été sur le rooftop de chez Frank's ■■ **P.185**
→ Opter, aux beaux jours, pour le cinéma de plein air du CLF Art Café ■■ **P.185**
→ Ramer sur la Serpentine, dans Hyde Park ■■ **P.219**
→ Plonger dans les eaux douces des Hampstead Heath Ponds ■■ **P.244**

 # LES ITINÉRAIRES

Trois itinéraires pour vous laisser guider selon vos inclinations et le temps dont vous disposez.

Big Ben et la Tamise, vus de la rive sud

3 jours à Londres

De Westminster à Soho, des puces de l'East End aux gratte-ciel de la City, découvrez les visages contrastés de Londres, sans oublier ses parcs immenses !

VENDREDI
Matinée

9h30 Westminster (p.96) Postez-vous sur Westminster Bridge pour immortaliser la façade du Parlement et Big Ben dans son cadre doré. Visitez ensuite l'abbaye, nécropole royale et panthéon national.

10h30 St. James's Park (p.92) Par Tothill Street et Dartmouth Street, puis la charmante Queen Ann's Gate, gagnez ce parc romantique, l'un des plus anciens de Londres. Du pont qui enjambe son lac, vous apercevrez Buckingham Palace (p.88).

11h30 Horse Guards (p.89) Sur l'esplanade de la caserne, face à St. James's Park, assistez à la relève de la garde royale, aussi pittoresque mais moins courue que celle qui se tient dans l'avant-cour de Buckingham Palace.

12h30 St. James's (p.90) Ambiance aristocratique au nord du Mall : le vieux palais royal de St. James (p.90), des clubs pour *gentlemen*, Jermyn Street et Princes Arcade (p.94), de luxueuses boutiques qui fournissent la reine, d'élégants hôtels particuliers du 17e s. et l'ensemble monumental de Carlton House Terrace (p.91).

13h The National Dining Rooms (p.85) Grimpez jusqu'au restaurant de la National Gallery, dont les baies vitrées dominent Trafalgar Square, pour faire honneur aux terroirs des îles Britanniques.

Après-midi

14h30 The Royal Opera House (p.77) Découvrez les coulisses de l'un des meilleurs opéras au monde. Flânez dans les ruelles commerçantes qui cernent le marché couvert. **15h30 Seven Dials** (p.78) Lèche-vitrines branché dans les ruelles qui partent en étoile du rond-point. **16h30 Maison Bertaux** (p.69) Pause thé fumant ou glacé dans cette pâtisserie surannée de Greek Street. **17h Soho** (p.66) Allez fouiner dans les bacs des disquaires de Berwick Street (p.74). C'est l'heure où son

petit marché replie ses étals et où, l'été, les terrasses des cafés d'Old Compton Street se remplissent. Autour de Carnaby Street (p.67) vous attendent des boutiques de mode et des bistrots de poche stylés. **19h Mark's Bar** (p.74) Savourez un cocktail bien mérité dans ce bar tout en noir et blanc.

Soirée

20h Randall & Aubin (p.71) Pour un dîner de fruits de mer entre les murs carrelés d'une ancienne boucherie. Ambiance électrique ! **22h30 Lamb & Flag** (p.83) Un pub secret en plein Covent Garden ; on y boit sa pinte avant les coups fatidiques de 23h !

SAMEDI
Matinée

9h Villandry Grand Café (p.118) Pour bien démarrer la journée autour de scones alléchants. **10h30 Primrose Hill** (p.131) Les bons marcheurs n'hésiteront pas à gravir cette colline verdoyante pour profiter de la vue sur Londres.

11h20 Regent's Canal (p.131) Rejoignez le canal pour une balade charmante jusqu'à Camden Lock. Comment ne pas envier les occupants des péniches et des maisons riveraines ?

11h40 Camden Markets (p.130) Flânez sur les marchés aux puces les plus fous – et les plus fréquentés – de la capitale. Vêtements neufs, fripes, bijoux, brocante, artisanat, mais aussi les musiques et les cuisines du monde entier...

OU BIEN Hampstead Heath (p.244), s'il fait beau, pour pique-niquer sur la lande ou plonger dans l'un de ses étangs.

12h40 Haché (p.132) Pause dans un cadre charmant autour d'un excellent burger (option végétarienne comprise).

Après-midi

14h30 Notting Hill (p.227) Chinez sur Portobello Road : meubles, argenterie et bibelots anciens, timbres, vêtements vintage, bijoux...

15h30 Electric Diner (p.231) Profitez d'une des terrasses branchées de Notting Hill pour souffler.

16h30 Hyde Park (p.219) Traversez le plus populaire des parcs londoniens en longeant son plan d'eau, la Serpentine. Pourquoi pas une sieste, s'il fait chaud ?

OU BIEN Si vous sentez une baisse de la fièvre acheteuse, prévoyez de vous offrir une toile dans la salle d'art et d'essai Electric Cinema (p.233) *M° Ladbroke Grove Tél. 020 7908 9696*

18h Knightsbridge Deux grands magasins chics ouverts tard : Harrods (p.223) et Harvey Nichols (p.223). Pour l'apéritif, choisissez le second et son Fifth Floor (p.221).

London City Hall et Tower Bridge

Soirée

20h Amaya (p.221) Le fin du fin de la cuisine indienne dans un cadre design spectaculaire. Dîner glamour !

22h Bar 190 (p.225) Pour un drink dans un hôtel chic aux faux airs de vieux manoir.

DIMANCHE
Matinée

10h Somerset House (p.82) Envie d'un muffin et d'un café ? Le prétexte idéal à une visite dans la cour de Somerset House... *M° Temple puis bus 76 (dir. Tottenham Swan) des Royal Courts of Justice à St. Paul's*

10h45 La City (p.146) Même si le quartier des affaires est désert le dimanche, faites-y une balade tranquille pour découvrir son architecture : la cathédrale Saint-Paul (p.146), les façades de la Banque d'Angleterre (p.148) et de Mansion House, résidence du lord-maire, le squelette futuriste du Lloyd's Building (p.149) et la fusée du "Gherkin" (p.150)...

11h30 Les marchés de l'East End (p.175) Rencontrez de jeunes créateurs et designers à Old Spitalfields Market, puis au Sunday Upmarket de l'Old Truman Brewery. Flânez sur le marché coloré de Brick Lane et aux puces de Petticoat Lane.

13h Leila's Shop (p.170) En guise de brunch, optez pour un authentique *English breakfast* dans une échoppe à l'allure d'une bonne vieille *bakery*.

Après-midi

14h30 Whitechapel Gallery (p.162) Visitez l'exposition d'art contemporain du moment. *M° Aldgate East, puis rejoindre le fleuve pour traverser le Millennium Bridge*

16h South Bank (p.188) Promenade le long de The Queen's Walk (p.189) vers l'ouest au départ de la Tate Modern.

17h30 OXO Tower Bar (p.191) Pour un apéritif au 8e et dernier étage d'une vénérable tour emblématique du quartier. La terrasse offre une vue extraordinaire sur la *skyline* futuriste de la City et les entrepôts victoriens du Sud londonien.

Soirée

20h Dîner fraîcheur au **Baltic** (p.192).

OU BIEN Optez pour une séance de cinéma face à la Tamise au **National Film Theatre** (p.192).

0h The Shard (p.196) Hissez-vous au sommet de la gigantesque tour de Londres pour siroter un verre en tutoyant les étoiles.

Regent Sounds Studio

Une journée *on the rock*

De Camden à Brixton, de Soho à Notting Hill, marchez sur les traces des grandes figures échevelées qui ont fait de Londres un bastion rock, punk, pop... *forever*.

MATINÉE

9h Abbey Road (p.115) Commencez en beauté et évitez l'affluence : suivez Grove End Road du métro St. John's Wood à son intersection avec Abbey Road et découvrez sur votre droite le passage piéton le plus rock du monde. Le studio où furent enregistrés la plupart des titres des Fab Four, à un jet de vinyle, est toujours en activité et il faut le louer pour avoir la chance d'y entrer !

10h Victoria & Albert Museum (p.216) Cette institution londonienne organise régulièrement de superbes expos dédiées à la culture pop et rock, et conserve dans sa collection permanente instruments, objets et costumes ayant appartenu à des musiciens, notamment une guitare que Pete Townshend, des Who, détruisit sur scène lors d'un concert survolté !

11h30 Soho (p.66) Le cœur battant des Swinging Sixties. Parcourez-le en commençant par le haut de Regent Street (p.60), sur les pas de David Bowie : tournez à droite sur Heddon Street, c'est au n°23 qu'il fut photographié en combinaison bleue pour la pochette de *The Rise and Fall of Ziggy Stardust and the Spiders from Mars*. De retour sur Regent Street, traversez la rue et gagnez Carnaby Street.

Carnaby St (p.67) Mettez vos pas dans ceux de Mary Quant, qui y importa le "Chelsea look" et la mini-jupe qu'elle venait d'inventer, et où Twiggy, les Stones et Jimi Hendrix faisaient leur shopping ; vous pourrez toujours dénicher au n°50 une tenue rock chez Ben Sherman, la marque fétiche des Mods depuis 1968.

Berwick Street (p.74) La rue où fut prise la photo de l'album *(What's the Story) Morning Glory ?* d'Oasis est surtout le repaire des chasseurs de vinyles qui se fournissent chez Reckless Records, au n°30, (p.74) et Sister Ray, aux n°s34-35. Pour une tenue glam rock à souhait, ne manquez pas Bang Bang au n°9, friperie à la vaste sélection d'articles à paillettes !

13h Ed's Easy Diner On change de continent et d'époque dans ce *diner* américain où l'on dévore frites et burgers en écoutant Chuck Berry, histoire de se rappeler d'où vient le rock ! *M° Leicester Square 12 Moor St Tél. 020 7434 4439 Ouvert lun.-mer. 9h-23h, jeu.-sam. 9h-23h30, dim. 9h-22h*

APRÈS-MIDI

14h Denmark Street (Soho) Ne quittez pas Soho avant d'avoir visité l'épicentre de la scène musicale des années 1960 célébrée par les Kinks dans leur chanson *Denmark Street*. La rue hébergeait producteurs, studios, boutiques d'instruments de musique et clubs où se produisirent entre autres Jimi Hendrix et les Pink Floyd. Parcourez-la en remontant le temps – ou dans l'idée de dénicher une guitare rare dans l'un de ses magasins spécialisés restés nombreux :
- **au n°4**, Regent Sound Studio accueillit les Stones, pour leur premier album, ainsi que les Who, les Yardbirds et Donovan ;
- **au n°6** se trouve l'appartement où créchèrent les Sex Pistols et où ils enregistrèrent leurs premiers hits ; jetez un œil aux graffitis laissés par Johnny Rotten...
- **au n°9** The Flat Iron avait pour nom La Giaconda Café ; David Bowie et son meilleur ami Marc Bolan (futur T. Rex) y avaient leurs habitudes.
15h The British Library (p.122) Un stop s'impose à l'intérieur de l'immense bibliothèque dont la Sir John Ritblat Gallery expose des nappes et des cartes de vœux très spéciales. Couvertes des gribouillis de John, Ringo, Paul et George, elles servirent de support aux paroles de futurs tubes planétaires : *Michelle, Yesterday, A Hard Day's Night...* *M° King's Cross, St. Pancras*

16h Regent's Canal (p.131) Pourquoi ne pas gagner Camden en empruntant ce canal bucolique à partir de Granary Square (p.122) ?

16h30 Camden Market (p.130) Pour dégoter le perfecto ou la galette de vos rêves, écumez les friperies et les disquaires du mythique marché aux puces. En tournant à gauche après l'entrée de Stables Market, repérez l'escalier où les Clash posèrent pour l'iconique pochette de leur premier album, juste devant leur studio d'enregistrement.

18h Vous avez mérité une pinte bien fraîche et Camden regorge de pubs chargés d'histoire et d'ambiances rock, punk et jazz. Faites un crochet par The Hawley Arms (2 Castlehaven Road, ouvert dim.-jeudi 12h-0h, ven.-sam. 12h-1h), le pub préféré d'Amy Winehouse et toujours fréquenté par Pete Doherty, avant de rejoindre The Good Mixer (30 Inverness Street, ouvert tlj. 13h-0h30) et son atmosphère punk inchangée. C'est ici que, selon la rumeur, commença la rivalité entre Oasis et Blur et où Graham Coxon, le guitariste de Blur, passa la majeure partie de ses années 1990.

SOIRÉE

19h30 C'est l'heure du concert ! Poursuivez votre tournée des pubs au Dublin Castle (p.133) pour assister à un de leur fameux live rock ou rendez-vous au Borderline, haut lieu pop-rock à la déco western ! Pour des concerts d'envergure dans des salles mythiques, consultez la programmation de la Round House voisine (M° Chalk Farm) et du Royal Albert Hall, où jouèrent les plus grands (The Ramones, The Doors, Led Zeppelin...).

22h Bar Gansa Rechargez les batteries avant de poursuivre la soirée, autour de quelques tapas dans ce bar animé. Le dimanche soir, vous pourriez même oublier que vous êtes dans le quartier punk en assistant à un concert de flamenco. *M° Camden Town 2 Inverness St Tél. 020 7267 8909 www.bargansa. co.uk Ouvert lun.-jeu. 12h-0h, ven. 12h-1h, sam. 10h-1h, dim. 10h-0h*

23h KOKO (p.133) Envie de danser toute la nuit ? Direction le KOKO (ouvert jusqu'à 4h les ven. et sam.), ancien théâtre au décor grandiose dans lequel les Stones enregistrèrent un album, les Clash eurent une résidence d'été et Madonna et Prince (et Charlie Chaplin) un public !

OU BIEN Pour dormir L'hôtel The Cumberland a aménagé une Jimi Hendrix's Suite aux meubles vintage et aux murs psychédéliques (Great Cumberland Place, tél. 020 7523 5053 www.guoman.com)

"The Making of Harry Potter" au Warner Bros Studio

Une journée avec Harry Potter

Mettez vos pas dans ceux de Harry, Ron et Hermione pour une journée ensorcelante !

MATINÉE

10h **ZSL London Zoo** (p.116) C'est ici qu'Harry fait tomber accidentellement un python de Birmanie sur son cousin Dudley, découvrant par la même occasion qu'il peut parler aux serpents. Attardez-vous à la Reptile House, lieu de tournage de la scène et repaire de la plus grande collection de serpents venimeux du Royaume-Uni.

12h **Regent's Canal** (p.131) Flânez au fil de Regent's Canal jusqu'à Granary Square, où vous pourrez jouer dans la fontaine aux mille jets avant de gagner l'esplanade de la gare de King's Cross (King's Cross Station).

12h40 **The Harry Potter Shop at Platform 9³/₄** (p.127) Une gare peut en cacher une autre : avec son architecture néogothique, la gare voisine de St. Pancras sert de doublure aux extérieurs de King's Cross Station dans la plupart des films. Dirigez-vous à l'intérieur de cette dernière où, après avoir traversé la superbe résille d'acier du hall des départs, vous découvrirez la Platform 9³/₄ : prenez-vous en photo poussant le chariot à bagages à travers le mur puis faites un tour non loin dans la boutique pleine du sol au plafond de baguettes magiques, capes, peluches et autres féeriques accessoires !

13h **Grant Museum of Zoology** (p.122) Dans cette grande salle aux beaux cabinets de bois, l'ambiance inquiétante des donjons où se tiennent les cours

"The Making of Harry Potter", Warner Bros Studio

de potion du professeur Rogue fait défaut, mais on y retrouve tout le contenu : bocaux remplis d'animaux et d'embryons flottants dans du formol, coquilles d'œufs exotiques, squelettes...

13h30 Si la vue du bocal de taupes ne vous a pas coupé l'appétit, direction **North Sea Fish Restaurant** (p.125) pour un fameux fish & chips.

APRÈS-MIDI

14h30 Leadenhall Market (p.149) C'est sous cette magnifique halle de métal et de verre aux allées pavées que furent tournées les scènes se déroulant sur le Chemin de Traverse dans *Harry Potter à l'école des sorciers*. Les boutiques de balais volants ont laissé place aux épiceries fines, et la belle devanture bleue du Chaudron Baveur à un opticien.

15h Millennium Bridge (p.194) Dans la City, côté Tamise, découvrez ce surprenant pont d'acier conçu par Foster et détruit par un Mangemort lors de l'impressionnante scène d'ouverture de *Harry Potter et l'Ordre du phoenix*. Juste à côté s'élève la cathédrale Saint Paul (p.146), dont l'étroit escalier en spirale fut celui filmé et utilisé par les élèves pour monter en cours de divination dans *Harry Potter et le Prisonnier d'Azkaban*.

15h15 Rendez-vous devant une ambassade très spéciale, l'**Australia House** (Strand, M° Temple), où furent tournés les intérieurs et extérieurs de Gringotts, l'inviolable banque des sorciers, pour un coup d'œil à son imposant hall d'entrée ! En chemin, remontez le temps dans le dédale de petites rues de Temple.

15h45 Longez les quais jusqu'à **Big Ben** (p.98) puis déambulez dans Westminster en passant devant sa superbe abbaye gothique. C'est sous ce

quartier que se situe le ministère de la Magie ; Harry y accède à deux reprises dans les cinquième et septième opus de la série en empruntant l'entrée située dans Horse Guards Avenue.

17h Laissez-vous ensorceler, chez **Maison Bertaux** (p.69), par un chocolat chaud et des gâteaux dans une petite salle au charme désuet !

17h30 Charing Cross Road C'est en empruntant cette rue de Soho (p.66) et les allées adjacentes que J.K. Rowling eut l'idée d'une taverne ouvrant sur un passage magique. Essayez de deviner quel pub lui inspira Le Chaudron Baveur avant de vous engouffrer sur le vrai Chemin de Traverse : Cecil Court et ses mystérieuses librairies et boutiques d'antiquités. Vous pourrez vous procurer l'argent des sorciers chez Colin Narbeth & Son, au n°20. Poursuivez jusqu'à Goodwin's Court, dont les devantures sombres et l'éclairage au gaz vous plongeront dans l'atmosphère de l'Allée des Embrumes.

18h Arrêt chez **Hardys** pour faire le plein de confiseries magiques : dragées surprises de Bertie Crochue, chocogrenouilles et limaces... *M° Covent Garden 25 New Row Tlj. 11h-20h (18h dim.) Tél. 020 7240 2341 www.hardyssweets.co.uk*

SOIRÉE

18h30 Gaby's Deli Lasagnes et salades méditerranéennes dans cette épicerie familiale, parfaite avant de se rendre au spectacle. *M° Leicester Square 30 Charing Cross Rd Tél. 020 7836 4233 Ouvert tlj. 10h-0h*

19h30 Theatreland Choisissez une des nombreuses comédies musicales jouées dans les différents théâtres de Soho : *Cendrillon, Charlie et la Chocolaterie, le Roi lion, Peter Pan...*

ET AUSSI...

Pour dormir Rêvez que vous êtes étudiant à Poudlard dans la suite Wizard du Georgian House Hotel. 269 £ la nuit. *35-39 St. George's Drive M° Pimlico*

Pour une promenade commentée *www.freetoursbyfoot.com/london-tours* et *www.tourformuggles.com*

Si vous disposez d'une journée supplémentaire À 20min en train de Euston Station, embarquez pour le Warner Bros Studio Tour (p.249) et parcourez, pendant les 3h de la visite guidée, l'ensemble des décors utilisés lors du tournage des huit films. Poudlard n'aura alors plus de secret pour vous ! *Rés. obligatoire Ouvert tlj.10h-18h*

Le cœur de Londres palpite à l'écart de son noyau historique, la City, et plus précisément à l'ouest (*west end*) ! Siège de la Couronne dont les palais de Westminster et de Buckingham ou le *so chic* quartier de St James's font rayonner l'aura, il s'affiche aussi comme le royaume des plaisirs, des très commerçantes Oxford Street et Regent Street à la festive Soho.

West End

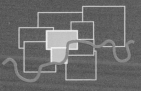

48	**Plan 1**
50	**Plan 2**
52	**Les incontournables**
54	**Nos conseils**
56	**Rendez-vous avec...**
58	**Piccadilly et Mayfair**
66	**Soho**
76	**Covent Garden-Trafalgar Sq.**
88	**Buckingham-St. James's**
96	**Westminster**

Nouvel An chinois devant la National Gallery

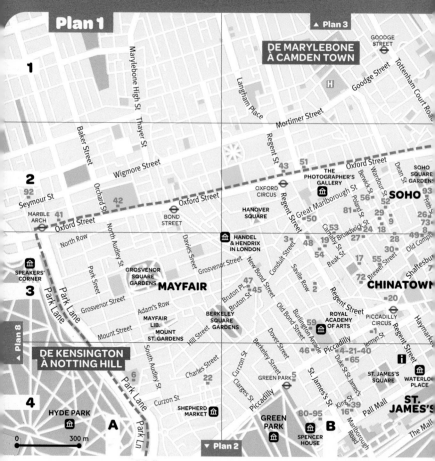

Plan 1

▲ Plan 3

DE MARYLEBONE À CAMDEN TOWN

1

GOODGE STREET

Marylebone High St.

Langham Place

Goodge Street

Tottenham Court Road

Thayer St.

Mortimer Street

Baker Street

Regent St.

THE PHOTOGRAPHER'S GALLERY

Oxford Street

SOHO SQUARE GARDENS

Dean St.

2

92

Wigmore Street

Orchard St.

Oxford Street

OXFORD CIRCUS

Regent Street

Great Marlborough St.

Berwick St.

Wardour St.

93

Frith St.

SOHO

Seymour St.

42

HANOVER SQUARE

81

56

52

29

26

73

MARBLE ARCH

41

BOND STREET

50

Carnaby

Broadwick St.

Poland St.

24

18

49

8

Oxford Street

North Row

North Audley St.

Davies Street

HANDEL & HENDRIX IN LONDON

3

48

19

53

27

28

30

Old Compt

SPEAKERS' CORNER

Park Lane

Park Street

Grosvenor Street

GROSVENOR SQUARE GARDENS

New Bond Street

Conduit Street

Savile Row

Beak St.

17

55

Brewer St.

CHINATOWN

3

Park Lane

Grosvenor Street

MAYFAIR

Bruton Pl.

47

45

Bruton St.

72

Brewer St.

20

Adam's Row

MAYFAIR LIB.

BERKELEY SQUARE GARDENS

Old Bond Street

Burlington Arcade

59

ROYAL ACADEMY OF ARTS

PICCADILLY CIRCUS

Haymark

▲ Plan 8

Mount Street

MOUNT ST. GARDENS

Hill Street

Berkeley Street

Dover Street

Piccadilly

46

4-21-40

65

Jermyn St.

Regent Street

DE KENSINGTON À NOTTING HILL

South Audley St.

Charles Street

22

Curzon St.

Clarges St.

GREEN PARK

Duke St-St-James's

King St.

St. James's St.

St. James's

ST. JAMES'S SQUARE

WATERLOO PLACE

4

HYDE PARK

Park Lane

Shepherd Market

Curzon St.

Piccadilly

GREEN PARK

5

80-95

16

39

Pall Mall

Marlborough Road

ST. JAMES'S

0 — 300 m

A

Park Ln

SPENCER HOUSE

B

The Mall

▼ Plan 2

Pauses (nº 1 à 19)

1	5th View p.62	B3
12	Bageriet p.82	C3
10	Foyles Café p.69	C2
14	Lamb & Flag p.83	C3
7	Maison Bertaux p.69	C2
2	Mo Café p.62	B3
	My Place p.56	B2
17	Nordic Bakery p.56	B3
8	Pâtisserie Valérie p.69	B2
16	Prêt à manger p.92	B4
9	Princi p.69	B2
15	Rose Bakery p.92	C3
13	Savoy p.83	C3
11	Somerset House p.82	D3

6	The Bar at The Dor. p.63	A4
4	The Diam. Jub. Tea S. p.62	B4
3	The Parl. at Sketch p.62	B3
5	The Ritz p.63	B4
19	Wright Brothers p.57	B3

Restaurants (nº 20 à 39)

25	10 Greek Street p.71	C2
23	Abeno Too p.70	C3
24	Bao p.70	B2
32	Bar Shu p.72	C3
31	Barrafina p.71	B2
20	Brasserie Zédel p.63	B3
33	Café in the Crypt p.84	C3
39	Get the Focaccia p.94	B4
34	Gordon's Wine Bar p.84	C4

27	Mildred's p.71	B3
31	New World p.72	C3
28	Polpetto p.71	B2-B3
30	Randall & Aubin p.71	B3
35	Rock & Sole Plaice p.84	C2
38	Sheekey p.85	C3
36	Simpson's-in-the-Str. p.84	C3
22	Tamarind p.64	A4
21	The Gallery p.64	B4
37	The Natl Din. Rooms p.85	C3
29	Yauatcha p.71	B2

Shopping (nº 40 à 66)

52	Agent Provocateur p.73	B2
46	Alexander McQueen p.65	B4
49	Algerian Coffee Store p.72	B3

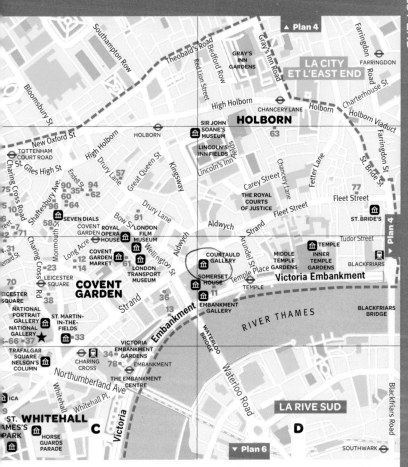

61 Benjamin Pollock's p.86 ...... C3
56 Berwick Street p.74 ....B2
66 Dover Street Market p.95 .... C3
40 Fortnum & Mason p.64 .... B4
48 Hamleys p.65 ....B3
65 Jermyn St p.94 ....B3,B4
50 Liberty p.72 ....B2
59 Lulu Guinness p.86 ....B3
41 Marks & Spencer p.64 .... A2
64 Neal's Yard Dairy p.87 .... C2
60 Neal's Yard Rem. p.85 ....C2
53 Office p.73 ....B3
54 OTHER/shop p.73 ....B3
57 Oxfam Shop p.85 .... C2
47 Rupert Sanderson p.65 ....B3

42 Selfridges p.65 ....A2
62 Slam City Skates p.86 .... C2
45 Stella McCartney p.65 ....B3
58 Tatty Devine p.86 .... C2
63 The L. Silver Vaults p.87 ..... D2
43 Topshop/Topman p.65 ....B2
51 Urban Outfitters p.73 ....B2
55 Vintage Magazine p.73 ....B3

Sorties (n° 70 à 81)
76 Bar Italia p.75 ....B2
80 Dukes Hotel p.95 .... B4
74 Experimentl Cocktail p.75 ....B3
78 Heaven p.87 ....C4
79 ICA p.95 ....C4
72 Mark's Bar p.74 ....B3

73 Ronnie Scott's p.74 ....B2
81 The Blind Pig p.57 ....B2
75 The Borderline p.75 ....C2
71 The Coach & Horses p.74 .... C2
70 T. Prince Charles Cin. p.74 ... C3
77 Ye Olde Che. Cheese p.87 ... D2

Hébergements (n° 90 à 96)
96 Covent Garden Hotel p.293.. C2
95 Dukes Hotel p.293 .... B4
91 Fielding Hotel p.292........... C2
93 Hazlitt's p.293 ....B2
90 Seven Dials Hotel p.292 ...... C2
94 The Hospital Club p.293...... C2
92 Zetter Townhouse p.292......A2

Plan 2

▲ Plan 1

HYDE PARK

ST. JAMES'S PALACE

CLARENCE HOUSE

MARLBOROUG GATE

LANCASTER HOUSE

APSLEY HOUSE

Hyde Park Corner

HYDE PARK CORNER

WELLINGTON ARCH

GREEN PARK

CANADA GATE

QUEEN VICTORIA MEMORIAL

The Mall

BANDSTAN

Grosvenor Pl.

Constitution Hill

AUSTRALIA GATE

Spur Rd

Birdcage Walk

GUARDS CHAPEL

BELGRAVE SQUARE GARDEN

BUCKINGHAM PALACE

PALACE GARDENS

GUARDS BOOKSHOP

GUARDS MUSEUM

HOM OFFIC

Grosvenor Place

QUEEN'S GALLERY

WELLINGTON BARRACKS

WELSH GUARDS

Buckingham Gate

Belgrave Place

ST. PETER

Hobart Place Lower Grosvenor Pl.

Grosvenor

ROYAL MEWS

Palace Street

Caxto

Buckingham Palace Road

Bressenden Place

THEATRE

Lyall Street

Eccleston Street

Ebury Street

Beeston Place

Buckingham Palace Road

Gardens

VICTORIA Terminus Pl.

Victoria Street

WESTMINSTE PALACE GARDENS

EATON SQUARE GARDEN

WESTMINSTER CATHEDRAL

ST. STEPHEN WITH ST. JOHN

BELGRAVIA

Elizabeth Street

VICTORIA STATION

Vauxhall Bridge Road

Rochester Row

Ebury Street

VICTORIA COACH STATION

Buckingham Palace Road

FOUNTAIN SQUARE

Eccleston Bridge

Bridge Place

Gillingham

Belgrave Road

Wilton Road

St

WESTMINSTER FRIARY QUEEN MOTHER SPORTS CENTRE

WESTMINST SCHOOL PLAYING FIELDS

SLOANE SQUARE

ECCLESTON SQUARE PARK

Warwick Way

12

2

Tachbrook St

Vauxhall Bridge Road

WARWICK SQUARE

21

Belgrave Road

20

ST. JAME THE-LES LILLINGTON GARDENS ESTATE

Pimlico Road

Ebury Bridge

Warwick Way

Saint George's Drive

ST. GABRIEL

Clarendon Street

Cambridge St

HOLY APOSTLES CATHOLIC CHURCH

PIMLICO

Lupus Street

ST. SAVIOUR'S CHURCH HALL

DE KENSINGTON à NOTTING HILL

Sutherland Street

Lupus Street

ST. GABRIEL'S CHURCH HALL

CHURCHILL GARDENS ESTATE

Lupus Street

PIMLICO SCHOOL

Claverton Street

DOLPHIN SQUARE

Churchill Gardens Road

Chelsea Embankment

A

Grosvenor Road

B

▲ Plan 8

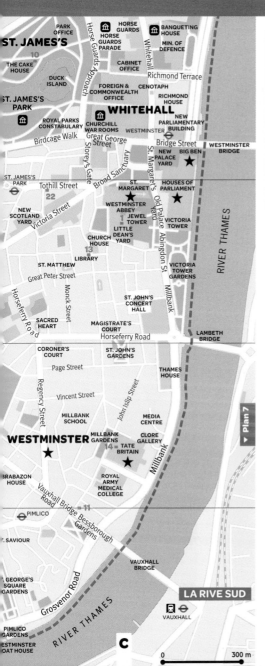

Pauses (n° 1 à 3)
1 Cellarium Café p.102 .... C2
2 Pimlico Fresh p.102 .... B3
3 Tiles p.102 .... B2

Restaurants (n° 10 à 14)
13 Cinnamon Club p.103 .... C2
10 Inn The Park p.94 ....C1
11 Relish,
    the Sandwich Shop p.102.... C3
14 Rex Whistler
    Restaurant p.103 .... C3
12 Seafresh p.102 .... B3

Hébergements (n° 20 à 22)
20 Astor Victoria Hostel p.292 .. B3
21 Luna Simone Hotel p.292.... B3
22 The Sanctuary House
    Hotel p.292 .... C2

LES INCONTOURNABLES

★ **BUCKINGHAM PALACE** (p.88) pour ses carrosses dorés et ses gardes placides.

★ **TATE BRITAIN** (p.98) pour ses 300 toiles signées Turner.

★ **WESTMINSTER** (p.96) pour la beauté gothique de deux piliers de la nation.

★ **BIG BEN** (p.98) pour ses cadrans, les plus célèbres au monde.

★ **THE NATIONAL GALLERY** (p.81) pour son
fabuleux fonds de peintures européennes.

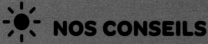

NOS CONSEILS

Des suggestions pratiques et des petites astuces pour découvrir le West End sans fausse note.

Écumez les 300 *shops* d'Oxford Street

Passez de St. James's, le quartier le plus huppé de Londres, royaume du luxe et d'une élégance toute britannique (Bond Street, Saville Row) à Soho, cœur vibrant des Swinging Sixties, en léchant les vitrines d'**Oxford Street**, principale rue commerçante de la ville, et de **Regent Street**, l'une de ses voies transversales (p.64). Les deux immenses artères, bordées de grands magasins, chaînes de prêt-à-porter internationales et temples du low-cost, font du West End l'épicentre de la mode !

Profitez d'un concert "sur le pouce"

De nombreux *lunchtime concerts* sont organisés le midi en semaine, dans les églises, théâtres ou centres culturels. Ces récitals et concerts de musique de chambre donnés par de jeunes professionnels sont le plus souvent gratuits. Parmi les plus réputés figurent ceux de l'église St. Martin-in-the-Fields (p.82), du Royal Opera House (p.77) ou de St. John's Hall (p.101).

Réservez votre *musical* !

Partagez l'engouement des Londoniens pour le théâtre ! Le Theatreland (périmètre regroupant une soixantaine de salles pour la plupart autour de Shaftesbury Avenue) témoigne d'une belle vitalité avec ses comédies musicales à succès et ses pièces de qualité. Il faut réserver longtemps à l'avance. Sachez que si l'association des théâtres de Londres (Society of London Theatres, SOLT) centralise les billets invendus et en brade tous les jours (aux kiosques TKTS), il s'agit souvent de places à visibilité réduite (*restricted-view seats*). Évitez les agences de réservation dont la commission peut s'élever jusqu'à 20% du prix de la place.

TKTS Clocktower Building Leicester Sq. M° Leicester Square 🖥 **www.tkts.co.uk www.officiallondontheatre.co.uk** ⏲ **Lun.-sam. 10h-19h, dim. 11h-16h30**

Ne ratez pas le off

L'expression *Off-West End* désigne les salles qui programment des pièces d'auteur ou du répertoire classique.

Profitez des *theatre menus*

N'oubliez pas que dans la plupart des restaurants, même gastronomiques, des formules intéressantes permettent de combiner souper et sortie au théâtre : le *pre-theatre menu*, servi de 17h45 à 19h, et le *post-theatre menu*, proposé à partir de 22h-22h30, tournent autour de 18-25£.

Prenez le métro toute la nuit le week-end

En fin de semaine, le quartier est difficilement praticable tant la foule y est dense. Trouver un taxi relève de l'exploit et venir en voiture de

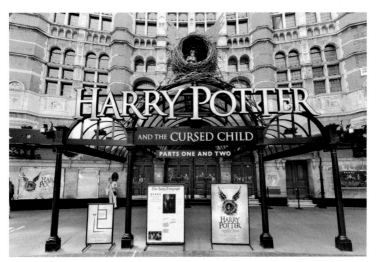

The Palace Theatre, Soho

l'impossible. Heureusement, plusieurs lignes de métro fonctionnent désormais toute la nuit le week-end (p.282).

☀ Cherchez le club

Il se passe toujours quelque chose dans le West End, quelle que soit l'heure. S'y mélangent étrangers en goguette, étudiants (trop) joyeux et branchés. Mais à la nuit tombée, gardez toujours l'œil ouvert car autour d'un club ultrapointu vous guettent quantité d'attrape-touristes chers et sans intérêt et dans lesquels les rabatteurs veulent vous attirer à coups de tarifs réduits.

☀ Vivez le Nouvel An chinois à Soho

Guettez les **Chinese New Year Festival and Parade** ! Chaque année, entre fin janvier et mi-février, la parade du Nouvel An chinois défile sur Charing Cross Road et Leicester Square jusqu'à Trafalgar. Au programme : musiques et danses traditionnelles dont l'incontournable danse du Dragon. Troupes et artistes de Chine sont régulièrement invités.

M° Tottenham Court Road ou Charing Cross ☎ 020 7851 6686 www.lccauk.com Fin jan.-mi-fév.

☀ Écoutez chanter Noël à Trafalgar Square

Autour d'un sapin illuminé haut de 20m (cadeau annuel de la Norvège depuis la fin de la Seconde Guerre mondiale), chœurs et chants de Noël égaient la place (de 16h à 20h en sem. ; de 14h à 18h le w.-e.).

Déc.-début jan. (concerts jusqu'à la veille de Noël)

☀ Offrez-vous une toile à la belle étoile

En août, la Somerset House (p.78) prête son cadre prestigieux à un cinéma de plein air où voir ou revoir des films cultes. *Enjoy !*

RENDEZ-VOUS AVEC...

Derrière thenordique.com, site de référence de design et de création scandinaves, se cache un duo d'énergiques Suédoises installées à Londres depuis une dizaine d'années. Quand elles ne chinent pas des chaises vintage, Elin Svensson et Stephanie Silva musardent dans Soho, leur quartier de prédilection, qu'elles vous présentent à travers leurs adresses fétiches.

Notre havre de paix
Foyles Café

Indispensable. Il faut venir un jour pluvieux et fatigué de son shopping se poser dans ce café à l'ambiance chaleureuse situé au 5e étage de la librairie Foyles (p.69). Ce temple du livre, tenu par la même famille depuis plus d'un siècle est une institution londonienne et l'un des rares endroits où trouver des ouvrages en... suédois !

(plan 1, C2 n°10) 107 Charing Cross Road
M° Tottenham Court Road ☎ 020 7440 3207
🕐 Lun.-sam. 9h30-20h30, dim. 12h17h30

Nos madeleines de Proust !
Nordic Bakery

Nous allons souvent nous réinjecter une dose de saveurs de notre pays dans cette boulangerie ! Incroyables petits roulés à la cannelle (cinnamon buns en anglais), biscuits aux épices et même des sandwichs de pain complet au gravlax (saumon mariné à la suédoise).

ENVIE DE FLÂNER ?

Soho, c'est aussi Chinatown et pour un dépaysement total, il faut aller dîner au Royal Dragon (30 Gerrard St) pour la gastronomie du Sichuan, bien sûr, mais aussi pour les karaokés endiablés !

❶ ADRESSES

- **A** Foyles Café
- **B** Nordic Bakery
- **C** My Place
- **D** Wright Brothers
- **E** The Blind Pig

Il y a plusieurs adresses en ville, mais celle de Soho reste notre préférée. Elle se trouve juste à côté du Golden Square, une oasis de tranquillité où improviser un pique-nique aux beaux jours.

(plan 1, B3 n°17) 14a Golden Square
M° Picadilly Circus 🖥 nordicbakery.com

Notre coffee shop
My Place

Nous avons déniché ce lieu un jour où tout était bondé dans le coin et

Au Foyles Café

depuis, My Place est notre *place to be*, notre point de ralliement où l'on aime retrouver nos amis. On aime son atmosphère sans prétention, que ce soit pour le *morning coffee* ou le souper après le spectacle – nous avons un faible pour leurs roulés au saumon ! C'est vraiment le lieu de Soho où les Londoniens viennent échapper à l'agitation des rues trop touristiques. Allez voir au sous-sol le mur de post-it !

(plan 1, B2 n°18) 21 Berwick St M° Piccadilly Circus ☎ 020 3417 2829 myplacesoho.com

Notre apéro iodé
Wright Brothers

On a découvert par hasard à l'écart de Carnaby Street ce restaurant spécialisé dans les fruits de mer et le poisson, où les recettes vont faire un tour du côté de l'Asie. Si le décor grillagé est étonnant, c'est surtout pour les huîtres qu'on y revient encore et encore. Entre 15h et 18h, il y a une promotion à 1£ l'une ! Une affaire pour le quartier !

(plan 1, B3 n°19) 13 Kingly Street , G7/ G8 Kingly Court M° Oxford Circus ☎ 44 20 7324 7731 thewrightbrothers.co.uk/soho. html

Notre bar à cocktails
The Blind Pig

Cherchez bien le petit panneau de l'opticien à côté du restaurant The Social Eating House, c'est là ! Le bar se cache au premier. On y sirote d'excellents cocktails dans une déco feutrée de speakeasy new-yorkais avec lumière tamisée et murs en acajou. À essayer absolument : le Ballroom Spritz (belsazar rosé, limoncello, gin, framboise et prosecco). N'hésitez pas à réserver !

(plan 1, B2 n°81) 58 Poland Street M° Oxford Circus ☎ 020 7993 3251

PICCADILLY ET MAYFAIR

D'un côté Piccadilly et sa place trépidante, illuminée la nuit par ses enseignes criardes, envahie le jour par une circulation anarchique et des foules de badauds, de l'autre Mayfair, ses prestigieuses galeries d'art et ses grands hôtels gardés par des hommes en livrée... Ce qui les relie ? Deux hauts lieux du shopping : Oxford Street et Regent Street.

À VOIR

INFOS

• La station de métro Oxford Circus dessert l'ouest de Mayfair, celle de Bond Street le nord ; Green Park et Piccadilly Circus desservent Piccadilly d'ouest en est.
• Travel Information Centre Dans la station de métro Piccadilly Circus. ⏱ Tlj. 9h30-18h

● PICCADILLY

Malgré ses abords huppés, Piccadilly est une artère populeuse et bruyante, que l'on emprunte pour musarder dans ses grands magasins ou se rendre au palais de Buckingham. L'avenue conserve quelques majestueuses façades georgiennes et édouardiennes. Le Méridien (1908) rivalise de luxe avec le Ritz (1906), palace dont les arcades s'inspirent de celles de la rue de Rivoli. Ici et là s'ouvrent des passages couverts où la bonne société victorienne s'initia aux plaisirs de la consommation : Prince's Arcade, Piccadilly Arcade et Burlington Arcade. En face de la Royal Academy of Arts, Fortnum & Mason (p.64), (p.64) et (p.62) mérite *of course* une visite.

Une vraie fourmilière
Piccadilly Circus (plan 1, B3)

Avec son fourmillement continuel, son ballet de bus rouges, sa profusion de magasins et sa surenchère publicitaire, la place dessinée par Nash dans les années 1820 traduit bien la vitalité de l'économie britannique. Sa fontaine est surmontée d'un *Ange de la Charité chrétienne*, souvent confondu avec Éros, le dieu de l'Amour. Le monument (1893) rend hommage à Anthony Ashley-Cooper, comte de Shaftesbury (1801-1885), politicien et philanthrope qui contribua à l'abolition du travail des enfants. Autour de la place, le théâtre Criterion, l'ancienne salle de bal du London Trocadero et le London Pavilion, jadis un music-hall, aujourd'hui un centre commercial, rappellent la tradition festive du West End.

Piccadilly À la jonction de Regent St et de Piccadilly M° Piccadilly Circus

Beaux-arts *academy*
Burlington House – Royal Academy of Arts 👍 (plan 1, B3)

La première école d'art du pays (1768) occupe l'ancienne résidence des comtes de Burlington, bel hôtel particulier édifié en 1668 et devenu, au fil des rénovations, un manifeste du classicisme italien. La collection permanente occupe une enfilade de splendides salons d'apparat regorgeant de moulures dorées.

À NE PAS MANQUER

• Royal Academy of Arts
• Handel & Hendrix in London
• Apsley House

Regent Street

On y admire des toiles de Reynolds, Gainsborough, Constable, Turner... L'Académie est célèbre pour ses expositions temporaires d'art et d'architecture, et pour sa grande foire estivale d'art contemporain (Summer Exhibition). Cafés et restaurants, dont un attenant à un petit jardin secret, agrémentent la visite.

Burlington House Piccadilly M° Piccadilly Circus ☎ 020 7300 8090 www.royalacademy.org.uk ⏱ Sam.-jeu. 10h-18h, ven. 10h-22h € À partir de 10£

Périple *British*

Burlington Arcade (plan 1, B3)
Des *beadles*, gardiens en redingote et chapeau haut de forme (à l'origine des soldats du 10e régiment de hussards) y surveillent le comportement des promeneurs. Et pour cause, une quarantaine de vénérables boutiques de luxe (parfums, cachemires et surtout bijoux) résident à l'intérieur du fameux passage couvert, notamment **Church's**, et ses fameuses chaussures, et **Penhaligon's** et ses parfums d'antan.

51 Piccadilly M° Piccadilly Circus ou Green Park ☎ www.burlington-arcade.co.uk ⏱ Lun.-sam. 9h-19h30, dim. 11h-18h

👁 MAYFAIR

Depuis son urbanisation, à l'aube du 18e s., Mayfair est le quartier chic du West End. Le duc de Wellington, l'amiral Nelson, le dandy Beau Brummell et le poète Byron y ont tous résidé. Ambassades, boutiques de luxe, galeries d'art, sans oublier sa très respectée maison de vente aux enchères Sotheby's, en font toujours un petit quartier hyper select.

Temples de la consommation
Regent Street (plan 1, B2-B3)

Nash aménagea cette artère de 1813 à 1823 pour établir un "cordon sanitaire" entre les hôtels particuliers de Mayfair et les taudis de Soho. La plupart des constructions d'origine ont fait place à des immeubles édouardiens en pierre de taille. L'avenue est un haut lieu du shopping, avec son défilé d'enseignes internationales et de grands magasins...

Mayfair M° Piccadilly Circus ou Oxford Circus

DRÔLE D'AFFAIRE

Avec ses enseignes anglaises haut de gamme, New Bond Street dépasse les Champs-Élysées au classement des rues commerçantes les plus chères ! Quant à la bouillonnante Oxford Street, si les chaînes de prêt-à-porter y côtoient grands magasins et temples de la mode low-cost, elle était au 18e s. le chemin emprunté par les condamnés à mort vers le lieu de leur exécution.

Enseignes de luxe et galeries d'art
Old et New Bond Streets (plan 1, B3)

On appelle Bond Street l'axe tracé par Old Bond Street et New Bond Street, entre Piccadilly et Oxford Street. Les plus prestigieuses marques de luxe y ont pignon sur rue. À hauteur de Clifford Street s'ouvre une placette dont l'un des bancs est occupé depuis 1995 par des statues de Churchill et de Roosevelt. De là, rejoignez Cork Street, fief des galeries d'art les plus réputées de la capitale, ou **Savile Row**, foyer de l'élégance masculine, dont les tailleurs habillent sur mesure les riches et les puissants de la planète. En 1968, les Beatles installèrent leur société, Apple Corps, au n°3 de la rue – et le concert improvisé que le groupe donna sur le toit le 30 janvier 1969 fut son dernier.

Piccadilly M° Bond Street ou Oxford Circus

Un musée baroque'n'roll
Handel & Hendrix in London (plan 1, B3)

Le musée réunit les demeures attenantes de deux musiciens qui ont marqué la musique et choisi Londres à deux siècles d'intervalle : Georg Friedrich Händel et Jimi Hendrix. Figure de la musique baroque, natif de Saxe, Händel se fixa définitivement au n°25 en 1723 et y vécut jusqu'à sa mort en 1759. Le chanteur et guitariste américain Jimi Hendrix (1942-1970) logea quelques mois dans la maison voisine en 1968 et 1969. Une occasion unique de se plonger dans leur époque respective et de découvrir leur style de vie, entre 18e s. et années psychédéliques !

Lancashire Court 25 Brook St Mayfair (entrée par Lancashire Court) M° Bond Street 020 7495 1685 handelhendrix.org Lun.-sam. 11h-18h 6,50£

Où Waterloo est une fête

Apsley House – Wellington Museum 👍 (plan 2, A1)

L'hôtel particulier du duc de Wellington, vainqueur de Waterloo en 1815. La statue monumentale due à Canova et les nombreux autres portraits et sculptures de Napoléon révèlent l'admiration que le duc vouait à son principal ennemi. À voir absolument, la salle des banquets où Wellington fêtait tous les ans l'anniversaire de la bataille de Waterloo, et l'éblouissante galerie éponyme exposant des toiles du Corrège, de Rubens, de Velázquez, de Murillo, de Goya...

149 Piccadilly, Hyde Park Corner Mayfair M° Hyde Park Corner ☎ 020 7499 5676 www.english-heritage.org.uk/visit/places/apsley-house ⏰ Avr.-oct. : mer.-dim. 11h-17h ; nov.-mars : sam.-dim. 11h-17h Ⓔ 8,80£

Arc de triomphe

Wellington Arch (plan 2, A1)

Également appelé Constitution Arch, cet arc de triomphe, érigé face à Hyde Park Screen en 1828, fut transféré sur son site actuel en 1883 pour ne plus entraver la circulation. Un quadrige surmonté de l'*Ange de la Paix* remplaça alors la statue du duc de Wellington qui coiffait le monument. Du sommet, le regard embrasse les parcs alentour et le Parlement.

Hyde Park Corner Mayfair M° Hyde Park Corner ☎ 020 7930 2726 www.english-heritage.org.uk/visit/places/wellington-arch ⏰ Tlj. 10h-fin d'après-midi Ⓔ 5,20£

Wellington Arch

Tendez l'oreille !

Speakers' Corner (plan 1, A3)

En 1855, les forces de l'ordre répriment un rassemblement contre la décision de légaliser l'ouverture des commerces le dimanche à l'angle nord-est de Hyde Park. Ce site devient alors l'un des théâtres privilégiés des manifestations ouvrières et, depuis 1872, un décret du Parlement y garantit le droit d'expression. Le "coin des Orateurs" accueille ainsi toute personne désireuse d'exprimer sa pensée, pourvu que ses propos ne soient ni diffamatoires ni obscènes. À surveiller le dimanche après-midi...

Hyde Park À l'angle nord-est 🖥 www.speakerscorner.net

Gentlemen perfumer
Geo. F. Trumper (plan 1, B4)

Jouez au dandy jusqu'au bout de la barbe chez le plus célèbre des *perfumers*, pour une coupe de cheveux, un rasage ou une séance de manucure.

9 Curzon St 🖥 **020 7499 1850** www.trumpers.com ⏲ Lun.-ven. 9h-17h30, sam. 9h-17h pas de manucure le sam.

☕ PAUSES

Vue sur les toits
5th View

Au dernier étage du temple-librairie Waterstones, ce bar salon de thé spacieux est l'endroit idéal pour vous plonger dans le roman que vous venez d'acheter et accessoirement profiter d'une jolie vue sur les toits de St. James's et de Westminster. L'ambiance est feutrée, détendue, à l'abri du tumulte de Piccadilly.

PICCADILLY (plan 1, B3 n°1) Waterstones 203-206 Piccadilly M° Piccadilly Circus 🖥 020 7851 2433 www.5thview.co.uk ⏲ Lun.-sam. 9h-22h, dim. 12h-17h Restauration rapide 12h-21h

Canapés et vieilles dentelles
The Diamond Jubilee Tea Salon at Fortnum & Mason

Pas de *dress code* – hormis le pantalon pour les hommes – dans ce salon guindé au personnel en queue-de-pie et tablier de dentelle. *Afternoon tea* (44-48£) avec canapés, scones et pâtisseries – dont le *knickerbocker*

glory aux fruits rouges, star du lieu depuis 1955. Rés. conseillée.

PICCADILLY (plan 1, B4 n°4) 4e étage 181 Piccadilly M° Piccadilly Circus 🖥 020 7734 8040 ou 0845 602 5694 (rés.) www.fortnumandmason.co.uk ⏲ Afternoon tea, high tea : lun.-sam. 12h-19h, dim. 12h-18h

C'est le souk !
Mo Café

L'annexe du restaurant Momo décline le thème marocain – poufs en cuir, tapis chatoyants, lampes en cuivre, tables basses... – au son de darboukas de circonstance. Les cocktails, notamment sans alcool, sont tous excellents. Un bel endroit confortable à un jet de datte de Regent Street. Thé à la menthe 3£.

MAYFAIR (plan 1, B3 n°2) 25 Heddon St M° Piccadilly Circus 🖥 020 7434 4040 ⏲ Tlj. 12h-1h

L'*afternoon tea* version fun
The Parlour at Sketch

Mobilier rétro dépareillé et musique lounge invitent à la détente. Le *tea*

4500 (rés.) www.sketch.uk.com ⏰ Lun.-ven. 8h-2h, sam. 10h-2h, dim. 10h-0h (thé servi lun.-sam. 13h-18h)

Luxe, calme et volup...thé
The Ritz

Le plus célèbre, le plus convoité et le plus exclusif des salons de thé londoniens : on y réserve une table six semaines à l'avance ! Dans les fastueux salons de Palm Court, ce rituel raffiné est assuré cinq fois par jour à heure fixe et bercé par les notes d'un piano ou d'une harpe. Tenue correcte exigée : veste et cravate pour les hommes, jeans et tennis prohibés... *Afternoon tea* 52£, *Champagne afternoon tea* (5e service) 68£.

MAYFAIR (plan 1, B4 n°5) Ritz Palm Court 150 Piccadilly M° Green Park 📞 020 7300 2345 (rés.) www.theritzlondon.com ⏰ Services tlj. à 11h30, 13h30, 15h30, 17h30, 19h30

The Ritz

est proposé version *afternoon* (canapés, scones et pâtisseries, 45£) mais vous pouvez également siroter un verre de vin, si c'est plutôt ça votre tasse de thé (servi tout au long de la journée). Aussi une carte de restauration légère non-stop : *raviolini*, risotto, salades, etc. Ne manquez pas les toilettes en forme d'œufs géants ! Rés. conseillée.

MAYFAIR (plan 1, B3 n°3) 9 Conduit St W1S 2XG M° Oxford Circus ou Bond Street 📞 020 7659

La crème des palaces
The Bar at The Dorchester

Ce bar de palace, où règne une délicieuse pénombre, se révèle parfait pour un rendez-vous amoureux, lové dans un opulent canapé en velours violet. Équipe étonnamment chaleureuse et cocktails inventifs mais à prix stratosphériques (à partir de 16£) !

MAYFAIR (plan 1, A4 n°6) 53 Park Lane M° Hyde Park Corner 📞 020 7629 8888 ⏰ Lun.-sam. 12h-1h, dim. 12h-0h

 **RESTAURANTS**

Brasserie parisienne
Brasserie Zédel £

Voilà une cave qui a retrouvé son faste Art déco d'origine pour accueillir une grande brasserie "parisienne". Cuisine française, soignée et bon marché. Rien de mieux pour un steak-frites-salade dans les règles de l'art. Formules à 10-13£ (2-3 plats).

PICCADILLY (plan 1, B3 n°20) 20 Sherwood St M° Piccadilly Circus 📞 20 7734 4888 www. brasseriezedel.com ⏰ Lun.-sam. 11h30-0h, dim. 11h30-23h

Grand luxe abordable
The Gallery at Fortnum & Mason ££

L'un des trois restaurants du grand magasin F&M, célèbre pour son épicerie fine, et un rapport qualité-prix imbattable. Spécialités britanniques sages et savoureuses. Menu (2 plats) 25,50£ : une affaire, vu le luxe ahurissant du lieu !

PICCADILLY (plan 1, B4 n°21) 181 Piccadilly M° Piccadilly Circus ☎020 7734 8040 ou 0845 602 5694 (rés. de 9h à 18h lun.-sam.) www.fortnumandmason.co.uk ⏰Lun.-sam. 12h-19h, dim. 12h-18h Brunch 10h-18h lun.-sam.

Grande cuisine indienne
Tamarind ££

Ce gastronomique indien ultra-élégant collectionne les étoiles et les récompenses. Ambiance feutrée pour des spécialités inspirées des traditions mogholes – une large place est faite aux viandes et poissons *tandoori* (cuits au four). Les prix sont restés raisonnables : *set menu* (3 plats) 21£ (comptez 40£ à la carte).

MAYFAIR (plan 1, A4 n°22) 20 Queen St M° Green Park ☎020 7629 3561 www.tamarindrestaurant.com ⏰Lun.-ven. 12h-14h45 et 17h50-23h, sam. 17h30-23h, dim. 12h-14h45 et 18h-22h30

SHOPPING

Épicentre du shopping chic et *British*, Mayfair réunit le haut de gamme, des fournisseurs de la reine à l'avant-garde. Au nord, Oxford Street est quant à elle l'image même du shopping *mainstream*.

La reine des épiceries
Fortnum & Mason

Le grand magasin qui régale la cour d'Angleterre depuis 1707 n'a rien perdu de son excellence. L'épicerie fine qui l'a rendu célèbre propose tous les grands classiques anglais : plus de 200 thés, de nombreux fromages, marmelades et scones. Le must : les thés Royal Blend (bus par la reine) et Fortmason (9,95£ les 250g).

PICCADILLY (plan 1, B4 n°40) 181 Piccadilly M° Piccadilly Circus ou Green Park ☎020 7734 8040 www.fortnumandmason.com ⏰Lun.-sam. 10h-21h, dim. 11h30-18h

Tellement anglais !
Marks & Spencer

Pour l'ambiance et les saveurs *so British* du rayon alimentaire. Mais les Anglaises voient aussi dans l'enseigne leur fournisseur officiel en lingerie et basiques de qualité ! Les sous-vêtements "Limited Collection" et les vêtements et accessoires "Per Una" attirent même une clientèle plus avertie.

MAYFAIR (plan 1, A2 n°41) 458 Oxford St M° Marble Arch ☎020 7935 7954 www.marksandspencer.com ⏰Lun.-sam. 9h-21h, dim. 12h-18h

Stella McCartney

The best
Selfridges
Rival de Harrods, celui qui s'est vu gratifier à plusieurs reprises du titre de "meilleur grand magasin du monde" reste le chouchou des Londoniennes grâce à son immense rayon beauté. Bienvenue dans le temple de la mode et du *lifestyle* 2.0.

MAYFAIR (plan 1, A2 n°42) 400 Oxford St M° Bond Street 0800 123 400 www.selfridges.com Lun.-sam. 9h30-21h, dim. 11h30-18h

Le top de la mode à petits prix
Topshop/Topman
Le secret de ce mégastore de la mode à prix modestes ? S'inspirer des défilés pour sortir en un temps record vêtements (femmes et hommes), chaussures et accessoires dernier cri, et collaborer avec de jeunes stylistes. Espace vintage, service gratuit de conseil en style, café, *nail bar*, grands canapés pour souffler un peu et même un petit rayon bébé et maternité. Le top des *shops* !

MAYFAIR (plan 1, B2 n°43) 214 Oxford St et 36-38 Great Castle St Oxford Circus M° Oxford Circus 084 4848 7487 Lun.-ven. 9h30-22h ; sam. 9h-21h ; dim. 11h30-18h

Boutique-bijou
Stella McCartney
La boutique de la fille de Sir Paul McCartney a tout du petit bijou et vaut le coup d'œil. Entièrement conçue par la styliste, elle allie l'ancien et le contemporain pour présenter une mode chic et décontractée, facile à vivre, des chaussures vegan à la lingerie (de celle qui habille Madonna ou Annie Lennox).

MAYFAIR (plan 1, B3 n°45) 30 Bruton St M° Green Park ou Bond Street 020 7518 3100 www.stellamccartney.co.uk Lun.-sam. 10h-19h

L'avant-garde avant tout
Alexander McQueen
Adulé sur les cinq continents, Alexander McQueen, mort en 2010, était le prodige de la mode britannique. Un passage par cette boutique futuriste aux courbes organiques s'impose pour y (re)découvrir ses créations avant-gardistes (la robe de Lady Gaga dans *Bad Romance*, c'était lui !) et celles plus sages, teintées d'influences historiques.

MAYFAIR (plan 1, B4 n°46) 4-5 Old Bond St M° Green Park 020 7355 0088 www.alexandermcqueen.com Lun.-mer. et ven. 10h30-18h30, jeu. 10h-19h, sam. 10h30-19h, dim. 12h-18h

Trop *shoe* !
Rupert Sanderson
Cette boutique chicissime est l'une des plus tendance de Londres. Classiques, parfaites, sexy, ses luxueuses chaussures faites main en Italie (de 265 à 845£) séduisent des rédactrices de mode, des actrices (Kristin Scott Thomas, Cate Blanchett) et de riches Londoniennes.

MAYFAIR (plan 1, B3 n°47) 19 Bruton Pl. M° Green Park ou Bond Street 020 7491 2220/60 www.rupertsanderson.co.uk Lun.-sam. 10h-18h30

Royaume des jouets
Hamleys
Deux cent cinquante ans d'existence et sept niveaux pour l'un des plus grands magasins de jouets au monde ! Au 3e étage, chez Build-A-Bear, on vous fabrique un ours en peluche minute (à partir de 10£) : du vrai sur-mesure puisque vous lui prêtez même votre voix (enregistrée) !

MAYFAIR (plan 1, B3 n°48) 188-196 Regent St M° Oxford Circus 0371 704 1977 www.hamleys.com Lun.-ven. 10h-21h, sam. 9h30-21h, dim. 12h-18h

SOHO

Bourgeois, branché ou interlope, Soho est l'un des quartiers les plus bigarrés de la capitale. Cosmopolite comme ses restaurants, huppé dans ses rues colonisées par le monde de la pub et du cinéma, il se fait aussi licencieux dans ses passages où librairies d'art et boutiques de lingerie tendance distillent le parfum de scandale de ses recoins livrés à l'industrie du sexe...

À VOIR

⦿ LE CŒUR DE SOHO

Wardour Street sépare West Soho d'East Soho. Côté est,

ℹ INFOS

- Les stations de métro Tottenham Court Road, Oxford Circus, Leicester Square et Piccadilly Circus quadrillent le quartier.
- London Information Centre Point accueil d'un OT privé : plans gratuits, réservations d'hôtels, etc. Leicester Square, M° Leicester Square
  ☎ 020 7292 2333 ⏰ Tlj. 8h-12h

Soho Square est le fief de grosses sociétés de production et abrite la turbulente Old Compton Street, haut lieu des nuits gays. À l'ouest s'étend ce qui reste du sulfureux Red Light District (au nord de Brewer Street), le résidentiel Golden Square et le secteur de Carnaby Street, berceau mythique des Swinging Sixties en pleine revitalisation. Continuellement noyée sous un flot de piétons, Oxford Street, limite nord du quartier, aimante les amateurs de bonnes affaires.

Entre bars gays et salons de thé
Old Compton Street 👍 (plan 1, B3-C2)

L'artère principale d'East Soho où l'été, les terrasses de cafés et de restaurants se vident tard dans la nuit. Remontez-la pour prendre le pouls du quartier, entre bars gays et salons de thé. Vous atteindrez ainsi Brewer Street, dans son prolongement ouest. À l'ouest justement, Wardour Street est le territoire du monde de la pub et du cinéma. À l'est, deux ruelles jalonnées de bars et de restaurants relient Old Compton Street à Soho Square. Frith Street, la plus animée, abrite aussi des galeries d'art, la légendaire salle de jazz Ronnie Scott's et les bars de la **Little Italy** londonienne.

Old Compton St M° Tottenham Court Road ou Leicester Square

Le Soho chaud et branché
Autour de Brewer Street (plan 1, B3)

Dans **Brewer Street**, le commerce du sexe côtoie boutiques et clubs branchés : le Café de Paris et ses spectacles de cabaret ou ses soirées R'n'B ; Vintage, ses tee-shirts imprimés et ses affiches de cinéma ; Fresh & Wild, une épicerie fine version bio et commerce équitable... La gentrification va bon train et fait naître des mouvements de protestation comme lors de la fermeture, en 2014, de Madame Jojo's, cabaret légendaire et rendez-vous du quartier depuis les

Carnaby Street

sixties. **Walker's Court**, passage illuminé par les néons roses de peep-shows, débouche dans **Berwick Street** (p.74), ruelle piétonne où de discrets panneaux accrochés aux portes des immeubles vantent la beauté des "modèles" – leur présence est signalée par les lampes rouges qui brillent derrière des fenêtres aux rideaux miteux. Mais la rue est aussi célèbre pour ses disquaires pointus, à découvrir après une pause dans un pub *trendy* ou un café veggie !

Brewer St M° Piccadilly Circus

> **COULEUR LOCALE**
> À la fin du 19e s., la multiplication des hôtels de passe vaut à Soho sa sulfureuse réputation. Le quartier devient l'épicentre des nouvelles modes – du jazz naissant, des Swinging Sixties, des courants hippie, punk... À partir des années 1980, une politique de "nettoyage" mène à la fermeture des sexshops. Au déclin du Red Light District succède alors l'éclosion gay.

Et revivent les Swinging Sixties
Autour de Carnaby Street 👍 (plan 1, B2-B3)

Ses disquaires et ses créateurs de mode déjantés, telle Mary Quant, en firent le cœur de la révolution culturelle des Swinging Sixties. Une vocation toujours d'actualité : boutiques de mode, cafés et terrasses où se montrer pullulent dans Carnaby, Kingly et Beak Streets, tandis que concept-stores et créateurs ont investi Kingly Court. Le grand magasin **Liberty** (p.72), indétrônable maison de l'imprimé à fleurs, dresse sa surprenante façade néo-Tudor sur Great Marlborough Street depuis 1926. En face s'ouvrent Argyll Street et son dédale de ruelles envahies de pubs.

Carnaby Street M° Oxford Circus

⬤ LEICESTER SQUARE ET CHINATOWN

Dans le sud de Soho, un petit Chinatown déborde sur Shaftesbury Avenue, l'artère des music-halls, et sur Leicester Square. Restaurants de chaîne, échoppes de souvenirs de pacotille, caricaturistes en quête de promeneurs désœuvrés... : si les cinémas multiplexes, les boîtes de nuit et les salles de spectacle lui assurent une grande animation nocturne, les Londoniens évitent les abords de la place, sinon pour faire la queue devant le kiosque des théâtres du West End.

Quand le West End fait son cinéma
Leicester Square (plan 1, C3)

Cette place piétonne, où trônent notamment des statues de Shakespeare et de Charlie Chaplin, est dédiée de longue date au divertissement, et accueille l'été des spectacles de rue. Trois de ses théâtres ont été remplacés par des cinémas. L'Empire, l'un des plus prestigieux de Londres, domine le nord de la place depuis 1928. Derrière sa façade Art déco, à l'est de l'esplanade, se cache l'une des plus grandes salles de la ville (1 683 fauteuils).

Leicester Sq. M° Leicester Square

Parfums d'Orient
Chinatown (plan 1, B3)

De grands portiques d'honneur chinois, une pagode et un mobilier urbain rouge et or signalent ce micro-quartier toujours en pleine effervescence. Au détour de ses ruelles, on découvre des épiceries et supermarchés asiatiques, des boutiques de mangas, de déco ou de gadgets divers, de bons restaurants d'où s'échappent des parfums d'Orient... L'occasion de déjeuner de *dim-sum* ou de dévorer un bol de nouilles pour trois fois rien.

Chinatown Autour de Gerrard St, Lisle St, Newport Pl. M° Piccadilly Circus ou Leicester Square

Décorations de rue pour le Nouvel An chinois

For our eyes only
The Photographers' Gallery ⬤
(plan 1, B2)

La plus importante galerie londonienne de photo contemporaine ! Ses expositions présentent le travail de jeunes talents et d'artistes reconnus du monde entier : Robert Capa, Sebastião Salgado, Andreas Gursky... Excellente librairie.

16-18 Ramillies St M° Oxford Circus 📞 020 7087 9300 thephotographersgallery.org.uk 🕐 Lun.-sam. 10h-18h, dim. 11h-18h (le jeu. jusqu'à 20h pendant les expositions) Boutique fermée lun. € 4£

PAUSES

Soho ne vit pas que la nuit ! Ses salons de thé conviviaux, parfaits pour un break entre deux emplettes, en font un quartier à explorer même en plein jour.

Maison Bertaux

Quatre tables et un piano
Maison Bertaux ♥

Cette pâtisserie d'origine française a pignon sur Greek Street depuis 1871. Tartes renversantes (env. 5£), exquis jus de fruits pressés, un lieu plein de charme, idéal pour le petit déjeuner ou à l'heure du thé.

(plan 1, C2 n°7) 28 Greek St M° Tottenham Court Road ☎020 7437 6007 www. maisonbertaux.com ⊕Lun.-sam. 8h30-23h, dim. 9h30-20h

Bien crémeux
Pâtisserie Valérie

Fondée en 1926, la maison mère n'a pas survécu au Blitz, mais la deuxième pâtisserie de la chaîne belge, devenue une institution de Soho, a conservé son décor des années 1950.

Des repas légers sont servis à l'étage. La spécialité de la maison reste toutefois le *Danish*, un gâteau à la crème à savourer dans le salon de thé du rdc.

(plan 1, B2 n°8) 44 Old Compton St M° Tottenham Court Road ou Leicester Square ☎020 7437 3466 www.patisserie-valerie.co.uk ⊕Lun.-mar. 7h30-21h, mer.-ven. 7h30-23h, sam. 8h-23h, dim. 9h-21h

Un goût de *dolce vita*
Princi

Une superbe "boulangerie" milanaise très prisée. On se précipite au comptoir pour choisir entre ses pains tout juste sortis du four, pizzas, focaccia ou pâtisseries, selon l'heure. Service et animation continus ! Antipasti 8£, pizza 10£.

(plan 1, B2 n°9) 135 Wardour St M° Tottenham Court Road ou Oxford Circus ☎020 7478 8888 www.princi.co.uk ⊕Lun.-sam. 8h-0h, dim. 8h30-22h

Moment calme
Foyles Café

Au 5ᵉ étage de la librairie Foyles, une ambiance ultra-décontractée pour mélomanes. Savoureux sandwichs chauds (5,50£), salades colorées, café et thé. La librairie, tenue par la même famille depuis plus d'un siècle, est une institution – c'est la plus grande de la ville – qui a fait peau neuve en 2014. Voir aussi (p.56).

(plan 1, C2 n°10) 107 Charing Cross Road M° Tottenham Court Road ☎020 7440 3207 ⊕Lun.-sam. 9h30-20h30, dim. 12h-17h30

✕ RESTAURANTS

Un choix bluffant pour un périmètre aussi restreint : des cuisines de dizaines de nationalités différentes, un florilège de cantines bon marché comme de tables gastronomiques rivalisant d'inventivité.

Cantine japonaise
Abeno Too ♥£

La spécialité : l'*okonomi-yaki*, sorte de grosse crêpe de sarrasin garnie de tofu, crevettes, bacon ou viande, et cuite devant vous sur une plaque. Les plus copieux s'accompagnent de *yakisoba*, des nouilles japonaises. Comptez 15£. Ambiance plus détendue et plus familiale que dans les restaurants chinois voisins.

(plan 1, C3 n°23) 17-18 Great Newport St M° Leicester Square ☏ 020 7379 1160 www. abeno.co.uk ⏱ Lun.-sam. 12h-23h, dim. 12h-22h30

Le *bun*, roi de la street-food
Bao ££

Une longue file d'attente signale ce *it*-lieu de la street-food londonienne, blotti dans une ruelle. Petits pains à la vapeur taïwanais enveloppant de leur pâte blanche et moelleuse une délicate garniture de porc braisé, de cacahuètes hachées et autres saveurs d'Asie, les *bao* s'y arrachent comme de petits *buns*. *Bun* 5-6£.

(plan 1, B2 n°24) 53 Lexington St M° Piccadilly Circus ou Oxford Circus ☏ www.baolondon. com ⏱ Lun.-ven. 12h-15h et 17h30-22h, sam. 12h-22h

Bao

Bar à tapas
Barrafina £

Ce bar à tapas déguisé en bar américain remporte un succès fou. Avec ses tabourets rouges vertigineux, son comptoir interminable et son service rapide et efficace, la dernière création de Sam & Eddie Hart a su galvaniser le petit peuple branché de Soho, qui s'y presse dès l'heure du déjeuner. *Pan con tomate* 2,80£, *chorizo iberico* 6,50£, tartare de thon ou *chipirones* 7-9,50£, tortillas 7£ env.

(plan 1, B2 n°26) 54 Frith St M° Tottenham Court Road 📞 **020 7440 1463 www.barrafina. co.uk** 🕐 **Lun.-sam. 12h-15h et 17h-23h, dim. 13h-15h30 et 17h30-22h**

Brasserie minimaliste
10 Greek Street ££

Une brasserie branchée au décor indus et dont la cuisine, "européenne moderne" revisite les bonnes vieilles recettes du continent à la sauce anglaise (soupe de patates douces au yaourt, noix de saint-jacques, purée de panais). Pas de réservation le soir, où l'on se fait rappeler, après s'être présenté. Plat 8-20£. Tapas en service continu (6-8£ pièce).

(plan 1, C2 n°25) 10 Greek St M° Tottenham Court Road Station 📞 **020 7734 4677 www.10greekstreet.com** 🕐 **Lun.-sam. 12h-23h (déjeuner 12h-14h30 ; dîner 17h30-23h)**

Tapas vénitiens
Polpetto ££

Encensé par la critique, ce restaurant vénitien se niche derrière un brise-bise romantique à l'arrière du Berwick Street Market. On s'installe volontiers à la table d'hôte au sous-sol pour voir le chef s'affairer dans la cuisine ouverte, avant de commander de savoureux *cicchetti* (sortes de tapas, env. 5-9£ pièce) : courgettes frites, crabe en mue,

rhubarbe pochée... Réservation pour le déj. uniquement.

(plan 1, B2-B3 n°28) 11 Berwick St M° Tottenham Court Road 📞 **020 7439 8627 www.polpetto.co.uk** 🕐 **Lun.-sam. 11h30-23h, dim. 12h-22h30**

Détox
Mildred's ♥££

Sa devanture bleu layette cache une jolie cafétéria végétarienne dans l'air du temps où se désintoxiquer des folles nuits de Soho. On y fait une cure de purs produits bio : pois chiches et dattes accompagnés de couscous aux pistaches et yaourt à la grecque, smoothies au lait de soja et au miel, jus de fruits et légumes, etc. Plats à partir de 9£.

(plan 1, B3 n°27) 45 Lexington St M° Piccadilly Circus 📞 **020 7494 1634 www.mildreds.co.uk** 🕐 **Lun.-sam. 12h-23h**

Dim-sum et déco pointue
Yauatcha ♥££

Cette *dim-sum and tea house* est sans doute ce que le célèbre chef Alan Yau fait de plus ambitieux. Les cuisiniers officient derrière une vitre fumée bleue, les barmen sur un comptoir-aquarium. Dans l'assiette, d'extraordinaires *dim-sum* servis à longueur de journée. Plat entre 14 et 38£. Grand choix de thés chinois et fabuleuses pâtisseries.

(plan 1, B2 n°29) 15-17 Broadwick St M° Oxford Circus 📞 **020 7494 8888 www.yauatcha.com** 🕐 **Dim.-jeu. 12h-22h, ven.-sam. 12h-22h30**

Rôtisserie-bar à huîtres
Randall & Aubin ♥££

Un cadre de boucherie avec chandeliers de cristal, pour d'abondants plateaux de fruits de mer, le concept est un drôle de mélange de rôtisserie, bar à huîtres et bar à tapas. Plats et champagne glacé valsent à un rythme effréné et certains soirs, la clientèle déborde même sur le trottoir. Comptez 25-35£.

(plan 1, B3 n°30) 16 Brewer St M° Piccadilly Circus 📞 020 7287 4447 www.randallandaubin.com ⏱ Lun.-jeu. 12h-23h, ven.-sam. 12h-0h, dim. et j. fér. 12h-22h

Service au chariot
New World ♥££

En plein Chinatown, un gigantesque restaurant où guetter le passage des serveuses avec leurs chariots fumants. Soupes, bouchées au crabe, raviolis frits, porc et canard laqués, riz gluant... Un régal ! Le dimanche, ambiance familiale. Petite queue aux heures d'affluence, mais vu la rapidité du service, on n'attend jamais bien longtemps. Plats 8,50-18£.

(plan 1, C3 n°31) 1 Gerrard Pl. M° Leicester Square 📞 020 7734 0677 ⏱ Tlj. 11h-0h

Vol pour le Sichuan
Bar Shu ♥££

Dédié à la cuisine (épicée) du Sichuan, le Bar Shu se distingue aussi nettement de ses voisins de Chinatown, cantonais pour la plupart, par la sobriété de sa déco : mobilier de bois foncé et paravents en papier de riz. Large palette de plats de viandes et de poissons pimentés, quelques assiettes plus sages. En entrée, ne pas manquer les concombres au vinaigre. Comptez 20-25£ pour 2 plats et un bol de riz.

(plan 1, C3 n°32) 28 Frith St M° Tottenham Court Road 📞 020 7287 6688 ou 020 7287 8822 www.barshurestaurant.co.uk ⏱ Dim.-jeu. 12h-23h, ven.-sam. 12h-23h30

🛍 SHOPPING

De la piétonne, commerçante et branchée Carnaby Street, où dégoter des *sneakers* ultracollectors, au quartier des libraires de Charing Cross, en passant par ses ruelles vibrantes où écumer les bacs des disquaires, l'éclectisme triomphe.

Avec un p'tit noir au comptoir
Algerian Coffee Store

Cette petite échoppe à la devanture rouge écarlate, fondée en 1887, et dont le nom, en plein Soho, sonne comme un titre de polar, est une véritable institution. On y vient pour se ravitailler en crus du monde entier et autres mélanges inédits mais son vieux comptoir en bois où s'accouder le temps d'un expresso (1£) vaut aussi le détour.

(plan 1, B3 n°49) 52 Old Compton Street M° Leicester Square 📞 020 7437 2480 www.algcoffee.co.uk ⏱ Lun.-mer. 9h-19h, jeu.-ven. 9h-21h, sam. 9h-20h

Ici Londres
Liberty ♥

Sa façade à colombage de style Tudor dissimule un véritable grand magasin. L'enseigne créée en 1875 a su rester très actuelle en présentant dans ses rayons homme et femme la fine fleur des créateurs. Impossible de ne pas faire un saut au 3e étage, où l'on retrouvera les fameux motifs imprimés que les couturiers s'arrachent depuis les années 1920.

(plan 1, B2 n°50) Great Marlborough St 210-220 Regent St M° Oxford Circus 📞 020 7734 1234 www.liberty.co.uk ⏱ Lun.-sam. 10h-20h, dim. 12h-18h

Liberty

Le grand magasin des ados
Urban Outfitters

La chaîne (américaine) préférée des 15-30 ans qui aiment y dénicher vêtements, accessoires fashion et objets déco parfois kitsch. Une quarantaine de marques y ont leur *corner*. Le plus : le coin soldes permanent à l'étage.

(plan 1, B2 n°51) 200 Oxford St M° Oxford Circus ☎ **020 7907 0800 www. urbanoutfitters.com** ⏱ **Lun.-sam. 9h-21h, dim. 12h-18h**

Soho, so... hot !
Agent Provocateur 🖤

Avec ses mannequins en vitrine dans des poses lascives, cet agent là ne passe pas inaperçu. La marque de lingerie coquine et glamour du fils de Vivienne Westwood et de Malcolm McLaren, Joseph Corré, et de son ex-femme Serena Rees fait toujours frémir ! Un magasin aux airs de boudoir, dont les vendeuses semblent tout droit sorties d'un calendrier de pin-up des années 1950. Soutien-gorge en dentelle rouge 145£.

(plan 1, B2 n°52) 6 Broadwick St M° Oxford Circus ou Tottenham Court Road ☎ **020 7439 0229 www.agentprovocateur.com** ⏱ **Lun.-sam. 11h-19h, dim. 12h-17h**

Chaussures dernier cri
Office 🖤

Un lieu bien connu des fashion victims des deux sexes, qui y trouvent des chaussures inspirées des derniers défilés mais abordables (à partir de 20£) ! Les collections maison côtoient des créations de marque (Converse, Dr. Martens, Superga...).

(plan 1, B3 n°53) 16 Carnaby St M° Oxford Circus ☎ **020 7434 2530 www.office.co.uk** ⏱ **Lun.-sam. 9h30-21h, dim. 10h30-19h30**

Créateur de tendances
OTHER/shop

Défricheur de talents et laboratoire de tendances depuis 2001, le très avant-gardiste B Store, devenu OTHER/shop en déménageant, peaufine le concept : repérer des pièces de stylistes fraîchement diplômés, et plutôt "locaux" (Lemaire, Our Legacy...), et diffuser ses propres marques (homme et femme). Parmi les abonnés aux séries limitées : Björk et Skin, chanteuse de Skunk Anansie.

(plan 1, B3 n°54) 21 Kingly St M° Oxford Circus ☎ **020 7734 6846 www.other-shop.com** ⏱ **Lun.-sam. 10h30-18h30, dim. 12h-17h**

Pop culture
Vintage Magazine Store

Derrière sa façade rouge pétard fourmillent gadgets (mugs Beatles, aimants Sex Pistols...), posters, cartes postales et tee-shirts à l'effigie de stars du cinéma, de la TV et du rock. Au sous-sol, des trésors : plus de 250 000 magazines du 20e s., archivés et classés par décennie. Un bon spot cadeau pour surprendre un ami avec un *Vogue* de l'année de sa naissance.

(plan 1, B3 n°55) 39-43 Brewer St M° Piccadilly Circus ☎ **020 7439 8525 www.vinmag.com** ⏱ **Lun.-mer. 10h-19h, jeu. 10h-20h, ven.-sam. 10h-22h, dim. 12h-20h**

Galettes et CD collectors
Berwick Street

On peut passer des heures à farfouiller dans les bacs des magasins de cette petite rue. **Reckless Records**, une institution, se repère à sa devanture orange. Désigné meilleur disquaire d'*alternative music*, la boutique **Sister Ray**, dont les murs noirs sont égayés par les notes de couleur des tee-shirts des groupes, propose une large sélection de CD et de vinyles, du rock à la techno, ainsi que des fanzines.

(plan 1, B2 n°56) Berwick St M° Oxford Circus RECKLESS RECORDS 30 Berwick St 📞 020 7437 4271 http://reckless.co.uk ⏱ Tlj. 10h-19h

🍸 SORTIES

Clubs bruyants, lounges feutrés, théâtres de *musicals*, cinémas : l'antre du West End n'a pas sommeil et mêle tous les genres…

Films cultes
The Prince Charles Cinema

Un théâtre, puis un cinéma spécialisé dans le porno et les films d'horreur, devenu depuis un cinéma d'art et d'essai engagé, qui tient vaillamment tête aux géants de Leicester Square. La salle londonienne favorite de Quentin Tarantino propose désormais des films cultes, des classiques et des productions indépendantes. Séance : de 8,50 à 11£ selon le jour et les horaires.

(plan 1, C3 n°70) 7 Leicester Pl. M° Leicester Square 📞 087 0811 2559 ou 020 7494 3654 (rés.) www.princecharlescinema.com

Chantons en cœur
The Coach & Horses

C'est l'un des seuls pubs de Soho où l'on ait une chance de trouver une place assise le samedi soir. Après avoir servi d'abreuvoir à Jeffrey Bernard (1932-1997), ivrogne notoire et l'un des journalistes les plus drôles et les plus féroces de l'après-guerre, il fait office de salon pour la rédaction de *Private Eye*, *Le Canard Enchaîné* anglais. Le piano à l'entrée est utilisé deux fois par semaine pour une séance de *sing-along* (mer. et sam. soir dès 19h30).

(plan 1, C2 n°71) 29 Greek St M° Tottenham ou Covent Garden 📞 020 7437 5920 ⏱ Lun.-jeu. 11h-23h30, ven.-sam. 11h-0h, dim. 12h-22h30

Comme à Manhattan
Mark's Bar

Installé dans le *basement* (sous-sol) du Hix Soho, un restaurant très en vue du quartier éponyme, ce bar élégant tout en noir et blanc sert quelques-uns des meilleurs cocktails de la capitale, dans un décor qui évoque le Manhattan des années 1990. Cocktails à partir de 10,50£.

(plan 1, B3 n°72) 66-70 Brewer St M° Oxford Circus 📞 020 7292 3518 www.marksbar.co.uk ⏱ Lun.-sam. 12h-1h, dim. 11h-23h

Temple musical
Ronnie Scott's

Le mythique club de jazz des années 1960. Côté légende : les photos des artistes qui s'y sont produits (Dizzy Gillespie, Chet Baker…). Côté club : des banquettes et des loupiotes parfaites pour une atmosphère intime. Côté jazz : une programmation toujours haut de gamme pour des concerts quasi quotidiens (comptez

entre 15 et 40£, parfois davantage).
Le plus ? Des sets de flamenco, cla-
quettes, DJ...

**(plan 1, B2 n°73) 47 Frith St M° Tottenham
Court Road ☎020 7439 0747 www.
ronniescotts.co.uk ⏰Lun.-jeu. 18h-1h, ven.-
sam. 18h-3h, dim. 12h-16h et 18h30-0h**

Bar à cocktails
Experimental Cocktail Club ♥
Créé par les propriétaires français
du bar parisien du même nom, il
remporte un succès fou auprès de la
jeunesse branchée de Soho. Au cœur
de Chinatown, deux salles (1er et 2^{e}
étage), chacune dotée d'un bar, un
cadre classique tout en bois sombres,
quelques touches orientales et une
spécialité : des cocktails réalisés dans
les règles de l'art. Entrée payante
après 23h (5£).

**(plan 1, B3 n°74) 13A Gerrard St M° Leicester
Square ☎020 7434 3559 http://
experimentalcocktailclublondon.com ⏰Lun.-
sam. 18h-3h, dim. 18h-0h**

Rock n' club
The Borderline
La liste de tous les artistes qui ont
joué depuis un quart de siècle sur la
petite scène est affichée dans l'escalier. Vous voilà dans l'une des institutions pop rock de Londres. Le samedi,
après le concert en première partie
de soirée, place au clubbing, orienté
rock : c'est la fameuse "Christmas
Night". Entrée de 5£ (mer.-jeu.) à 10£
(ven.-sam.).

**(plan 1, C2 n°75) Orange Yard, Manette St
M° Tottenham Court Road ☎020 7734 5547
theborderlinelondon.com ⏰Mer. 19h-3h (et
autres jours si concerts), jeu.-sam. 19h-4h**

À toute heure
Bar Italia
En face du célèbre Ronnie Scott's,
c'est un autre rendez-vous de la nuit
londonienne dont la terrasse et le
minuscule comptoir sont pris d'assaut par les noctambules en quête
d'un expresso serré ou d'un panini (6-
8£). Simplissime et très animé, avec
ses vieilles faïences blanches, son
éclairage au néon et son personnel
italien au verbe haut.

**(plan 1, B2 n°76) 22 Frith St M° Tottenham
Court Road ☎020 7437 4520 ⏰Lun.-sam.
24h/24, dim. 7h-16h**

Ronnie Scott's

COVENT GARDEN-TRAFALGAR SQ.

Reliées par le Strand, qui longe la Tamise, deux grandes zones piétonnes et fourmillant de monde : d'un côté le "frivole" Covent Garden, qui attire les adeptes du shopping le jour et les amateurs d'opéra, de théâtre et de *musicals* le soir et de l'autre, vers le sud, Trafalgar Square, sacro-saint lieu de rassemblement dont les marches monumentales mènent aux trésors de la National Gallery.

À VOIR

● COVENT GARDEN

Autour du marché couvert de Covent Garden s'étend un périmètre agréable et

ℹ ACCÈS ET INFOS

- Les stations de métro Charing Cross et Covent Garden desservent bien le quartier. À Embankment Pier et Savoy Pier, débarcadère des navettes fluviales et des bateaux d'excursion en provenance de Canary Wharf, St. Katharine's (Tower of London), London Bridge, Bankside & Blackfriars Piers.
- *Pedicabs* (vélos-taxis) autour du marché de Covent Garden

largement piéton, mi-touristique, mi-branché, qui grouille de monde tout au long de la journée : on flâne sur la Piazza, puis de boutique en pub et de pub en restaurant, en contournant les attroupements que font naître les artistes de rue. L'Opéra royal flambant neuf trône derrière le marché... Chemin faisant dans le quartier, vous croiserez peut-être des petits rats en tutu rose, sortis de la Royal Ballet School de Floral Street, ou les étudiants de la London Film School, dans Shelton Street. Dans St. Martin's Lane, plusieurs théâtres : le Duke of York (1892), le Noël Coward Theatre, ex-Albery Theatre (1903) et le prestigieux London Coliseum (1904).

Piazza des halles

Covent Garden Market (plan 1, C3)

Le potager de l'abbaye de Westminster devient une *piazza* rectangulaire en 1631 sous les mains d'Inigo Jones. Le tout premier square londonien est né. Le petit marché aux fruits, légumes et fleurs qui s'y tient tous les jours s'agrandit brusquement quand le Grand Incendie de 1666 détruit en une nuit tous ses concurrents de la City. Covent Garden devient ainsi le principal centre d'approvisionnement de la capitale. On le dote de trois longues halles parallèles de métal et de verre en 1889. Mais, de nouveau à l'étroit, le marché finit par être déplacé en banlieue en 1973. Rénovée en 1980 et classée, la Piazza abrite aujourd'hui restaurants, boutiques de mode, magasins de souvenirs...

Covent Garden M° Covent Garden 🖥 www.coventgarden.london ⏱ Boutiques du marché ouvertes lun.-sam. 10h-19h, dim. 11h-18h Bars, restaurants et cafés ouverts jusqu'à 23h

London Transport Museum

Prenez le premier métro
London Transport Museum (plan 1, C3)
Bus hippomobiles, vieux tramways et locomotives, ainsi que le tout premier wagon du métro londonien (premier métro du monde) : un compartiment qu'on a jugé bon de priver de fenêtres, puisque le métro était souterrain ! La muséographie interactive – signalons le simulateur de conduite d'une rame – et les véhicules restaurés à bord desquels on peut grimper, ont valu un vrai succès familial au musée installé dans l'ancienne halle aux fleurs.

Covent Garden Piazza M° Covent Garden 📞 020 7379 6344 www.ltmuseum.co.uk ⏱ Sam.-jeu. 10h-18h, ven. 11h-18h (dernière admission à 17h15) Fermé 25-26 déc. ; nocturnes ponctuels 💶 17£

Les bolides de Bond, James Bond
London Film Museum (plan 1, C3)
Le musée se concentre sur l'exposition "Bond in Motion" et présente la plus importante collection de véhicules originaux utilisés dans les films de James Bond, de la Rolls Royce Phantom III de *Goldfinger* (1964) au modèle réduit de l'hélicoptère AgustaWestland dans *Skyfall* (2012), en passant par l'iconique Aston Martin DB5 des années 1960 et bien d'autres encore... Consultez la programmation en ligne !

45 Wellington St M° Covent Garden 📞 020 7836 4913 www.londonfilmmuseum.com ⏱ Dim.-ven. 10h-18h, sam. 10h-19h 💶 14,50£

Opéra en majesté
Royal Opera House 👍 (plan 1, C2-C3)
"Covent Garden", comme on l'appelle, est l'un des trois meilleurs opéras du monde. Fondé en 1732, il héberge depuis 1946 les prestigieux Royal Ballet

et Royal Opera. Une nouvelle façade vitrée sur Bow Street et un foyer élargi, travaux orchestrés par Stanton Williams, voient le jour fin 2017. Bars et restaurants sont installés au rez-de-chaussée ou en mezzanine sous les verrières. Concerts gratuits souvent donnés le lundi (*lunchtime recitals*). Visites guidées des coulisses, de la scène et des salles de répétition.

Bow St M° Covent Garden 📱 020 7240 1200 www.roh.org.uk ⏱ Visite guidée Sur rés. Lun.-sam. 10h30-14h30 Durée 1h15

Rues branchées
Seven Dials (plan 1, C2)
Destiné à des logements de luxe, ce réseau de rues en étoile (1690) s'est paupérisé jusqu'à devenir au 19e s. l'un des plus malfamés de Londres. Restauré dans les années 1980, classé, il est désormais réputé pour ses adresses au goût du jour. Au milieu du rond-point, la colonne avec ses six cadrans solaires est une réplique. Non loin de là, **Neal's Yard** réunit autour d'une courette colorée salons de massages, boutiques de beauté et restaurants bio...

M°Covent Garden ou Leicester Square

Jeux d'eau et de glace
Somerset House 👍 (plan 1, D3)
Splendide et gigantesque quadrilatère néoclassique du 18e s., Somerset House ouvre au public sa cour centrale, égayée en été par un ballet de jets d'eau – une attraction rafraîchissante aux beaux jours qui fait place l'hiver à une patinoire

Somerset House

très fréquentée. Le palais abrite surtout l'Embankment Gallery, qui expose de l'art contemporain, et la prestigieuse Courtauld Gallery.

Strand M° Temple 020 7845 4600 www.somersethouse.org.uk Tlj. 10h-18h **Cour centrale** Ouvert tlj. 7h30-23h **Terrasse** Ouvert tlj. 8h-23h **Somerset House** Ouvert tlj. 10h-18h Fermé 25-26 déc.

Une collection impressionnante
Courtauld Gallery (plan 1, D3)
Le fonds rassemblé par l'industriel Samuel Courtauld (1876-1947) doit essentiellement sa renommée à son étourdissante collection de tableaux impressionnistes et postimpressionnistes français, réunie par le descendant d'une famille de huguenots émigrés à Londres en 1685. On y admire une *Trinité* de Botticelli, 32 œuvres de Rubens, des toiles de Turner, des gouaches de Rouault et rien moins que le célébrissime *Bar aux Folies-Bergères* d'Édouard Manet.

020 7848 2526 www.courtauld.ac.uk Tlj. 10h-18h Fermé 25-26 déc. 6£

● HOLBORN
Le quartier est connu pour receler les quatre Inns of Court encore actifs, fameuses écoles de droit et confréries de juristes nées autour du 13e s. Ces enclaves piétonnes pavées, bordées de maisons en brique et éclairées le soir par la lumière tremblante des becs de gaz, se dressent à proximité des **Law Courts**, les cours royales de justice où statuent des juges en robe et perruque. Rien n'est organisé pour leur visite, mais vous pouvez vous procurer une brochure et le plan de trois d'entre elles au Treasury Office d'Inner Temple. Engagez-vous dans ce dédale silencieux et découvrez les jardins cachés derrière ses porches.

COULEUR LOCALE

Les avocats portent tous leur toge et leur perruque lors des audiences. Chaque membre de l'Inn pouvant être appelé à tout moment à la cour, il n'est pas rare de croiser dans le quartier des silhouettes noires coiffées de la fameuse *wig* blanche... Un look très *in(n)* !

Un enclos dans la ville
Temple (plan 1, D3)
Malgré les dégâts causés par le Blitz, le complexe, restauré dans le style néo-georgien, est des plus charmants avec son lacis de ruelles et de passages. Deux écoles de droit et leurs bâtiments en brique rouge y siègent depuis le 17e s. Le site doit son nom aux Templiers qui reçurent ces terres vers 1160. Après la dissolution de l'ordre en 1312, la commanderie – église, dortoirs, réfectoires, écuries, jardins, etc. – revint aux hospitaliers de Saint-Jean-de-Jérusalem, qui y accueillirent quelques juristes. À voir, le magnifique Middle Temple Hall où, en 1600, se joua la première de *La Nuit des rois* de Shakespeare. Plus haut, Inner Temple et sa jolie église à rotonde du 17e s.

Fleet St et Victoria Embankment (lun.-ven.), **Tudor St** (tlj.) M° Temple 020 7797 8250 www. innertemple.org.uk **Temple Gardens** Ouverts l'été (à partir du 1er juin et selon la météo)

Intact
Lincoln's Inn (plan 1, D2)

C'est le plus ancien et le mieux préservé des collèges d'avocats – le seul à avoir échappé aux bombardements nazis. Gate House (1521), portail en brique flanqué de tourelles octogonales qui ouvre sur Chancery Lane, marque la limite orientale du complexe. Seule la chapelle (1623) se visite.

Chancery Lane M° Chancery Lane ⌂ 020 7405 1393 www.lincolnsinn.org.uk ⏲ Lun.-ven. 7h-19h (chapelle 9h-17h)

Dans l'antre de l'architecte
Sir John Soane's Museum ⭐ (plan 1, C2)

L'un des musées les plus fous de Londres est installé dans la petite maison que John Soane, l'architecte de la Banque d'Angleterre, construisit pour offrir à ses collections d'art un cadre à leur (dé)mesure. Un labyrinthe aux cloisons pivotantes et jeux de miroirs, encombré de masques, statues et moulages antiques, toiles de maîtres (Hogarth, Watteau), gravures... Dans la "Crypte", le sarcophage du pharaon Séti Ier, mort en 1279 av. J.-C., avait été acquis par Soane pour une somme astronomique auprès d'un aventurier. Des visites à la bougie sont organisées le 1er mardi du mois à 18h.

Sir John Soane's Museum

13 Lincoln's Inn Fields M° Holborn ⌂ 020 7405 2107 www.soane.org ⏲ Mar.-sam. 10h-17h Fermé 1-2 jan. et 22-26 déc.

L'église des journalistes
St. Bride's (plan 1, D2)

Dédiée "à tous ceux qui, dans leur quête de vérité par le texte ou l'image, sont confrontés au danger, aux persécutions et à la mort", l'église des journalistes, telle qu'elle a été consacrée en 1957, est l'une des 51 églises rebâties par Christopher Wren après le Grand Incendie de 1666. Sa flèche octogonale à 5 étages (1703) – la plus haute conçue par l'architecte (69m) – demeure un repère bien visible de la *skyline* londonienne.

Fleet St M° Blackfriars ⌂ 020 7427 0133 www.stbrides.com ⏲ Lun.-ven. 8h-18h, sam. horaires variables, dim. 10h-18h30

Rue fantôme
Fleet Street (plan 1, D2)
La circulation incessante rappelle encore que cette voie constitue depuis le Moyen Âge le principal axe de communication entre Westminster (l'ancienne ville royale) et la cité marchande. Elle n'est cependant plus qu'une rue fantôme depuis que tous les grands journaux britanniques l'ont quittée pour s'installer du côté de Canary Wharf. La rue relie Temple Bar à Ludgate Circus et à sa perspective magnifique sur la cathédrale Saint-Paul (p.146).

Fleet St M° Temple ou Blackfriars

⊙ TRAFALGAR SQUARE
Avec sa colonne Nelson pointée vers le ciel, Trafalgar Square reste un symbole de la suprématie navale des Britanniques sur leurs rivaux européens au 19ᵉ s. Cette vaste esplanade qui sépare le Mall de Whitehall et du Strand est l'une des plus fréquentées de Londres… d'autant que sa partie nord, piétonne, donne directement accès à la National Gallery et que les nombreuses attractions du West End sont à deux pas.

Lieu de rendez-vous
Trafalgar Square (plan 1, C4)
À la croisée du Londres politique (axe Westminster-Whitehall) et financier (axe St. Paul-Buckingham), la place fut dessinée dans les années 1820 par John Nash. Campée au centre, la **colonne Nelson** (1843), haute de 56m, porte la statue du célèbre amiral borgne et manchot. Elle commémore la victoire britannique sur l'armada franco-espagnole à Trafalgar, bataille au cours de laquelle le héros national trouva la mort, en 1805. Sur le piédestal, les bas-reliefs ont été coulés dans le métal de canons confisqués aux Français. La place accueille des manifestations politiques, culturelles ou simplement festives. Ainsi, le soir de la Saint-Sylvestre, quand Big Ben sonne minuit, des centaines de personnes s'y souhaitent la bonne année sous l'immense sapin offert par la Norvège.

M° Charing Cross

2 000 chefs-d'œuvre
The National Gallery ★ ❘✍ (plan 1, C3)
Fondée en 1824 et transférée à Trafalgar Square dès 1838, la National Gallery offre un panorama unique de l'histoire de la peinture européenne du 13ᵉ au 19ᵉ s. Sa fabuleuse collection de peintures italiennes (primitifs, Renaissance), la plus belle hors d'Italie, ainsi que ses toiles des écoles flamande et hollandaise font d'elle l'un des plus remarquables musées au monde ; l'aile Sainsbury passe pour un modèle de présentation. Parmi les incontournables, Vermeer et sa *Jeune femme debout à l'épinette*, Vélasquez et *La Toilette de Vénus*, Van Gogh et ses *Tournesols*.

Trafalgar Sq. M° Charing Cross 📞 020 7747 2885 www.nationalgallery.org.uk ⏰ Sam.-jeu. 10h-18h, ven. 10h-21h Fermé 1ᵉʳ jan., 24-26 déc.

Un musée très VIP
National Portrait Gallery (plan 1, C3)

La plus grande collection de portraits au monde, de l'un des plus connus de Shakespeare à celui de Kate Middleton en passant par les Beatles ou encore une saisissante représentation de Margaret Thatcher. Le catalogue en compte plus de 200 000 et il faut être un fin Sherlock Holmes de l'histoire anglaise pour réussir à reconnaître tout le monde !

St Martin's Pl. M° Charing Cross 📞 020 7306 0055 www.npg.org.uk ⏱ Sam.-mer. 10h-18h, jeu.-ven. 10h-21h Fermé 24-26 déc.

À FAIRE

Profitez d'un concert gratuit ou aux chandelles
St Martin-in-the-Fields 🎧 (plan 1, C3)

Amateur de musique, profitez des concerts, gratuits à la mi-journée et aux chandelles le soir, de St. Martin-in-the-Fields ! Sous ses airs de temple classique, l'église (James Gibbs, 1726) est surtout connue pour son orchestre de chambre de réputation mondiale, The Academy of St. Martin-in-the-Fields. Son chœur se produit régulièrement à la BBC et elle accueille quelque 350 concerts classiques chaque année. Dans la crypte, qui abrite également la billetterie des spectacles, une boutique et un café-restaurant, des concerts de jazz sont proposés le mercredi soir.

Trafalgar Square 8 St Martin's Pl. M° Charing Cross 📞 020 7766 1100 www.stmartin-in-the-fields.org ⏱ Concerts Lun.-mar., jeu.-sam. 13h, 16h30 ou 19h30

NOS ADRESSES

 PAUSES

Pause au palais
Somerset House

On ne se régale pas qu'avec les yeux à la Somerset House. **Tom's Deli** y vend sandwichs, salades, muffins, *carrot cakes*, boissons chaudes et fraîches à emporter ; l'été, on goûte un choix de rafraîchissements aux buvettes installées dans la cour centrale, **Courtyard Bar**, ou sur l'immense terrasse qui surplombe la Tamise, **Tom's Terrace**. Enfin, **Tom's Kitchen** prête son cadre prestigieux à la cuisine savoureuse de Tom Aiken, à base d'excellents produits locaux.

COVENT GARDEN (plan 1, D3 n°11) Strand M° Temple 📞 www.somersethouse.org.uk ⏱ **Tom's Deli** Ouvert lun.-ven. 8h-18h, w-e. et j. fér. 10h-18h

Coffee break à la suédoise
Bageriet ♥

Deux grandes tables à partager, des bancs réchauffés de peaux de mouton et une délicieuse odeur de *kanelbullar* (petits pains roulés à la cannelle), c'est tout ce qu'il faut pour un *fik*, cette pause-café que les Suédois ont

Tom's Kitchen, Somerset House

élevée au rang d'institution et qui consiste à se retrouver autour d'un café et de petites douceurs (gâteaux, cakes, biscuits, etc.). À emporter ou à déguster sur place – autour d'un *glögg* (vin chaud épicé) à Noël !

COVENT GARDEN (plan 1, C3 n°12) 24 Rose St M° Leicester Square ☎020 7240 0000 www. bageriet.co.uk ⏰ Lun.-ven. 9h-19h, sam. à partir de 10h

Cérémonie du thé
Savoy

Plus somptueux que jamais après s'être fait refaire une beauté en 2010, l'endroit par excellence où s'initier à la sacro-sainte cérémonie de l'*afternoon tea* ! Un must, comme on dit. Pour savourer le raffinement *so British* de son salon autour de quelques pâtisseries, il faudra certes prévoir de débourser une somme coquette (thé complet à partir de 52,50£, suivi d'une coupe de champagne 65£), mais sachez qu'une

pause au Thames Foyer remplacera largement un repas.

COVENT GARDEN (plan 1, C3 n°13) Strand M° Temple ou Charing Cross ☎020 7420 2111 (rés.) www.fairmont.com/savoy ⏰Tlj. 8h-23h (Afternoon tea : 13h-17h45)

Pub historique
Lamb & Flag

Un pub tout en cuivre et bois, loin de l'agitation du quartier, ce qui n'empêche pas une foule compacte de venir s'offrir des pintes dès 17h. On y croise toutefois plus d'habitués, cadres en cravate et commerçants du coin, que de touristes ou de *shopping addicts*, tout ce beau monde débordant joyeusement dans la rue dès qu'il fait plus de 12 °C. Pour plus de tranquillité, essayez le 1er étage, mais on ne vous promet rien. Pinte à partir de 4£.

COVENT GARDEN (plan 1, C3 n°14) 33 Rose St ☎020 7497 9504 www. lambandflagcoventgarden.co.uk ⏰Lun.-sam. 11h-23h, dim. 12h-22h30

RESTAURANTS

Si les abords des halles regorgent d'adresses chics ou tendance, les tables sont rares autour de Trafalgar Square dont l'offre se limite aux cafétérias et restaurants des musées, ainsi qu'à Holborn.

Vite et bien
Café in the Crypt £

L'immense crypte voûtée de l'église St. Martin-in-the-Fields (p.82), accessible par le grand kiosque tout de verre et d'acier, est l'endroit idéal pour manger sainement, vite et à bon compte. Faites votre choix parmi les soupes du jour fumantes, des plats épicés, des tourtes et des pâtisseries variées (dont quelques-unes sans gluten). L'été, mention spéciale pour les salades affriolantes. Plats env. 9£, *afternoon tea* 7£ ; *fish and chips* le vendredi (jour maigre !).

TRAFALGAR SQUARE (plan 1, C3 n°33) Duncannon St M° Charing Cross 📱020 7839 4342 www.stmartin-in-the-fields.org 🕐Lun.-mar. 8h-20h, mer. 8h-18h30 (accessible jusqu'à 22h30 pour les spectateurs du concert), jeu.-sam. 8h-21h, dim. 11h-18h

Aux chandelles dans la cave
Gordon's Wine Bar ♥£

Une cave à vins plus que centenaire où déguster à la lueur d'une bougie un verre de vin andalou vieilli en fût, ou de belles assiettes de viande froide ou de petits plats chauds. L'immeuble a hébergé le célèbre chroniqueur du 17e s., Samuel Pepys, ainsi que Rudyard Kipling, qui lui a légué son nom. Un grand classique londonien et une expérience à part entière. Verre de vin et plat : 10-17£.

COVENT GARDEN (plan 1, C4 n°34) Kipling Building 47 Villiers St M° Charing Cross ou Embankment 📱020 7930 1408 http://gordonswinebar.com 🕐Lun.-sam. 11h-23h, dim. 12h-22h

Fish & chips depuis 1871
Rock & Sole Plaice ££

Touristes, *shopping addicts* chargés de sacs, employés du bâtiment et étudiants en vadrouille se lèchent les doigts dans sa petite salle carrelée de blanc ou en terrasse, sous les arbres l'été. Poisson du jour et frites maison que les Londoniens aiment arroser de vinaigre. Autre spécialité : le *saveloy*, une saucisse épicée reconnaissable à son boyau rouge pétard ! À emporter également. De 14 à 23£.

COVENT GARDEN (plan 1, C2 n°35) 47 Endell St M° Leicester Square 📱020 7836 3785 http://rockandsoleplaice.com 🕐Lun.-sam. 11h30-23h30, dim. 12h-22h

Le temple du *roast beef*
Simpson's-in-the-Strand ♥£££

Tout le charme des brasseries d'antan, avec ses boiseries, ses hauts plafonds à caissons stuqués et ses serveurs à nœud papillon, pour déguster avec classe une soupe de homard, une omelette au haddock, une sole de Douvres au citron ou le traditionnel *roast beef*... Certains dimanches, une *carving class* vous apprend même à découper le rôti à l'anglaise ! Service chaleureux. Comptez 30-40£. *Pre-theatre menu* (appelé *Fixed Price*) : 26,50 ou 32£.

COVENT GARDEN (plan 1, C3 n°36) 100 Strand M° Charing Cross 📱020 7836 9112 www.simpsonsinthestrand.co.uk 🕐Lun.-ven. 12h-14h45 et 17h45-22h30, sam. 12h-14h45 et 17h-22h30, dim. 12h-21h

Gastronomie anglaise
The National Dining Rooms
♥£££

Ce restaurant de la National Gallery, installé à l'étage de l'aile Sainsbury, domine agréablement Trafalgar Square et son animation. Conçu par Oliver Peyton, chef anglais réputé, le menu change tous les mois : *Wensleydale tart* (tourte au fromage du Yorkshire) et tuiles de betterave rôtie, sole au citron accompagnée de crevettes grises aux câpres... De quoi dissiper les préjugés persistants sur la cuisine d'outre-Manche ! Menus 22,50£ (2 plats) et 27,50£ (3 plats). On peut aussi y prendre l'*afternoon tea* (17,50£) ou plus simplement une tasse de café.

TRAFALGAR SQUARE (plan 1, C3 n°37) National Gallery, Sainsbury Wing Trafalgar Square The National Gallery, Sainsbury Wing M° Charing Cross 🖥 020 7747 2525 www.peytonandbyrne.co.uk ⏰ Sam.-jeu. 10h-17h30, ven. 10h-20h30

Tendance
Sheekey ♥£££

Cette brasserie à l'anglaise propose une carte variée, réputée pour ses spécialités marines : tartare de thon, plateaux de fruits de mer, maquereaux grillés, gravlax, langoustines, homard mayonnaise. En dessert, tentez le cheese cake à la vanille aux oranges sanguines ou la tarte aux fruits de la passion et sa meringue. Formules déj. le week-end. Rés. indispensable. Comptez 40-50£. *Set lunch menu* env. 24£ (2 plats) et env. 29£ (3 plats).

COVENT GARDEN (plan 1, C3 n°38) 28-35 St. Martin's Court M° Charing Cross 🖥 020 7240 2565 www.j-sheekey.co.uk ⏰ Lun.-sam. 12h-15h et 17h30-0h, dim. 12h-15h30 et 18h-23h

SHOPPING

Destination shopping privilégiée des Londoniens, Covent Garden devient le week-end une vraie fourmilière. Autour de Seven Dials, haut lieu du *streetwear*, la mode jeune et urbaine côtoie des boutiques de créateurs tendance.

Vide-dressing de luxe
Oxfam Shop

Les Anglaises fortunées vident aussi leur dressing ! Et quand elles passent à l'acte, c'est à cette association caritative qu'elles cèdent leurs trésors. Derrière la devanture blanche et son logo vert peuvent se cacher des escarpins Gucci à 60£ ou un sac Dior à 85£. Certains designers eux-mêmes font des dons (Yves Saint Laurent, Chanel, Max Mara, Marc Jacobs...), tout comme des célébrités (Elle MacPherson...). De sacrées aubaines !

COVENT GARDEN (plan 1, C2 n°57) 23 Drury Lane M° Covent Garden 🖥 020 7240 3769 ⏰ Lun.-sam. 11h-19h, dim. 12h-18h

Fiolement jolies
Neal's Yard Remedies

Des effluves d'huiles essentielles, une minitisane offerte sur les lieux, voici le havre Neal's Yard où il fait bon fureter. Ici, tout n'est que plantes, aromathérapie et herbes médicinales (300 variétés). Signe distinctif : les jolies fioles bleues aux étiquettes colorées qui accueillent depuis 1981 les élixirs maison pour la peau,

Neal's Yard Remedies

malicieux, chic et décalé. Un must au royaume de l'extravagance !

COVENT GARDEN (plan 1, B3 n°59) 9 Piazza ☎ 207 240 2537 www.luluguinness.com ⏰ Lun.-ven. 10h-19h, dim. 11h-17h

Un peu de rêve dans le *rush*
Benjamin Pollock's Toy Shop

Nichée au premier étage de Covent Garden Market et repérable aux Arlequin et Colombine peints sur sa devanture rouge, cette boutique exiguë a des airs de maison de poupée. Royaume des théâtres miniatures en carton (reproduction de la Comédie-Française 22£), des poupées à découper et à habiller, des pantins, des boîtes à musique (à partir de 15£) et autres jouets anciens, Benjamin Pollock's ravit petits et grands enfants. Un bel instant de rêverie et de douceur dans le *rush* de la ville.

COVENT GARDEN (plan 1, C3 n°61) 44 The Market Covent Garden M° Covent Garden ☎ 020 7379 7866 www.pollocks-coventgarden.co.uk ⏰ Lun.-mer. 10h30-18h, jeu.-sam. 10h30-18h30, dim. 11h-18h

entièrement naturels. Produit phare : Frankincense, une crème hydratante aux vertus anti-âge (27,50£).

COVENT GARDEN (plan 1, C2 n°60) 15 Neal's Yard M° Covent Garden ☎ 020 7379 7222 www.nealsyardremedies.com ⏰ Lun.-sam. 10h-19h, dim. 11h-18h

Le plexi décomplexé
Tatty Devine ♥

Pendentif plexi en forme de chips, minidisques vinyles en guise de boucles d'oreilles... Bienvenue dans l'univers pop et déjanté des deux jeunes Londoniennes de Tatty Devine. Entre les boucles d'oreilles ailes d'anges en plexiglas (35£) et un collier *bling* imitant une grappe de raisin (95£), notre cœur balance.

COVENT GARDEN (plan 1, C2 n°58) 44 Monmouth St M° Covent Garden ☎ 020 7836 2685 www.tattydevine.com ⏰ Lun.-sam. 10h30-19h, dim. 11h30-17h

Osez l'*eccentric touch* !
Lulu Guinness

Ses sacs excentriques paradent au bras des célébrités : pour un look

Skate shop de légende
Slam City Skates

Le plus ancien *skate shop* de Londres en activité a quitté la charmante placette de Neal's Yard pour une boutique beaucoup plus spacieuse et lumineuse mais la façade vitrée noire et le logo blanc sont toujours de mise. Une destination culte pour les skaters, avec un grand choix de planches, sacs, chaussures et vêtements anglais (Palace, Landscape, Heroin) et étrangers (Chocolate). Le top : repartir avec un tee-shirt à l'effigie du magasin (25£). *Top credibility !*

COVENT GARDEN (plan 1, C2 n°62) 37 Endell St M° Covent Garden ☎ 020 7836 3079 www.slamcity.com ⏰ Lun.-sam. 11h-19h, dim. 12h-17h

Dealers d'argenterie
The London Silver Vaults

Un drôle de dédale de boutiques dérobées et gardées comme la salle des coffres d'une banque. Au deuxième sous-sol, derrière les portes blindées numérotées, une trentaine d'*antique dealers* (antiquaires) vendent toutes sortes d'objets. De l'échoppe où dénicher une breloque à 10£ au magasin rutilant où une soupière huguenote peut valoir un million de livres, le choix est vaste et il y en a pour toutes les bourses !

COVENT GARDEN (plan 1, D2 n°63) Chancery House 53-64 Chancery Lane M° Chancery Lane 🚇 020 7242 3844 www.thesilvervaults.com ⏰ Lun.-ven. 9h-17h30, sam. 9h-13h

Le royaume du fromage
Neal's Yard Dairy

L'une des plus grandes fromageries de détail que l'on ait jamais vue ! Pâtes dures ou molles, cheddars, *stiltons* et chèvres : elle fait la part belle à une soixantaine de productions anglaises et irlandaises... Accueil chaleureux sur fond de musique lounge. *Chee(r)s(e)* !

COVENT GARDEN (plan 1, C2 n°64) 17 Shorts Garden M° Covent Garden 🚇 020 7240 5700 www.nealsyarddairy.co.uk ⏰ Lun.-sam. 10h-19h

🍸 SORTIES

Dès la tombée du jour, les frontières s'estompent et l'on passe insensiblement de Soho à Covent Garden où, de théâtres en *chill out*, la nuit est aussi éclectique.

Vénérable pub
Ye Olde Cheshire Cheese

Les pubs de Fleet Street se sont vidés de l'une de leurs plus fidèles corporations, les journalistes. Mais certains établissements méritent le détour. Fondé en 1667 (voir à l'entrée la liste des souverains auxquels il a survécu), ce vénérable bâtiment est un musée. Sous les lumières chiches, près du feu et du vieil habitué enquillant les gins comme des verres d'eau, on se croirait au 19e s. et on s'attendrait pour un peu à voir Dickens débarquer (c'était un assidu).

HOLBORN (plan 1, D2 n°77) 145 Fleet St M° Blackfriars 🚇 020 7353 6170 ⏰ Lun.-ven. 11h-23h, sam. 12h-23h, dim. 12h-16h

Nuits gays pour tous
Heaven

Drags queens, serveurs au torse nu et *go-go dancers*, pas de doute, on est bien dans une boîte gay ! Mais ici, pas de ségrégation à la porte, chacun entre du moment qu'il n'est pas ivre. Salle énorme, son puissant (*tech-house*) : tout ce qu'il faut pour passer une bonne soirée à danser sans penser. Boissons à partir de 3£. Soirée Popcorn R'n'B le lun., soirées gays jeu., ven. et sam. Entrée 4-10£.

COVENT GARDEN (plan 1, C4 n°78) The Arches, Villiers St M° Embankment 🚇 020 7930 2020 http://heavennightclub-london.com ⏰ Club Ouvert lun. 23h-5h30, jeu.-ven. 23h-4h, sam. 22h-5h Concerts à partir de 19h

BUCKINGHAM-ST. JAMES'S

L'aura aristocratique de Buckingham et le calme *so British* de St. James's... Si les Londoniens restent de marbre devant les tuniques rouges et bonnets en poil d'ours postés aux portes du palais de la reine, les visiteurs viennent nombreux assister à la relève de la garde. Mais le Londres royal offre d'autres plaisirs, très urbains, plus démocratiques, dont l'un des plus jolis parcs de la ville.

À VOIR

● BUCKINGHAM

Si derrière ses grilles en plein centre-ville, en face d'un rond-point plutôt fréquenté, Buckingham Palace manque quelque peu d'élégance, le curieux rituel de la relève de la garde, les carrosses dorés des écuries et les précieuses collections de la galerie de la Reine attirent des milliers de visiteurs avides de fastes royaux...

Résidence princière
Buckingham Palace ★ ⬤ (plan 2, B1)

Au 19e s., la monarchie britannique, à la tête de la première puissance mondiale, ne pouvait plus se contenter du modeste palais de St. James. Buckingham House fut alors transformée en une résidence royale digne d'accueillir les cérémonies et réceptions officielles, et la reine Victoria s'y installa en 1837. Depuis 1993, lorsque Sa Gracieuse Majesté est en villégiature d'été en Écosse, on ouvre au public les salles d'apparat – 19 pièces, pour la plupart conçues par John Nash, sur les 775 que compte le palais. L'occasion de découvrir notamment la salle du Trône, la galerie de peintures (Rubens, Holbein, Canaletto, Van Dyck, Rembrandt, etc.), la salle des banquets et une salle de bal. Signe de sa présence, lorsque la reine réside et travaille au château, l'étendard royal flotte sur le toit, à la place de l'Union Jack.

Buckingham Palace M° Victoria 📱 0303 123 7300 www.royalcollection.org.uk 🕐 Août : tlj. 9h30-19h30 ; sept. : tlj. 9h15-18h30 ⓔ 21,50£

INFOS

• Les stations de métro Green Park, Piccadilly Circus, Charing Cross et Victoria encadrent le quartier. Attention, le palais de Buckingham et Clarence House, la résidence du prince de Galles, ne se visitent qu'en juillet et août !

COULEUR LOCALE

Prendre soin du mobilier et des antiquités, de 78 salles de bains et de 52 chambres, faire briller 760 fenêtres et 40 000 ampoules, défaire et faire les bagages des invités... Si la gouvernante chargée d'astiquer les ors du palais royal est nourrie et logée sur place, sa mission n'est pas une sinécure !

À NE PAS MANQUER

- Buckingham Palace et la relève de la garde
- Les Royal Mews
- ICA – Institute of Contemporary Arts
- St. James's Park
- Green Park

Buckingham Palace

The rituel
Relève de la garde 👍 (plan 2, B1)
Cette vieille tradition, à laquelle la Garde royale demeure attachée mais qui laisse les Britanniques indifférents se déroule toute l'année, quand le temps n'est pas trop mauvais, dans l'avant-cour de Buckingham. Deux détachements de Guards descendent le Mall, l'un de St. James's Palace, l'autre des Wellington Barracks, accompagnés d'une fanfare dont le répertoire va de la b.o. de *Star Wars* aux Beatles !

🕐 Devant le palais de Buckingham 11h30-11h45 (avr.-fin juil. : tlj. ; août-mars : 1 jour sur 2) Durée 45min

Les trésors de la reine
The Queen's Gallery (plan 2, B2)
Ouverte en 1962 dans l'ancienne chapelle royale, elle expose par roulement les collections de la Couronne : tableaux de maîtres (Van Dyck, Rembrandt, Vermeer, Rubens), le diadème en or, perles et diamants (1820) porté par Élisabeth II le jour de l'ouverture de la session parlementaire...

Buckingham Gate M° Victoria 📞 0303 123 7301 www.royalcollection.org.uk 🕐 Oct.-juil. : tlj. 10h-17h30 ; août-sept. : 9h30-17h30 💰 10£

Carrosses & rolls
Royal Mews 👍 (plan 2, B2)
Les écuries royales abritent des carrosses d'apparat, dont celui utilisé lors des couronnements et des jubilés, ainsi que d'autres voitures signées Rolls-Royce et Daimler ! Clou de la visite : le Gold State Coach (1762), véritable carrosse de conte de fées, entièrement doré à l'or fin. Plus récent, le Diamond Jubilee

State Coach (2012), dûment équipé de chauffage et de fenêtres électriques, a servi pour l'ouverture de l'année parlementaire en novembre 2014.

Buckingham Palace Road M° Victoria 📱 **020 7766 7302** ⏱ **Fév.-mars, nov. : lun.-sam. 10h-16h ; avr.-oct. : tlj. 10h-17h** 💳 **9,30£**

● ST. JAMES'S

C'est l'un des quartiers les plus chics de Londres, depuis que ses fastueuses demeures et la proximité du palais de St. James attirèrent, à la fin du 17e s., les aristocrates qui souhaitaient se rapprocher de la Cour. Aujourd'hui encore, le souvenir de cet âge d'or reste vif, notamment dans Jermyn Street où la statue d'un certain George Bryan Brummel (1778-1840), surnommé "Beau", évoque le repaire des dandys, ces jeunes gens à la mise impeccable qui dictaient la mode aux grands du royaume au 19e s.

Le luxe au masculin
St. James's et Jermyn Streets (plan 1, B4)

Entre les clubs de St. James's Street et de Pall Mall, et les bons artisans du luxe masculin de Jermyn Street (p.94), ces messieurs sont servis ! Certains cercles select et strictement réservés aux hommes ont laissé la place à des banques et à des ambassades, mais on discute encore politique ou art entre *gentlemen* derrière les façades de White's, le doyen des cénacles et fief des conservateurs, de son rival, Brooks's, bastion des Whigs (libéraux) ou encore dans les fortunés Royal Automobile Club et autres Traveller's Club et Athenaeum. Profitant du voisinage de **Christie's** (8 King St), les galeries et librairies d'art ont jeté leur dévolu sur Duke Street et King Street. En face de la prestigieuse salle des ventes, **Crown Passage** abrite une enfilade de pubs et de sandwicheries, où cols blancs et petits employés du quartier vont se restaurer au coude à coude.

M° Piccadilly Circus ou Green Park

L'ancien palais de la cour de St. James
St. James's Palace (plan 2, B1)

Après la destruction de Whitehall en 1698 et jusqu'à l'installation de la reine Victoria à Buckingham Palace,

Le sur-mesure règne sur Savile Row

il demeura la principale résidence officielle des souverains britanniques. Agrandi à plusieurs reprises, notamment par Wren, Kent et Nash, le palais conserve quelques éléments Tudor : le porche donnant sur Cleveland Row, avec ses hautes tourelles octogonales, et la chapelle royale, seule partie ouverte au public. Deux gardes indifférents aux gesticulations des touristes font les cent pas devant le bâtiment. De prestigieux hôtels particuliers se dressent alentour. Dessinée par Wren, **Marlborough House** (1711) abrite le secrétariat du Commonwealth. **Clarence House**, mitoyenne du palais, est l'actuelle résidence officielle du prince de Galles et de la duchesse de Cornouailles. La reine mère, Queen Mum comme on l'appelait affectueusement, y vécut de 1953 à sa mort en 2002. Au bout de la ruelle St. James's Place, impasse bordée de maisonnettes menant à Spencer House (ci-après), un passage privé (fermé de 22h à 6h) rejoint Green Park.

Royal Chapel Marlborough Road M° Green Park www.royal.gov.uk Offices oct.-Pâques : dim. à 8h30 et 11h15 Fermé au public les jours de réception officielle (se renseigner au préalable)

Profusion d'apparat
Spencer House (plan 1, B4)
L'ancienne propriété (1766) des comtes de Spencer, aïeux de la princesse Diana, ouvre ses huit salles d'apparat au public. La visite guidée (en anglais) offre l'occasion de pénétrer dans l'un des nombreux palais du quartier et d'apprécier le luxe et la fantaisie décorative de l'époque. Du parc, belle vue de la façade ornée de statues.

27 St. James's Pl. M° Green Park 020 7514 1958 www.spencerhouse.co.uk Dim. 10h30-16h45 (visite guidée) Fermé jan. et août 12£

Le QG du général de Gaulle
Autour de Waterloo Place (plan 1, B4)
Au sud de la place majestueuse conçue par Nash, **Carlton House Terrace** déploie ses deux alignements de part et d'autre de la colonne du duc d'York (1831) et d'escaliers descendant vers le Mall. Les deux édifices déploient sur St. James's Park une façade monumentale en stuc blanc, derrière laquelle s'abritent aujourd'hui des bureaux et des instituts scientifiques et culturels, tels que la Royal Society et l'Institute of Contemporary Arts. C'est au n°4 de Carlton Gardens, à l'extrême ouest de l'ensemble, que le général de Gaulle installa le QG des Forces françaises libres en 1940.

M° Charing Cross

Le rendez-vous culte et *groovy* de l'avant-garde
ICA – Institute of Contemporary Arts (plan 1, C4)
Carrefour branché des arts émergents, l'ICA est une galerie-ciné-bar dédiée à l'art contemporain, qui accueille aussi bien des expos, performances, installations, débats... que des soirées funky, électro ou pop psychédélique ! Projection de films étrangers en VO et cinéma classique, expérimental ou underground. Également une librairie d'art contemporain accessible à tous. Le **Café Bar**

(p.95) est ouvert tard – jusqu'à 1h certains soirs – histoire de vous laisser le temps d'échanger sur ce que vous avez vu à côté ! Tarif cinéma : 11£. Il y a aussi régulièrement des séances gratuites.

The Mall M° Charing Cross 📞 020 7930 3647 www.ica.org.uk 🕐 Mar.-dim. 11h-23h

À FAIRE

Laissez-vous enchanter
St. James's Park 👍 (plan 2, B1-C1)
Enchanteur, le plus petit des parcs royaux (37ha) est l'un des plus anciens de Londres. Aménagé sous Henri VIII, ouvert au public en 1662, il a été redessiné en un parc romantique par Nash en 1828. Ses allées éclairées de becs de gaz convergent vers le lac, sur lequel évoluent cygnes noirs, canards, poules d'eau, cormorans... Mais les vraies stars sont ses majestueux pélicans blancs, descendants d'un couple offert par un ambassadeur russe au 17e s.

M° St. James's Park ou Charing Cross 📞 020 7930 1793 www.royalparks.org.uk

Lovez-vous dans un transat
Green Park 👍 (plan 2, A1-B1)
Seules des grilles et le Mall le séparent de St. James's Park. Ses vastes pelouses invitent au farniente à l'anglaise : pique-nique sur le gazon, sieste à l'ombre d'un arbre centenaire ou bronzette sur un transat...

M° Green Park 📞 030 0061 2350 www.royalparks.org.uk 🕐 Tlj.

NOS ADRESSES

 PAUSES

Entre deux essayages
Rose Bakery
Pourquoi ne pas se laisser hisser en haut d'un immeuble dédié à la mode – vous êtes ici au dernier étage de l'over stylé Dover Street Market (p.95) – pour partager une grande table en bois et savourer une soupe ou un sandwich bio, un plat du jour ou une assiette végétarienne, une part de cake, un jus de fruits frais, un café ou un thé. Env. 9£.

ST. JAMES'S (plan 1, C3 n°15) Dover St Market 18-22 Haymarket (entrée sur Orange St) 📞 020 7518 0687 london.doverstreetmarket. com 🕐 Lun.-sam. 11h-19h, dim. 12h-18h

C'est frais, c'est Prêt
Prêt à manger
Une des adresses de l'incontournable chaîne de fast-food de produits frais "naturellement bons" (qui redistribue ses invendus à des associations caritatives). Soupes, salades, sandwichs pour carnivores, végétariens ou *vegan*, mais aussi, en saison, de rafraîchissants *summer drinks* (boissons glacées mixées minute), des *ginger shots* requinquants...

SAINT JAMES'S (plan 1, B4 n°16) 21 Crown Pass M° Green Park 📞 020 7932 5206 🕐 Lun.-ven. 6h45-17h30

TEA TIME

Un service à thé en porcelaine, dans un living-room victorien, laissant échapper une vapeur délicate : on y est ! Institution nationale, le *tea time* rythme la journée, des *elevenses* des matinées de travail au rendez-vous de *five o'clock*. Thé noir en provenance d'Inde, il est toujours servi très infusé, souvent avec un nuage de lait. Mais son rituel change selon l'heure, du *cream tea* au goûter, avec gâteaux, scones et muffins tartinés de beurre, ou de crème et de confiture, *au high tea* (ou *meat tea*), qui sert de repas de fin de journée... Toutes les subtilités en sont codifiées. Ainsi pour l'*afternoon tea* sucré-salé, roi des *tea times*, toujours accompagné de scones et de *finger sandwiches* (mini sandwichs de la taille d'un doigt) au concombre. Aussi immuable que la monarchie !

Le serviteur et ses *finger sandwiches*, indispensables compagnons de la tasse de thé

RESTAURANTS

Beaucoup de haut de gamme. Pour un repas simple, choisissez une sandwicherie de Crown Passage (p.90), une buvette de Green Park ou le plaisant restaurant de St. James's Park. Également des établissements de chaîne du côté de Haymarket.

Déjeuner sur l'herbe
Inn The Park £

Pour profiter des écrins de verdure londoniens, optez pour un *takeaway* à savourer dans un transat de Green Park ou attablez-vous dans ce restaurant niché au cœur du magnifique St. James's Park. Vous y dégusterez une cuisine contemporaine, de saison et à prix doux. L'architecture résolument moderne du lieu fait partie de son charme : sols et murs en teck, immenses baies vitrées ouvrant sur la verdure, grande terrasse couverte et une seconde face au lac...

ST JAMES'S (plan 2, C1 n°10) St James's Park M° Charing Cross ou Westminster

📱020 7451 9999 🕐 Lun.-ven. 8h-23h, sam. 9h-23h, dim. 9h-17h

Spécialiste de la focaccia
Get the Focaccia £

Un joli bistrot italien soigné, tout en longueur, où l'on se pose le temps de goûter aux spécialités de la maison : les *focaccie* (à partir de 4£), ces fines parts de pain plat cuit au four garnies d'aubergines, de poivrons, ou encore de jambon et de roquette... et les gnocchis. Idéal après une longue marche ! Jus de fruits ou de légumes frais, café, service avenant.

ST. JAMES'S (plan 1, B4 n°39) 7 Crown Pass M° Green Park 📱020 7321 2316 🕐 Lun.-ven. 7h-17h

SHOPPING

St. James's est le paradis du sur-mesure avec comme épicentre Savile Row et Jermyn Street et leurs légendaires boutiques pour *gentlemen*. Tellement mythique que le moderne Abercrombie est venu s'installer en bas de la rue... *Shocking !*

Royaume dandy
Jermyn Street et Princes Arcade

On y croise plus d'hommes d'affaires tirés à quatre épingles que de touristes en short ! Au cœur du quartier des clubs de *gentlemen*, Jermyn Street est le QG de l'élégance British : les dandys y soignent leur tenue depuis plus d'un siècle... Un lèche-vitrines s'impose. **Turnbull & Asser**, dont les célèbres chemises sur mesure habillent le prince Charles, est une institution, tout comme **Hilditch & Key**, le plus ancien chemisier de la capitale. Chez **Taylor of Old Bond Street** (1854), ces messieurs dénichent des baumes de rasage et des accessoires sophistiqués (ciseaux à ongles pour gaucher...) et profitent du barbier au fond de l'établissement. La superbe boutique de Floris, le plus ancien parfumeur de Londres, trône dans la rue depuis 1730. *Last but not least* : **Prince's Arcade**, une galerie marchande adjacente, où **Andy & Tuly** vend des boutons de manchette des plus classiques aux plus fantaisistes.

ST. JAMES'S (plan 1, B3,B4 n°65) M° Piccadilly Circus

Musée de la branchitude
Dover Street Market

Profitant des cinq étages de l'ancien siège de Burberry's, le nouveau temple de la mode de la styliste japonaise de Comme des garçons en jette toujours autant, avec ses mises en scène spectaculaires, où se côtoient *streetwear* et robes ultrachics, labels de luxe et jeunes créateurs. On visite

Lock & Co, 6 St. James's Street

ce magasin expérimental comme un musée de la branchitude.

ST. JAMES'S (plan 1, C3 n°66) 18-22 Haymarket (entrée sur Orange St) M° Piccadilly Circus 020 7518 0680 london.doverstreetmarket. com Lun.-sam. 11h-19h, dim. 12h-18h

---

☖ SORTIES

La reine n'aimant certainement pas trop le tapage nocturne, les quartiers voisins de Buckingham Palace sont plutôt calmes, surtout en matière de musique amplifiée...

Martinis stylés
Dukes Hotel

Jouissant d'une adresse prestigieuse, à quelques pas du palais de St. James, le bar de ce grand hôtel traditionnel, ouvert aux non-résidents, est réputé servir les meilleurs martinis de la ville...

ST. JAMES'S (plan 1, B4 n°80) St. James's Pl. M° Green Park 020 7491 4840 www. dukeshotel.com Lun.-sam. 14h-23h, dim. et j. fér. 16h-22h30

Pour une pinte arty
ICA – Institute of Contemporary Arts

Le long du Mall qui conduit à Buckingham, les bars sont plutôt

rares. À croire qu'ils se cachent. Eh bien oui, dans un institut - cf. ICA – Institute of Contemporary Arts (p.91) ! Il ne vous reste plus qu'à vous relaxer au milieu des étudiants de l'avant-garde artistique. Vous pouvez aussi en profiter pour poser votre pinte (vide) et aller visiter les expos. Parfois, le week-end, un DJ se met aux platines, mais ne vous attendez pas à une ambiance de rave, il ne s'agirait pas de réveiller la royale voisine... Bière à partir de 3,50£.

ST. JAMES'S (plan 1, C4 n°79) The Mall M° Charing Cross 020 7930 3647 www.ica. org.uk Mar.-dim. 11h-23h

WESTMINSTER

Sur les rives de la Tamise, à l'ombre de l'horloge qui donne l'heure au monde entier, les pinacles dorés des Houses of Parliament offrent l'image iconique du Londres éternel. À leurs côtés trône le siège de l'Église anglicane, lieu traditionnel des cérémonies du couronnement depuis Guillaume le Conquérant. Depuis près de 1 000 ans, Westminster gouverne l'histoire religieuse et politique du royaume.

À VOIR

⚫ WESTMINSTER

À environ 100m de haut, le cadran doré de Big Ben domine la Tamise. En longeant le fleuve, le promeneur atteindra la Tate

ℹ INFOS

- Proches du fleuve, les stations Westminster et Pimlico desservent bien le secteur de Westminster.
- Attention aux longues files d'attente pour visiter le Parlement et l'abbaye l'été ; le mercredi soir, après 18h, il y a moins d'affluence pour visiter l'abbaye et l'entrée est moins chère.
- Les débats parlementaires sont accessibles au public ; une lumière au sommet indique que les chambres siègent.

Britain, injustement éclipsée par sa "fille" de South Bank, la Tate Modern... On prendra plaisir à découvrir ses cinq siècles d'histoire de l'art britannique.

Le plus bel édifice religieux de Londres
Westminster Abbey ★ ℹ️ (plan 2, C2)

La valeur historique et architecturale de ce trésor de l'art médiéval, le plus bel édifice religieux de Londres, est immense. Depuis 1066, presque tous les souverains d'Angleterre y ont été couronnés, cf. La conquête normande (p.254), on y célèbre les mariages royaux depuis 1308 et plus de 3 000 personnes y sont inhumées, ce qui fait de Westminster un Panthéon britannique ! C'est là qu'eurent lieu les funérailles de la princesse Diana en 1997, et le mariage du prince William en 2011.

Le monastère de l'Ouest L'abbaye, alors rattachée à un monastère bénédictin, existait déjà dans les années 1040 lorsqu'Édouard le Confesseur, proclamé roi, choisit d'installer son palais à l'écart des échoppes de la City. L'abbaye fut alors agrandie et reçut le nom de West Minster, le "monastère de l'Ouest". Le complexe actuel remonte au 13e s. Ses extensions et son embellissement n'ont pratiquement jamais cessé depuis, mais sans altérer son unité architecturale. Laissez-vous impressionner par la nef dont la longueur, l'étroitesse et les fines colonnes en marbre accentuent la verticalité et l'effet vertigineux. Ne manquez pas le trône du Couronnement ni la chapelle Henri-VII, véritable dentelle de pierre dont les voûtes en éventail sont d'une légèreté éblouissante et une magistrale illustration du gothique perpendiculaire.

Parliament Sq. 20 Dean's Yard M° Westminster 📞 020 7222 5152 www.westminster-abbey.org
🕐 Lun.-mar. et jeu.-ven. 9h30-15h30, mer. 9h30-18h, sam. 9h30-13h30 💷 20£

Caserne des Horse Guards

L'ancêtre de tous les parlements

Houses of Parliament ★ 👍 (plan 2, C2)

1 200 pièces, 100 escaliers, 11 cours, 4km de couloirs : derrière sa remarquable architecture gothique, le siège du pouvoir législatif britannique est une immense et complexe fourmilière. Et pour cause, il occupe le palais royal bâti par Édouard le Confesseur (milieu du 11ᵉ s.) et qui s'est agrandi pour former un gigantesque ensemble de bâtiments parcouru de ruelles et de jardins. Le roi y convoquait son Grand Conseil plusieurs fois par an et, vers 1240, l'une de ces réunions prit le nom de "parlement". Westminster Palace est ouvert au public l'été et pendant les vacances parlementaires (Pâques et Noël) dans le cadre de visites guidées. Le reste de l'année, il est toujours possible d'y pénétrer sous prétexte d'assister aux débats, du haut de la Strangers' Gallery (galerie des Visiteurs). L'affluence est moindre en fin d'après-midi. Pour une expérience mémorable, assistez à un véritable combat de chefs (p.xxx) !

Westminster Hall C'est l'une des rares parties du vieux palais royal épargnée par l'incendie de 1834. Bâtie en 1097, cette gigantesque pièce de 1 547m² – alors l'une des plus vastes d'Europe – coiffée d'une splendide charpente abrita les premières séances du Parlement puis, du 14ᵉ au 19ᵉ s., la Haute Cour de justice du royaume (Law Courts)... et fut le théâtre de quelques condamnations à mort retentissantes.

Les Chambres Le Parlement britannique se compose de deux chambres. À la **Chambre des communes** (House of Commons), tout en boiseries, les députés de la majorité et ceux de l'opposition siègent face à face. La distance qui les sépare, matérialisée au sol par deux lignes rouges, est celle de deux épées tendues. Les MPs (Members of Parliament) votent les lois en sortant de la salle soit par le couloir *Aye* ("oui") soit par le couloir *No*. Chargée d'amender les projets de loi proposés par les Communes, la **Chambre des pairs** (House of Lords) surprend par son exubérant décor rouge et or, rehaussé de fresques, de statues en bronze et de candélabres. Au fond, le trône sur lequel le souverain est invité, le jour du State Opening of Parliament (en octobre ou novembre).

Old Palace Yard (St. Stephen's Gate) St Margaret St M° Westminster ☐ 020 7219 3000 www. parliament.uk ⏱ Visite guidée Ouvert sam. 9h-16h15 Sur rés., ttes les 20-30min Fermé pour travaux jusqu'en 2020 Ⓔ 25,50£

Un siècle et demi d'exactitude
Big Ben ★ ♿ (plan 2, C1)
Big Ben / Clock Tower / St. Stephen's Tower Au nord du palais de Westminster, culminant à 98m de hauteur, la tour Saint-Étienne abrite l'horloge la plus célèbre du monde. Depuis le 31 mai 1859, ses immenses cadrans de 7m de diamètre affichent l'heure à la seconde près. C'est à un astronome de Greenwich, George Biddell Airy (1801-1892), que l'on demanda de régler le mécanisme. Jusqu'en 1940, on vérifiait son exactitude deux fois par jour, de l'observatoire de Greenwich, par télégraphe. Le mécanisme ne serait tombé en panne que trois fois en 150 ans. La cloche de 13,5t, quant à elle, doit peut-être son surnom de Big Ben à Benjamin Hall, le corpulent commissaire des travaux publics qui en passa commande en 1856. Si le fameux carillon sonne toutes les heures, sachez que le plus bel air est exécuté à minuit.

Westminster Palace St. Margaret St

Splendeurs de l'art britannique
Tate Britain ★ ♿ (plan 2, C3)
Financée par l'industriel Henry Tate, inventeur du sucre en morceaux, construite sur un ancien pénitencier (1897), la Tate Britain donne une fantastique vue d'ensemble de la peinture anglaise de 1500 à nos jours. L'art contemporain international a été délocalisé en 2000 à la Tate Modern, de l'autre côté du fleuve – que vous pouvez rallier grâce au Tate Boat. Mais c'est en novembre 2013, après deux ans de travaux et un nouvel accrochage, que le musée a retrouvé sa vocation d'origine : présenter un parcours chronologique de l'art britannique.

Une Tate bien faite Points forts des réaménagements, l'accès face à la Tamise, sur Millbank, a été réhabilité comme entrée principale et la Rotonde a été dotée d'un spectaculaire escalier en colimaçon. Mais surtout, le parcours à travers l'art

Tate Britain

britannique – intitulé "BP Walk through British Art", du nom de la compagnie pétrolière qui a apporté son soutien à cette vaste opération – est jalonné d'expositions permanentes consacrées à William Blake (1757-1827) et au sculpteur Henry Moore (1898-1986). Toujours dédiées à l'œuvre de Turner, le maître de céans, les salles des Clore Galleries s'ouvrent aussi à celle de Constable. Cette présentation, largement applaudie pour sa clarté (un marquage au sol indique les dates), a notamment pour avantage d'offrir de nouvelles perspectives et de rapprocher des artistes et des univers parfois très différents.

Millbank M° Pimlico 📞 **020 7887 8888 www.tate.org.uk/britain** ⏰ **Tlj. 10h-18h Dernière entrée 17h15**

> **BON À SAVOIR**
> Optez pour un Tate à Tate sur la Tamise ! Une navette relie la Tate Britain à la Tate Modern, l'idéal pour reprendre le fil de l'histoire (de l'art)...
>
> **Tate to Tate Boat Millbank/Bankside** 📞 **020 7887 8888 www.tate.org.uk/visit/tate-boat** ⏰ **Tlj. 10h-17h Départs ttes les 40min Trajet 7,50£, 5£ (avec la Travelcard) et 3,75£ (5-15 ans)**

Plus près du toit...
Westminster Cathedral (plan 2, B2)
C'est pour ne pas concurrencer l'abbaye du même nom que la cathédrale, siège de la hiérarchie catholique, fut bâtie dans le style néobyzantin. Derrière la façade striées de bandes horizontales rouges (brique) et blanches (pierre de Portland), l'intérieur révèle des dimensions surprenantes ; la nef notamment est la plus large d'Angleterre (45m). La décoration est malheureusement restée inachevée et le principal trésor consiste en un chemin de croix sculpté sur les piliers de la nef par Eric Gill (1882-1940), connu pour avoir donné aux lettres anglaises la célèbre typographie Gill Sans (celle des éditions Penguin). Accessible par un ascenseur, le sommet du campanile qui culmine à 83m de hauteur, réserve une vue à 360° sur la ville. *Thank God !*

Victoria St M° Victoria 📞 **020 7798 9055 www.westminstercathedral.org.uk** ⏰ **Cathédrale Ouvert tlj. 7h-19h (sam. 8h-19h) Entrée libre Campanile Ouvert lun.-ven. 9h30-17h, w.-e. 9h30-18h** 💷 **6£**

⭕ WHITEHALL
Bordée de bâtiments du 18e s., Whitehall, l'artère des ministères, égrène les symboles du pouvoir. Chemin faisant, on y croise notamment Great Scotland Yard, première adresse de la police métropolitaine, la caserne des Horse Guards, la garde montée de la reine et, non loin, les grilles et les policiers armés du n°10 de Downing Street, résidence officielle et bureaux du Premier ministre britannique...

Assurez la relève
Horse Guards (plan 2, C1)
La caserne, quartier général des deux régiments de cavalerie de la Maison royale, défend l'entrée officielle des palais royaux de St. James et de

Buckingham – raison pour laquelle des Horse Guards y montent symboliquement la garde. En passant sous les arcades du bâtiment central, on accède à l'immense esplanade donnant sur St. James's Park qui accueille les manœuvres de la Garde royale et les cérémonies de Trooping the Colour. C'est là qu'il faut se poster le matin pour assister à la relève.

Whitehall Mº Charing Cross ou Westminster ☎ 020 7414 2497 www.army.mod.uk ⏰ Relève Ouvert lun.-sam. 11h, dim. 10h

L'art en haut lieu
Banqueting House (plan 2, C1)

Unique rescapée de l'un des joyaux de l'architecture londonienne, la "maison des Banquets" (1622) remplaça le pavillon de réception du palais de Whitehall réduit en cendres trois ans plus tôt. En lui appliquant les principes de proportion et de symétrie comme il l'avait déjà fait à Greenwich – cf. The Queen's House (p.247) – Inigo Jones introduisit avec elle le classicisme en Angleterre. La salle d'apparat recèle un fabuleux plafond à caissons orné par Rubens et neuf magnifiques peintures à 17m du sol, mais dont on peut admirer les détails sans se casser le cou, grâce à des miroirs.

Whitehall Mº Charing Cross, Embankment ou Westminster ☎ 020 3166 6154/5 www.hrp.org.uk ⏰ Tlj. 10h-17h (il est conseillé de se renseigner au préalable car les horaires de visite changent constamment en raison des nombreuses manifestations officielles) € 6,60£

Dans le bunker des vainqueurs
Churchill War Rooms (plan 2, C1)

Le bunker de Churchill, réseau de galeries souterraines aménagé lors du Blitz, a été fidèlement reconstitué : les bureaux tapissés de cartes du monde, la

Churchill War Rooms

Transatlantic Telephone Room et sa liaison directe avec la Maison-Blanche, cachée dans un placard à balais... Extraits de conversation téléphonique, témoignages audio restituent la tension et l'ambiance, grave et intime à la fois, qui régnaient ici. En deuxième partie, une exposition interactive raconte la vie du "Vieux Lion".

Clive Steps, King Charles St Mᵒ Westminster 020 7930 6961 www.iwm.org.uk Tlj. 9h30-18h **Dernière entrée 17h Fermé 24-26 déc.** 17,50£

À FAIRE

Photographiez le Parlement

Pour apprécier pleinement l'extraordinaire silhouette néogothique du Parlement, mieux vaut prendre du champ, comme le fit Monet pour sa célèbre série de dix-neuf toiles. Le maître posait son chevalet sur une terrasse de l'hôpital Saint-Thomas, sur la rive opposée. Au pied du London Eye, s'offre aussi une vue magique, surtout dans la lumière du matin, lorsque Westminster compose le tableau le plus parfait. Mais on peut aussi se contenter d'une halte sur Westminster Bridge d'où le regard (ou l'appareil photo) capte l'ensemble de la façade hérissée de pinacles trônant au bord de la Tamise.

Observez un combat de chefs
Prime Minister's Question Time (plan 2, C2)

On est mercredi, Big Ben sonne le douzième coup de midi, le Premier ministre et le leader de l'opposition s'installent face à face sur les bancs du Parlement : c'est le fameux *Prime Minister's Question Time*. Point d'orgue de la semaine parlementaire, la séance qui se lève (éventuellement sous vos yeux) est l'occasion pour les deux principales figures du paysage politique britannique de donner la pleine mesure de leur talent oratoire et de leur détermination. Une demi-heure durant, les deux rivaux s'invectivent, mais pour éviter que les échanges tournent à la vulgaire altercation, il leur est interdit de s'adresser la parole directement. *Peace and law* !

www.parliament.uk/visiting/visiting-and-tours/overseasvisitors Il est possible d'assister à n'importe quel autre débat de la Chambre des lords ou des communes (se préparer à faire la queue) ; programme des débats en ligne (mi-oct.-juil. : lun.-mar. 14h30-18h, mer. 11h30-18 ; jeu. 10h30-18h ; ven. 9h30-18h)

Assistez à un concert dans une église
St. John's Concert Hall (plan 2, C2)

Chef-d'œuvre du baroque anglais, l'église St. John's abrite aussi une salle de concert réputée. Au cœur de Westminster, dans un quartier fort peu touristique, difficile de faire plus élégant.

Smith Sq. Mᵒ Westminster 020 7222 1061 www.sjss.org.uk Concerts à 13h ou 19h30 (à 15h le dim.) Box Office : lun.-ven. 10h-17h (jusqu'à 18h les jours de représentation)

NOS ADRESSES

 PAUSES

Hospitalité bénédictine
Cellarium Café

Belle et lumineuse cave gothique, l'ancien cellier du cloître de l'abbaye de Westminster (p.96) offre un cadre agréable où se régaler de bons petits déjeuners, de salades créatives... Plat 7-14£.

(plan 2, C2 n°1) 20 Dean's Yard ☎020 7222 0516 www.cellariumcafe.com ⏰Lun.-mar. et jeu.-ven. 8h-18h, mer. 8h-21h, sam. 9h-17h, dim. 10h-16h

On dirait l'East End
Pimlico Fresh

De rustiques tables d'hôtes en bois dans une déco sans chichis, que demander de plus pour bruncher ou déjeuner léger en toute convivialité : œufs brouillés au bacon ou à la tomate, pain perdu à la banane... Plat 7-9£.

(plan 2, B3 n°2) 86-87 Wilton Road ☎020 79 32 0030 ⏰Lun.-ven. 7h30-19h30, w.-e. 9h-18h

Gastronomie en sous-sol
Tiles

Idéal pour un petit *drink* avant de se rendre au théâtre ou au concert, ce bar à vins sans cérémonie offre une atmosphère agréable et un service attentionné. À cinq minutes à pied de la station Victoria, venez y déguster, sur de grandes tablées conviviales, quelques verres de vin sélectionnés avec soin.

(plan 2, B2 n°3) 36 Buckingham Palace Road ☎020 7834 7761 www.tileswinebar.co.uk ⏰Lun.-ven. 12h-15h et 17h30-22h

RESTAURATION

Autour de Westminster, on trouve surtout des restaurants chics, qui accueillent les parlementaires à l'heure du déjeuner en semaine. Dans le quartier de Pimlico, autour de la Tate Britain, vous pourrez plus facilement grignoter sur le pouce.

Sandwichs sur mesure
Relish, the Sandwich Shop £

Juste à côté de la Tate Britain et plus tranquille que sa cafétéria, voici une boutique à peine assez grande pour contenir trois tables rondes. On y compose son sandwich en choisissant son pain et ses ingrédients (légumes rôtis, pastrami, saucisses, rosbif, saumon fumé, œufs brouillés, etc.). À partir de 4,50£. Une perle rare dans ce quartier où n'existe aucun autre lieu où faire une pause gourmande.

(plan 2, C3 n°11) 8 John Islip St M° Pimlico ☎020 7828 0628 ⏰Lun.-jeu. 7h30-15h30, ven. 7h30-15h

Fish & chips
Seafresh ££

Une institution ! La clientèle n'est plus tout à fait celle des débuts (les années 1960), les touristes se mêlent désormais aux chauffeurs de taxi et le décor s'est lui aussi modernisé.

Cellarium Café

Mais le poisson frit – églefin, cabillaud, raie ou saumon, accompagné de frites croustillantes (13-15£) – remporte toujours le même succès. Autre spécialité de la maison, la soupe de poisson (6£).

(plan 2, B3 n°12) 80-81 Wilton Road M° Victoria ou Pimlico ☎ 020 7828 0747 www.seafresh-dining.com ⏱ Lun.-ven. 12h-15h et 17h-22h30, w.-e. 12h-22h30

Déjeuner sur l'art
Rex Whistler Restaurant ££

Son superbe décor peint par Rex Whistler est aussi renommé que sa cave à vins. Deux excellents prétextes pour s'installer sur ses banquettes ou s'attabler dans le jardin et déguster une cuisine britannique inspirée, profiter d'une restauration légère ou d'un *afternoon tea* (de 15h30 à 17h les sam. et dim.). Beaucoup plus calme, spacieux et lumineux que la cafétéria voisine. Son seul défaut : ne pas être ouvert le soir. Menu 2 plats 27£.

(plan 2, C3 n°14) Tate Britain Millbank M° Pimlico ☎ 020 7887 8825 britain. restaurant@tate.org.uk www.tate.org.uk ⏱ Tlj. 12h-17h (déjeuner 12h-15h)

Raffinement indien
Cinnamon Club £££

Un cadre élégant, dans une ancienne bibliothèque publique de l'ère victorienne, pour une nouvelle cuisine anglo-indienne. Si le soir on s'en sort difficilement à moins de 35£ (sans le vin), le *set lunch menu* (2 plats 22£ ; 3 plats 24£) permet de goûter au poulet tandoori au piment rouge et fenouil, à la sole sauce mangue et coriandre, au gâteau carotte-pistache... Également un bar de jour tout en boiseries et un bar à cocktails furieusement design.

(plan 2, C2 n°13) The Old Westminster Library 30-32 Great Smith St M° Westminster ou St. James's Park ☎ 020 7222 2555 www. cinnamonclub.com ⏱ Lun.-sam. Petit déj. 7h30-10h (lun.-ven.), déj. 12h-14h45, dîner 18h-22h45, dim. déj. 12h-16h30, dîner 17h30-21h

Du "village" de Marylebone qu'animent cafés et boutiques haut de gamme aux *coffee shops* branchés de Granary Square à King's Cross, ou d'Upper Street à Islington, le nord de Londres a le vent bohème en poupe. Pour réviser vos classiques, direction l'intellectuelle Bloomsbury au charme discret, ou Camden à l'ambiance toujours rock n' roll.

De Marylebone à Camden Town

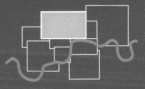

106 **Plan 3**
108 **Les incontournables**
110 **Nos conseils**
112 **Rendez-vous avec...**
114 **Marylebone**
120 **Bloomsbury-Islington**
130 **Camden Town**

La cour du British Museum et sa célèbre verrière signée Norman Foster

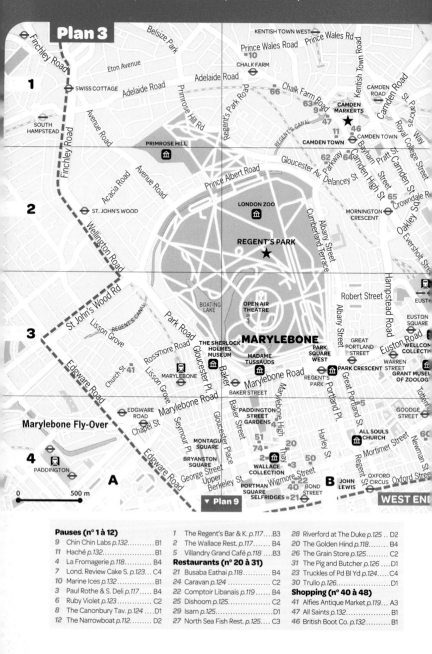

Pauses (nº 1 à 12)

9   Chin Chin Labs p.132............ B1
11 Haché p.132..................... B1
4   La Fromagerie p.118........... B4
7   Lond. Review Cake S. p.123... C4
10 Marine Ices p.132 .... B1
3   Paul Rothe & S. Deli p.117 .... B4
6   Ruby Violet p.123 .... C2
8   The Canonbury Tav. p.124 ...D1
12 The Narrowboat p.112......... D2

1   The Regent's Bar & K. p.117....B3
2   The Wallace Rest. p.117...... B4
5   Villandry Grand Café p.118 ...B3

Restaurants (nº 20 à 31)

21 Busaba Eathai p.118........... B4
24 Caravan p.124 .... C2
22 Comptoir Libanais p.119...... B4
25 Dishoom p.125.................. C2
29 Isarn p.125....................D1
27 North Sea Fish Rest. p.125.... C3

28 Riverford at The Duke p.125 .. D2
20 The Golden Hind p.118........ B4
26 The Grain Store p.125......... C2
31 The Pig and Butcher p.126 ....D1
23 Truckles of Pd Bl Yd p.124.....B4
30 Trullo p.126....................D1

Shopping (nº 40 à 48)

41 Alfies Antique Market p.119... A3
47 All Saints p.132................. B1
46 British Boot Co. p.132.......... B1

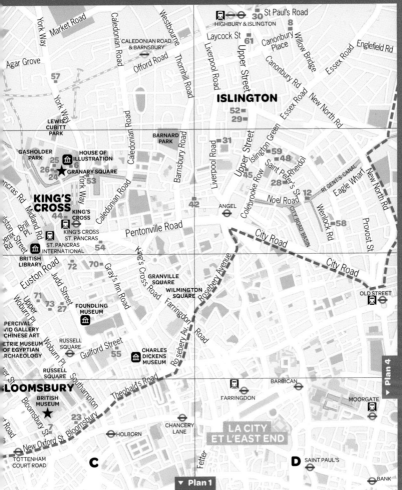

45 Camden Passage *p.126*....... D2	57 Egg London *p.128* C1	66 The Round House *p.133* B1
48 Cass Art *p.112* D2	63 Gilgamesh *p.133* B1	58 The Wenlock Arms *p.129*..... D2
42 Chapel Market *p.126* D2	64 Jazz Café *p.133* B2	61 Union Chapel *p.129* D1
43 James Smith & Sons *p.126* ... C4	53 Kings Place *p.128* C2	50 Wigmore Hall *p.119* B4
40 Petit Chou *p.119* B4	65 KOKO *p.133* B2	**Hébergements (nº 70 à 74)**
44 The Harry Potter Sh. *p.127*.... C2	51 Purl *p.119* B4	72 Alhambra Hotel *p.294* C2
Sorties (nº 50 à 66)	54 Scala *p.128* C2	70 Clink 261 *p.293* C2
59 69 Colebrooke Row *p.129* D1	60 Shochu Lounge *p.129*.......... B4	74 Durrants *p.294* B4
52 Almeida Theatre *p.127*.........D1	62 The Dublin Castle *p.133* B2	73 Harlingford *p.294* C3
56 Bradley's Spanish Bar *p.128*...B4	55 The Lamb *p.128* C3	71 The Judd Hotel *p.293*......... C3

LES INCONTOURNABLES

★ **REGENT'S PARK** (p.116) pour ses *terraces* et sa magnifique roseraie.

★ **THE BRITISH MUSEUM** (p.120) pour tant de chefs-d'œuvre de l'humanité.

★ **CAMDEN TOWN** (p.130) pour son marché aux puces et son extravagance.

★ **GRANARY SQUARE** (p.122) pour ses jets d'eau et ses spots de *foodies*.

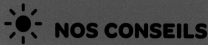 **NOS CONSEILS**

Des suggestions pratiques et des petites astuces pour découvrir le nord de Londres sans fausse note.

Sortez du "British" !

Il y a de quoi faire au British Museum où il faudrait une semaine pour tout voir (p.120). Pour un break bien mérité, on peut certes choisir l'un des cafés ou le restaurant du musée, mais les premiers sont sans intérêt et le troisième plutôt cher. À moins d'aller pique-niquer dans la salle au sous-sol prévue à cet effet (ouverte le week-end et pendant les vacances solaires), profitez de l'entrée gratuite et de l'absence de files d'attente pour sortir manger un morceau !

En famille, allez voir les momies

La galerie du British Museum la plus fréquentée par les jeunes ? Celle des salles égyptiennes, qui exposent l'une des plus grandes collections d'égyptologie au monde, et notamment un nombre considérable de momies. L'occasion de s'offrir une page d'histoire... et quelques frissons.

Cassez la graine à Granary Square

Emblématique du renouveau de King's Cross, l'immense "grenier à grains" de Granary Square est le nouveau repaire des *foodies* qui se retrouvent, selon l'heure et le *mood*, au Caravan (p.124), au Dishoom (p.125) ou au chicissime Grain Store (p.125) pour siroter un café fraîchement moulu ou "casser la graine". Non loin, le parvis de King's Boulevard, devenu piéton, est animé l'été par les stands et autres dînettes ambulantes du collectif de street-food KERB (une demi-douzaine de food-trucks par jour, selon une rotation quotidienne).

KERB www.kerbfood.com

Visitez le stade des Gunners

En 2006, l'Emirates Stadium a remplacé l'ancien temple de l'Arsenal FC, le stade de Highbury, transformé en un complexe résidentiel de luxe. Hélas, il est très difficile d'obtenir un billet pour un match si l'on n'est pas membre du club des supporters. Consolez-vous avec une visite guidée de ce stade de 60 000 places et de son musée interactif, qui retrace l'histoire du club fondé en 1886.

75 Drayton Park M° Arsenal 📱 020 7619 5000 www.arsenal.com ⏰ Musée ouvert tlj. € Entrée 8-5£ (musée), 20-10£ (stade et musée)

Faites un pèlerinage de musique énervée à Camden

La Tamise coule sous les ponts mais le rock a la dent dure à Camden, où la vie semble ne jamais s'arrêter, même lorsque le dernier marchand de Dr Martens a fermé ses portes. Certes, l'ambiance est à l'accalmie depuis la fin de l'époque bénie du rock indé (1982), qui voyait se succéder des concerts de Madness presque chaque semaine, ou de l'ère

Food-trucks à Granary Square

de la Britpop triomphante (1991) de Blur ou de Pulp. On y croise maintenant presque autant de punks venus écluser des bières sur les bords des canaux que de fashion victims devant une vodka-cranberry. Reste que de nombreux bars font encore vivre la flamme du rock fort. Si vous êtes amateur de guitare énervée, un passage par le Dublin Castle (p.133) est indispensable.

☀ Vivez la nuit du nord

Un peu éclipsé par l'explosion de l'East End, le quartier d'Islington, plus central, mérite le coup d'œil du noctambule curieux. Autour de la station Angel et dans Upper Street s'agglutinent, dans une ambiance bohème chic, les restos où il faut être vu et les grands pubs pour couche-tard. Aux vrais insomniaques signalons que l'arrivée de l'Eurostar à St. Pancras a donné un sérieux coup de fouet au quartier de King's Cross et les impressionnants clubs aménagés dans les entrepôts qui s'élèvent derrière la gare sont désormais plus accessibles aux clubbers français venus passer le week-end !

☀ Fêtez les beaux jours au vert avec Shakespeare

Jusqu'à l'ouverture du Globe Theatre (p.199), c'était le seul théâtre en plein air de Londres. Il est toujours aussi agréable de s'y rendre aux beaux jours pour assister à une représentation du *Songe d'une nuit d'été* – jouée aux alentours du solstice d'été. Une pièce immortelle dans un écrin à la mesure du grand répertoire shakespearien. Mais le théâtre à ciel ouvert diffuse aussi tout l'été pièces, comédies, concerts, films... et n'oublie pas les enfants !

Regent's Park (Inner Circle) M° Baker Street 🚇 Box Office (tlj. 24h/24) 0844 375 3460 www.openairtheatre.org 🕐 Guichets : fin mars-mai : lun.-sam. 10h-18h ; juin-mi-sept. : lun.-sam. 10h-20h, dim. 12h-20h

RENDEZ-VOUS AVEC...

Illustratrice, graphiste, photographe et à l'occasion productrice de courts-métrages, Aude Ouerdazi est une artiste multidisciplinaire installée depuis plus de dix ans dans le quartier d'Islington. Vivez pleinement ce *borough* en plein boom bohème à travers ses coups de cœur.

Ma caverne d'Ali Baba
Cass Art

Un immense magasin de trois niveaux – le plus grand d'Angleterre dit-on – où je peux passer une journée entière, notamment aux rayons des gouaches et des cahiers ! On y trouve absolument tout pour le dessin et la peinture. Et il y a toujours une expo ou un atelier où se "faire la main". Fascinant !

(plan 3, D2 n°48) 66-67 Colebrooke Row ☎ 020 7354 2999 www.cassart.co.uk ⏲ Lun.-mer. et ven.-sam. 10h-19h, jeu. 10h-20h, dim. 11h-17h30

Mon brunch au soleil
The Narrowboat

Une jolie bâtisse toute blanche qui domine Regent's Canal, un vieux pub remis au goût du jour. Une de mes adresses favorites pour un brunch dominical où l'on croise la nouvelle génération de ce quartier en pleine mutation, un mélange de familles, de travailleurs et d'artistes trentenaires. Les tables les plus prisées sont évidemment celles de la

> **ENVIE DE FLÂNER ?**
>
> Allez visiter les studios d'Abbey Road, incontournables même si on n'est pas fan des Beatles. Ils vibrent encore de l'ambiance des années 1960, c'est très émouvant.

ⓘ ADRESSES

- **A** Cass Art
- **B** Barge House
- **C** Riverford at The Duke of Cambridge
- **D** The Narrowboat
- **E** Egg

terrasse, au-dessus des péniches et sous le soleil !

(plan 3, D2 n°12) 119 St Peter's St M° Angel ☎ 020 7400 6003 ⏲ Dim.-mer. 11h-23h, jeu.-sam. 11h-0h

Mon menu bio
Duke of Cambridge

Manger bio n'est pas toujours facile ici à Londres. Le Duke (p.125) propose l'un des meilleurs menus que je connaisse. La patronne travaille avec la ferme Riverford, célèbre pionnière du bio en Angleterre. La carte change tous les jours et les plats sont ultrafrais et évidemment

Regent's Canal

de saison. Je me souviendrai toujours de leur brownie chocolat-amandes du Chili nappé de sauce au caramel au beurre salé !

(plan 3, D2 n°28) 30 St. Peter's St M° Angel 📱 020 7359 3066 http://dukeorganic.co.uk ⏱ Ouvert lun.-sam. 12h-16h et 18h30-22h30, dim. 12h-21h

Ma pause au bord de l'eau
Barge House

Ce *gastropub* est une étape obligée quand je me promène le long du canal. D'abord, on y mange très bien – une cuisine d'inspiration méditerranéenne et bio, riche en saveurs –, ensuite, leur Bloody Mary est délicieux et, *last but lot least*, au ras de l'eau et des cygnes, l'établissement offre l'une des terrasses les plus agréables sur Regent's Canal.

(hors plan 3 par D1 n°32) 46A De Beauvoir Crescent 📱 020 7249 0765 ⏱ Mar.-sam. 11h-23h, dim. 10h-17h

---

SI ISLINGTON ÉTAIT...

Un son De toute évidence le joyeux brouhaha émanant de ses *breakfast restaurants*, coffee-shops, bars, gastropubs, salles de spectacles, etc., signes de la vitalité de ce foyer artistique et culturel !

Ma boîte de nuit
Egg London

J'adore ce club (p.128) pour sa programmation électronique XXL qui attire une population très mélangée, et pas uniquement des jeunes de 20 ans. Dans les trois salles, des anciens entrepôts au feeling très industriel, il y a toujours un mix trance ou house sur lequel je vais pouvoir aller me défouler ! Avec, en plus, une grande cour à ciel ouvert, idéale pour faire une pause au frais et retrouver les copains.

(plan 3, C1 n°57) 200 York Way M° Kings Cross (1,3km) ou Caledonian Road & Barnsbury (1km) 📱 020 7871 7111 www.egglondon.co.uk ⏱ Mar. 23h-6h, ven. 23h-8h, sam. 23h-10h

MARYLEBONE

Ponctué de places et de jardins que bordent de somptueuses façades georgiennes, le quartier de Marylebone jouit d'une tranquillité toute provinciale. Le "village" qui s'ouvre au nord sur le grandiose Regent's Park s'anime autour de sa *high street*. Cafés select, traiteurs de luxe, boutiques tendances et autres jolis commerces de proximité y créent le décor d'exquises flâneries.

À VOIR

❶ ACCÈS

• Les stations de métro les plus commodes pour rejoindre le secteur sont Bond Street et Baker Street.

Collection personnelle
The Wallace Collection (plan 3, B4)

Riche de plus de 5 500 pièces, la Wallace Collection est la plus importante collection privée d'art européen d'Angleterre. Elle a été réunie par les marquis d'Hertford à partir de 1760, notamment par Richard Seymour-Conway et son fils, le francophile et philanthrope Richard Wallace (à qui l'on doit les fameuses fontaines à Paris). C'est la veuve de ce dernier qui légua à l'État, en 1894, cette impressionnante collection de peintures, céramiques et mobiliers du 14e au 19e s. Sous son toit laissant entrer la lumière naturelle, la prestigieuse Great Gallery expose des trésors de l'art pictural européen : *Titus, le fils de l'artiste* de Rembrandt (v. 1657) ; trois portraits de Van Dyck ; une *Adoration des bergers* de Murillo (v. 1665) ; une magnifique *Femme à l'éventail* de Vélasquez (v. 1635) et le célèbre *Cavalier souriant* de Frans Hals (1624).

Manchester Sq. M° Bond Street 📞 020 7563 9500 www.wallacecollection.org 🕐 Tlj. 10h-17h

221b Baker Street
The Sherlock Holmes Museum (plan 3, B3)

C'est ici que le célèbre détective, créé en 1887 par le romancier Sir Arthur Conan Doyle, aurait habité s'il avait existé. La maison georgienne de quatre étages a été minutieusement restituée, des meubles aux effets personnels du héros et de son acolyte le docteur Watson, dont certaines "pièces à conviction" : le violon, la loupe, la pipe...

221b Baker St M° Baker Street 📞 020 7224 3688 www.sherlock-holmes.co.uk 🕐 Tlj. 9h30-18h 💶 15£

Cire et seulement cire
Madame Tussauds (plan 3, B3)

La popularité du musée de cire ouvert en 1835 par une Française suscite des files d'attente (jusqu'à 2h en haute saison) aussi décourageantes que les prix de l'entrée. En réservant en ligne au moins une heure avant, vous gagnerez du temps pour vous faire immortaliser en compagnie de David Beckham. Ou pour

Madame Tussauds

vous rappeler dans la chambre des horreurs, qu'avant de s'installer à Londres, madame Tussaud exposa pendant des années, à travers toute l'Angleterre, les têtes en cire de victimes célèbres de la guillotine révolutionnaire.

Marylebone Road M° Baker Street 📞 0871 894 3000 www.madametussauds.com ⏱ Mi-juil.-août : tlj. 9h-19h ; sept.-mi-juil. : lun.-ven. 9h30-17h30, w.-e. 9h-18h Horaires sur € 34£

Stucs et colonnades
Park Crescent et les *terraces* de Regent's Park (plan 3, B3)
Ne manquez pas d'aller voir de plus près les monumentales façades stuquées le long de Regent's Park (p.116), véritables chefs-d'œuvre Regency. Dessinées par Nash dans les années 1820, ces *terraces* aristocratiques faisaient partie d'un vaste projet de cité-jardin finalement restreint. Ces demeures n'en restent pas moins spectaculaires, notamment la longue **Cumberland Terrace** (244m), la plus magistrale ; voyez comme ses trois pavillons reliés par des arcs gigantesques et unifiés derrière la façade forment une sorte de palais grandiose.

Upper Harley St M° Regent's Park ou Great Portland Street

SUR LES TRACES DE…
Abbey Road, l'un des meilleurs albums de tous les temps et une pochette culte montrant les Fab Four sur un passage piéton. Pour reproduire la photo de l'avant-dernier disque des Beatles, rendez-vous à l'intersection de Grove End Road et d'Abbey Road (au nord-ouest de Regent's Park) : entrées au patrimoine britannique en 2010, les bandes blanches marquent toujours le bitume !

À FAIRE

Humez dès aujourd'hui les roses de Queen Mary
Regent's Park ★ 👍 (plan 3, A2-A3-B2-B3)

Voué au sport et à la détente, ce vaste espace vert (190ha) est le plus récent et sans doute le plus élégant des parcs royaux de la capitale. Les romantiques jardins d'Inner Circle y abritent la magnifique roseraie de **Queen Mary's Gardens** (30 000 spécimens de 400 variétés) et l'**Open Air Theatre**, cf. Regent's Park Open Air Theatre (p.117). De généreuses pelouses, plusieurs jardins paysagers ainsi que des espaces plus sauvages (bosquets, prairies, zones marécageuses, etc.) et un vaste plan d'eau où canoter attirent les familles. On y vient aussi y profiter de ses aires de jeu, de son théâtre de marionnettes et de ses kiosques à musique. Quant aux sportifs, ils n'ont que l'embarras du choix parmi les terrains de tennis, de golf, de hockey, de cricket, de *softball*, etc.

M° Regent's Park, Great Portland St ou Baker St 📱030 0061 2300 www.royalparks.org.uk ⏲ Tlj. 5h-coucher du soleil

Partez en safari
ZSL London Zoo (plan 3, B2)

Créé en 1828, il fut l'un des premiers à construire pour ses pensionnaires des enclos inspirés de leur habitat d'origine afin d'améliorer leur confort et de faciliter leur étude. Ce qui vaut à treize de ses bâtiments d'être classés. Animaux de la savane, gorilles dans leur forêt, tigres, pélicans, lamas, reptiles géants... plus de 750 espèces, souvent menacées, y sont représentées. Suivez

London Zoo

l'itinéraire fléché pour ne rien manquer ; assistez au repas des manchots à 13h30, à celui des araignées à 15h et dormez dans un lodge près des lions !

ZSL London Zoo Regent's Park Outer Circle Au nord de Regent's Park M° Baker Street puis bus 274 ☎ 020 7449 6200 www.zsl.org/zsl-london-zoo ⏱ Mi-fév.-mars : tlj. 10h-17h ; avr.-oct. : tlj. 10h-18h ; nov.-mi-fév. : tlj. 10h-16h € 25,50£

Voir Shakespeare en grand écrin
Regent's Park Open Air Theatre (plan 3, B3)

Jusqu'à l'ouverture du Globe Theatre (p.199), c'était le seul théâtre en plein air de Londres. Il est toujours aussi agréable de s'y rendre aux beaux jours pour assister à une représentation du *Songe d'une nuit d'été* – donné aux alentours du solstice (vers le 20 juin). Une pièce légendaire dans un écrin à la mesure de l'extraordinaire répertoire shakespearien.

Regent's Park (Inner Circle) M° Baker Street ☎ Box Office (tlj. 24h/24) 0844 375 3460 www.openairtheatre.org ⏱ Guichets : fin mars-mai : lun.-sam. 10h-18h ; juin-mi-sept. : lun.-sam. 10h-20h, dim. 12h-20h

NOS ADRESSES

 PAUSES

Halte bucolique
The Regent's Bar and Kitchen

Pour un déjeuner léger ou une pâtisserie sur sa terrasse fleurie, au cœur de Regent's Park ! Sandwichs et pizzas au feu de bois et, l'été, burgers et hot-dogs en plein air. Env. 8-13£ le plat.

(plan 3, B3 n°1) Regent's Park M° Regent's Park ou Baker Street ☎ 020 7935 5729 www.benugo.com/restaurants/the-regents-bar-kitchen ⏱ Tlj. 8h-16h

Épicerie-*lunchroom*
Paul Rothe & Son Delicatessen

Pique-nique en vue à Regent's Park ? Voilà quatre générations que cette épicerie comme on n'en fait plus réfléchit à la question ! Car la grande spécialité, ici, c'est le sandwich (à partir de 2-3£), préparé avec le pain et les garnitures maison de votre choix : artichaut, concombre, œuf mimosa, stilton, saucisse de Cumberland... Sinon, profitez du mobilier vintage, entre thés et pots de *clotted cream*, pour un toast du matin en lisant le journal, ou une soupe du jour (4£).

(plan 3, B4 n°3) 35 Marylebone Lane M° Bond Street ☎ 020 7935 6783 www.paulrotheandsondelicatessen.co.uk ⏱ Lun.-ven. 8h-18h, sam. 11h-17h

La crème de la crème
The Wallace Restaurant

Au secret de la Wallace Collection, baigné de lumière sous la verrière de l'atrium, le salon de thé sert un fabuleux *Cornish cream tea*, un *cream tea* comme on le sert en Cornouailles, avec la crème nappant la confiture recouvrant les scones et non l'inverse, comme on le fait dans le Devon, les deux comtés revendiquant la paternité de la tradition. Également un service de brasserie.

(plan 3, B4 n°2) The Wallace Collection, Manchester Sq. M° Bond Street ☎ 020 7563 9505 www.peytonandbyrne.co.uk ⏱ Dim.-jeu. 10h-17h, ven.-sam. 10h-23h

La Fromagerie

Cheese shop stop !
La Fromagerie

Cave à fromages d'exception et traiteur de luxe, cette maison du sandwich ouverte par un Français dispose aussi d'une dizaine de tables où savourer un petit déjeuner (à partir de 6£), un déjeuner simple (assiette de fromage ou de charcuterie 9-14£) ou un *afternoon tea* (env. 6£) dans une ambiance très décontractée.

(plan 3, B4 n°4) 2-4 Moxon St M° Baker Street ou Bond Street ☎020 7935 0341 www. lafromagerie.co.uk ⏰Lun.-ven. 8h-19h30, sam. 9h-19h, dim. 10h-18h

Au rayon pâtisserie
Villandry Grand Café

Une épicerie fine et un lumineux bistrot-pâtisserie pour bruncher en famille : scones, pâtes, jus de fruits et cakes alléchants ! Plat 10-24£.

(plan 3, B3 n°5) 170 Great Portland St M° Regent's Park ☎020 7631 3131 www. villandry.com ⏰Lun.-ven. 7h30-22h30, sam. 8h-22h30, dim. 9h-18h

 RESTAURANTS

Marylebone est devenu un petit repaire gastronomique avec ses nombreux établissements, toutes gammes confondues. À la clientèle de bureaux et aux accros du shopping qui les fréquentent à l'heure du déjeuner se substituent, le soir, de fins gourmets plutôt branchés.

Un fish & chips en or
The Golden Hind £

Sans doute l'un des plus vieux fish & chips de Londres (1914) et assurément l'un des meilleurs. Décor modernisé mais point trop, poisson servi frit ou à la vapeur : saumon, haddock ou raie accompagnés de frites et de l'incontournable purée de pois cassés. À 10-13£ env., *it's a bargain* !

(plan 3, B4 n°20) 73 Marylebone Lane M° Bond Street ☎020 7486 3644 ⏰Lun.-ven. 12h-15h et 18h-22h, sam. 18h-22h

Cantine thaïe *and style*
Busaba Eathai ££

Une gigantesque cantine thaïe stylée, tout en bois sombre et lumières tamisées, idéale pour un déjeuner rapide malgré le brouhaha. Salades, currys, nouilles, plats revenus au wok et grillades : crevettes, poisson, tofu, poulet, bœuf (10-16£)... Attention, parfois très *hot* ! Longues files d'attente le week-end.

(plan 3, B4 n°21) 8-13 Bird St M° Bond Street ☎020 7518 8080 www.busaba.com ⏰Lun.-jeu. 12h-23h, ven.-sam. 12h-23h30, dim. 12h-22h

Pop orientale
Comptoir Libanais £

Dans la partie la plus élégante de Marylebone, un décor d'épicerie pop arabisante pour des produits de qualité et à tout petits prix. Large choix de mezze et de grillades, un comptoir et quelques tables pour se régaler d'un falafel et d'un thé à la menthe... Difficile de faire un meilleur repas à ce prix (10£) !

(plan 3, B4 n°22) 65 Wigmore St M° Bond Street ☎ 020 7935 1110 www.comptoirlibanais. com ⏱ Lun.-sam. 8h-23h, dim. 9h-22h

 ## SHOPPING

Pour *little boys and girls*
Petit Chou

Jouets en bois, dont un irrésistible *London bus* rouge pimpant, petits vêtements de créateurs (0-10 ans), dînette en porcelaine ornée des lapins de Beatrix Potter. Pas de doute, les souvenirs de Londres pour *little boys and girls*, c'est ici !

(plan 3, B4 n°40) 1 St Christopher's Pl. ☎ 020 7486 3637 petitchou.co.uk ⏱ Lun.-sam. 10h30-18h30, dim. 12h-17h

Repaire de chineurs
Alfies Antique Market

Cinq niveaux d'un ancien grand magasin, une centaine de revendeurs : le plus vaste marché aux puces couvert de Londres s'impose comme un temple de la chine ! Design scandinave du 20e s., bijoux et bibelots des années 1930, robes du soir griffées... Son dédale attire aussi bien les décorateurs et les stylistes que les célébrités. Le plus ? Un *rooftop* où marquer une pause-café ou déjeuner bien méritée.

(plan 3, A3 n°41) 13-25 Church St M° Marylebone ou Edgware Road ☎ 020 7723 6066 www.alfiesantiques.com ⏱ Mar.-sam. 10h-18h Fermé 25 déc.-début jan.

 ## SORTIES

Récitals
Wigmore Hall

La plus prestigieuse salle de musique de chambre de la capitale. Y sont aussi donnés des récitals de chant, de piano et même de flamenco. Sur place, le restaurant prend les dernières commandes à 19h pour éviter les retards aux représentations du soir (plats 16-18,50£). Places entre 12 et 35£.

(plan 3, B4 n°50) 36 Wigmore St M° Bond Street ou Oxford Circus ☎ 020 7935 2141 (Box Office lun.-dim. 10h-19h) wigmore-hall.org.uk

Un cocktail sinon rien
Purl

Caché dans le *basement* du Tasty Corner, ce *speakeasy* allie tradition (gros pain de glace à l'ancienne derrière le bar) et technologie de pointe (les recettes de cocktails intègrent les dernières trouvailles de la cuisine moléculaire). Jazz le lundi et le mercredi soir après 20h. Cocktails à partir de 9£.

(plan 3, B4 n°51) 50-54 Blandford St M° Bond Street ☎ 020 7935 0835 www.purl-london. com ⏱ Lun.-jeu. 17h-23h30, ven.-sam. 17h-0h

BLOOMSBURY-ISLINGTON

Foyer intellectuel de la capitale, Bloomsbury est un quartier paisible aux *terraces* sagement ordonnées autour de certaines des plus belles places de la ville, alors que sur sa colline, au nord, Islington distille son atmosphère débonnaire au gré de ses bars à la mode. Entre les deux, la réhabilitation de la gare de St. Pancras a insufflé un grand vent arty autour de Granary Square, point de ralliement bobo du nouveau King's Cross.

À VOIR

🔘 BLOOMSBURY
Trésors de l'humanité
The British Museum
★ I👍 (plan 3, C4)

🛈 **ACCÈS**

• Les stations de métro Russel Square et King's Cross St. Pancras desservent bien Bloomsbury. La station Angel est au cœur d'Islington et l'arrêt Highbury & Islington dans le nord d'Islington.
• King's Cross Visitor Centre 11 Stable Street 🖥 020 3479 1795 🕐 Lun.-ven. 10h-17h, sam. 10h-16h

La cour centrale et son toit futuriste de métal et de verre, une spectaculaire mosaïque translucide signée Norman Foster, ont fait entrer l'un des plus anciens et des plus riches musées de la planète dans le IIIe millénaire. Fondé en 1753, le "British" a acquis une collection qui couvre l'histoire de presque toutes les cultures et civilisations passées et actuelles. Plus de 8 millions d'objets, une centaine de galeries déployées sur une longueur totale de 4km font de cette immense institution culturelle la première attraction de Londres.

Les musts Le musée possède l'une des plus importantes collections d'antiquités égyptiennes au monde, réunies par l'expédition napoléonienne de 1798 et cédées aux Britanniques après le traité d'Alexandrie de 1801. Ne manquez pas la pierre de Rosette ! À voir aussi, les magnifiques sculptures du Parthénon dont la présence ici est contestée par la Grèce, et les colossaux taureaux ailés (16t chacun) de Khorsabad (705 av. J.-C.). Si le clou de la visite reste la collection de momies, l'une des plus belles du monde, n'en oubliez pas l'homme de Lindow, un individu du 1er s., découvert incroyablement bien conservé dans une tourbière du Cheshire en 1984, ni le trésor de Sutton Hoo...

Great Russell St M° Holborn, Tottenham Court Road ou Russell Square 🖥 020 7323 8299 www.britishmuseum.org 🕐 Sam.-jeu. 10h-17h30, ven. 10h-20h30

Comme dans un roman du 19e s.
Charles Dickens Museum (plan 3, C3)

Si le nord de Londres, celui du début de l'ère industrielle, décrit par Dickens (1812-1870) n'existe plus, la maison où il vécut de 1837 à 1839 a gardé ses meubles et son papier peint, le bureau, les manuscrits et les plumes du créateur d'*Oliver Twist*. Au sous-sol, une grille de la prison où fut incarcéré son père.

48 Doughty St M° Russell Square 🖥 020 7405 2127 http://dickensmuseum.com 🕐 Mar.-dim. 10h-17h 💶 8£

Charles Dickens Museum

L'hôpital des enfants trouvés
The Foundling Museum (plan 3, C3)
Fondé en 1739 par le philanthrope Thomas Coram, il fut la première institution londonienne à recueillir les enfants des rues, plus de 27 000 jusqu'à sa fermeture en 1953. S'il témoigne de la misère de ses jeunes pensionnaires, la Court Room, elle, éblouit par son fastueux décor rococo. La pièce voisine fut la toute première galerie de peinture publique de Grande-Bretagne et abrite encore les dons d'artistes du 18e s. – toiles de Ramsay, Hogarth, Reynolds, clavier d'orgue et partitions de Haendel.

40 Brunswick Sq. M° Russell Square ou King's Cross St. Pancras ☎ 020 7841 3600
foundlingmuseum.org.uk ⏱ Mar.-sam. 10h-17h, dim. 11h-17h € 8,25£

To be or not to be
Wellcome Collection (plan 3, B3)
Qu'est-ce que l'homme ? C'est la question que semble s'être inlassablement posé Sir Henry Wellcome (1853-1936), entrepreneur en pharmacie et créateur de la plus importante fondation britannique de médecine, le Wellcome Trust. Humaniste et voyageur éclairé, il a collecté tout au long de sa vie d'innombrables curiosités rattachées aux sciences du vivant. Ce musée en présente près de 500 : chaises d'accouchement rustiques, stéthoscopes approximatifs, scies d'amputation terrifiantes, mais aussi la brosse à dents de Napoléon Ier, le bâton de marche de Darwin. S'interrogeant sur le désir, la maladie, la vie, la mort ; tantôt fascinant, tantôt effrayant, entre musée et galerie d'art, voilà un endroit qui voudrait dire : *ecce homo*.

183 Euston Road M° Euston ou Euston Square ☎ 020 7611 2222 http://wellcomecollection.org
⏱ Mar.-mer. et ven.-sam. 10h-18h, jeu. 10h-22h, dim. 11h-18h

Sur les traces de Darwin
Grant Museum of Zoology (plan 3, B3)

Une ancienne bibliothèque dont les belles vitrines murales conservent squelettes, bocaux de formol et autres restes d'animaux… (p.43). On ne sait plus
où donner de la tête tant elle fourmille de curiosités évoquant des espèces dis-

British Library

parues ou en voie de l'être : intrigants
fossiles, coquilles d'œufs géants,
modèles en cire, animaux empaillés,
etc., soit quelque 68 000 spécimens
qui furent rassemblés par le professeur Robert Grant pour ses étudiants
en zoologie dont un certain… Charles
Darwin.

**21 University Street M° Warren Street,
Euston Square ☎ 020 3108 2052 ucl.ac.uk
⏱ Lun.-sam. 13h-17h**

Papiers brouillons
The British Library (plan 3, C2-C3)

Démesurément grande
(14 niveaux !), la Bibliothèque nationale détient l'une des plus riches collections de livres et de manuscrits au
monde. Parmi ses richesses : le plus
ancien livre connu (868), découvert
en Chine ; deux Bibles de Gutenberg
(1455) ; un des carnets de notes de
Léonard de Vinci, rédigé en italien, de droite à gauche, selon la technique
du "miroir" ; le manuscrit d'*Alice au pays des merveilles* de Lewis Carroll ; des
pages indéchiffrables de James Joyce et même le bout de papier sur lequel
John Lennon et Paul McCartney griffonnèrent les paroles de la chanson *I
want to hold your hand*.

96 Euston Road M° Euston ou King's Cross St. Pancras ☎ 033 0333 1144 www.bl.uk

⊙ KING'S CROSS

Longtemps lugubre et malfamé avec ses entrepôts désaffectés, les zones de
triage de ses trois gares et ses terrains vagues, cet ancien faubourg industriel
a fait peau neuve. À la faveur de la réhabilitation de la gare de St. Pancras
(2007), il gravite désormais autour d'une ample et agréable zone piétonne,
animée le jour et illuminée la nuit, Granary Square, point de ralliement des
jeunes branchés à la recherche d'un bon petit bol d'air et d'art.

Jets d'eau et coffee-shops
Granary Square ★ ▮❡ (plan 3, C2)

Quelque 1 000 jets d'eau d'une immense fontaine au sol, dont on peut soi-
même orchestrer la chorégraphie à l'aide de son portable (en téléchargeant

l'appli sur www.kingscross.co.uk/granary-squirt), animent cette vaste esplanade où l'on profite aux beaux jours d'un café en terrasse, de food-trucks et de chaises longues. En toile de fond s'élève l'imposante façade victorienne d'un ancien entrepôt à grains, **Granary Building** (1853). Emblème du renouveau du quartier, il loge dans ses beaux volumes industriels la prestigieuse école d'art et de design londonienne, **St. Martins College**, ainsi que plusieurs coffee-shops et restaurants ultrabranchés.

Granary Square M° King's Cross

Illustres illustrateurs
House of Illustration (plan 3, C2)

Avec sa voisine, la ruche créative du Central St. Martins Art College, ce musée dédié à l'illustration ajoute à la touche arty de King's Cross. Il a pour cofondateur Sir Quentin Blake *himself*, l'artiste préféré des grands et des petits outre-Manche, celui qui a donné un visage aux héros de la jeunesse campés par Roald Dahl : Matilda, Willy Wonka (*Charlie et la chocolaterie*) et tant d'autres. Une exposition permanente lui est consacrée tandis que les expositions temporaires annexes explorent l'univers du dessin en général, de la BD à la publicité...

2 Granary Square M° King's Cross 📞 020 3696 2020 www.houseofillustration.org.uk ⏱ Mar.-dim. 10h-18h 💷 7,70£

● ISLINGTON

Juché sur une colline au nord de la City, Islington – quartier défavorisé devenu l'un des fiefs des classes moyennes de gauche – est aujourd'hui l'un des foyers artistiques et culturels de la capitale. Jeune et branché, il prend vie surtout autour d'Upper Street, la rue qui monte, et le long de laquelle les pubs authentiques et les bars tendance le disputent aux bonnes tables et autres spots nocturnes.

NOS ADRESSES

 PAUSES

Cornet de glace
Ruby Violet

Il n'y a pas que la nostalgie de sa *grandma*, Ruby Violet, et des jolis *summer days* d'antan dans les glaces artisanales de Julie Fisher. Élaborées à partir de produits locaux, ses créations titillent la curiosité avec des parfums (toujours de saison) insolites (miel et violette, basilic et citron, rhubarbe et verjus). Une boule

(*scoop*) 3£, deux 5,50£ ; sur place ou à emporter.

KING'S CROSS (plan 3, C2 n°6) King's Cross Parlour 3 Wharf Road M° King's Cross 📞 www.rubyviolet.co.uk ⏱ Mar.-dim. 10h-22h, lun. 10h-19h

Un air de Bloomsbury
London Review Cake Shop

À un jet de livre du British Museum, ce café-librairie est l'endroit rêvé où se poser et savourer un *lunch* léger ou une irrésistible part de cake – le brownie au gingembre fait l'unanimité auprès des habitués – accompagnée d'une bonne tasse de thé. Un vrai lieu de détente où les lectures ne vont pas sans évoquer la tradition littéraire de Bloosmbury.

BLOOMSBURY (plan 3, C4 n°7) 14 Bury Pl. ☎ 020 7269 9030 www. londonreviewbookshop.co.uk ⏱ Lun.-sam. 10h-18h30

Rendez-vous prisé
The Canonbury Tavern

Au cœur du charmant quartier georgien de Canonbury, cette "taverne" du 18e s. est l'un des pubs les plus élégants d'Islington. Son ample et beau jardin, comme sa cuisine, en font un rendez-vous très prisé. Dans les années 1940, George Orwell, qui vécut un temps non loin de là, venait en voisin ; plusieurs pages de son célèbre roman *1984* ont vu le jour sous l'un de ces arbres.

ISLINGTON (plan 3, D1 n°8) 21 Canonbury Pl. M° Highbury & Islington ☎ 020 7704 2887 www.thecanonbury.co.uk ⏱ Dim.-jeu. 11h-23h, ven.-sam. 11h-23h30

✖️ RESTAURATION

Pour la terrasse
Truckles of Pied Bull Yard ♥££

Avant tout pour le cadre car quand le temps le permet, c'est un vrai plaisir de profiter des tables dressées dans la vaste cour pavée, à l'écart du bruit de la rue. Sandwichs et burgers, salades et assiettes de charcuterie ou de fromages, mais aussi des plats chauds à la carte (12-22£ env.). L'établissement appartenant à une chaîne de détaillants en vins (Davy's), on y trouve aussi de bonnes bouteilles...

BLOOMSBURY (plan 3, C4 n°23) Pied Bull Yard (une cour cachée au fond d'un passage couvert qui donne sur Bury Pl.) M° Holborn ☎ 020 7404 5338 www.davy.co.uk ⏱ Lun.-ven. 10h-22h

Cantine coffee-shop
Caravan ££

Murs de brique, ampoules suspendues au-dessus de longues tables, l'endroit a su tirer profit de l'architecture industrielle – celle de l'ancien entrepôt à grains de Granary

Caravan

Square – où il s'est installé. Saveurs d'ailleurs en plats (14,50-24£) ou en tapas (6-9£), brunch (service continu le week-end), café torréfié maison, tables en terrasse devant la fontaine à jets d'eau, l'adresse ne manque pas d'atouts et ça se sait (attention à la file d'attente en fin de semaine).

KING'S CROSS (plan 3, C2 n°24) Granary Building, 1 Granary Sq. M° King's Cross ☎ 020 7101 7661 www.caravankingscross. co.uk ⏱ Lun.-ven. 8h-22h, sam. 10h-22h30, dim. 10h-16h

Un billet pour Bombay
Dishoom ££

Profitant lui aussi des volumes du Granary Building (cf. Caravan), le lieu fait sensation. Vous voilà dans le Bombay des années 1950, mais devant une cuisine indienne réinventée et un curry britannique ultramarin ! Petit déjeuner (omelettes épicées, granola maison...), déjeuner et dîner ; pas de rés. en soirée, préparez-vous à patienter parmi une foule de jeunes gens branchés et lookés. Plats 8-12£.

KING'S CROSS (plan 3, C2 n°25) Granary Building, 5 Stable St M° King's Cross 🕾 020 7420 9321 www.dishoom.com ⏲ Lun.-mer. 8h-23h, jeu.-ven. 8h-0h, sam. 9h-0h, dim. 9h-23h

Veggies en folie
The Grain Store ££

Sis, lui aussi, dans l'ancien grenier à grains de King's Cross (cf. Caravan et Dishoom), il propose une déco fraîche et claire, chic et simple à la fois. Sous la direction du chef bordelais Bruno Loubet, connu pour avoir fait des merveilles ailleurs à Londres, la cuisine fait la part belle aux bons produits de la terre et place le légume au cœur de l'assiette... Réserver longtemps à l'avance pour le restaurant ; longue file d'attente pour le "Bar". *All Day Menu* (servi au "Bar" uniquement) : assiettes 4-15£.

KING'S CROSS (plan 3, C2 n°26) 1-3, Stable St M° King's Cross 🕾 020 7324 4466 www.grainstore.com ⏲ Lun.-ven. 12h-22h30, sam. 15h30-22h30 (horaires côté "bar")

Le fish & chips des *black cabs*
North Sea Fish Restaurant ££

Adoré des chauffeurs de *black cabs*, c'est l'un des meilleurs fish & chips de la capitale. Le poisson (une quinzaine au choix) est d'une extrême fraîcheur, les portions sont généreuses et le cadre, une salle vieux rose, suranné à souhait. Comptez 12-20£ pour un plat, à moins que vous ne choisissiez l'option *take away* (salle attenante) pour emporter votre poisson dans du journal.

BLOOMSBURY (plan 3, C3 n°27) 7-8 Leigh St M° King's Cross St. Pancras ou Russell Square 🕾 020 7387 5892 www.northseafishrestaurant.co.uk ⏲ Lun.-sam. 12h-22h30, dim.14h30-21h30

Bio, de saison, local
Riverford at The Duke of Cambridge ££

C'est le premier et le seul pub du pays à être certifié *organic*. Les bières, fournies par les brasseries londoniennes Pitfield et Freedom, sont bio et goûteuses, comme la cuisine, qui tire profit des produits, de saison et locaux de la ferme biologique de Riverford (dans le Devon) avec laquelle elle travaille : merlu rôti, *caponata* d'aubergines, filet de bœuf aux jeunes brocolis, plateau de fromages... Le tout avec un petit bout de terrasse en été. Prévoyez 25-30£. Voir aussi (p.112).

ISLINGTON (plan 3, D2 n°28) 30 St. Peter's St M° Angel 🕾 020 7359 3066 http://dukeorganic.co.uk ⏲ Lun.-sam. 12h-16h et 18h30-22h30, dim. 12h-21h

Thaï
Isarn ♥££

Une vraie bonne adresse thaïe au milieu d'Upper Street. Un cadre élégant tout en noir et blanc, et une cuisine aussi audacieuse que réussie, à l'instar des rouleaux de printemps à la papaye et de la lotte au curry vert et au basilic. Carte des vins simple mais honnête. Comptez entre 9 et 19£ pour un plat. À consommer sur place ou à emporter.

ISLINGTON (plan 3, D1 n°29) 119 Upper St M° Angel ou Highbury & Islington Bus 4, 19, 30, 43 (arrêt St. Mary's Church) ☎ 020 7424 5153 www.isarn.co.uk ⏰ Lun.-mer. 18h-23h, jeu.-ven. 12h-15h et 18h-23h, sam. 12h-23h, dim. et j. fér. 12h-22h

Quatre saisons en Italie
Trullo ££

Simple mais plein de charme avec ses épaisses nappes blanches, ses poutres noires, ses lampes *indus'* et son plancher presque brut, ce néo-bistrot italien propose une cuisine inspirée, autour de produits de saison : pâtes fraîches au crabe, viandes et poissons grillés... Réservation conseillée. Plat 9-19£.

ISLINGTON (plan 3, D1 n°30) 300-302 St Paul's Road M° Highbury & Islington ☎ 020 7226 2733 www.trullorestaurant.com ⏰ Lun.-sam. 12h30-14h45 et 18h-22h15, dim. 12h30-15h

Festin des halles
The Pig and Butcher ££

De la poêlée de *beef hash* (bœuf, pommes de terre, oignons), avec ses petits radis et son beurre d'anchois, à l'assiette de porc effiloché (*pulled pork*) avec sa compote de pommes, ce vieux pub du quartier des halles de Smithfield sert l'une des meilleures cuisines du coin. Et pour cause, ici on va chercher les animaux directement chez l'éleveur, sur pied, avant de les passer sur le billot de la maison. Quant à la pêche, en provenance de la côte sud, elle est fraîche du matin. Plat 17£ environ.

ISLINGTON (plan 3, D1 n°31) 80 Liverpool Road M° Angel ☎ 020 7226 8304 www.thepigandbutcher.co.uk ⏰ Lun.-mer. 17h-23h, jeu. 17h-0h, ven.-sam. 12h-0h, dim. 12h-21h

 # SHOPPING

Couleurs locales
Chapel Market

Particulièrement vivant le week-end, ce marché est l'un des plus pittoresques de Londres, avec ses étals colorés – fruits et légumes, charcuteries, viandes et poissons frais –, ses marchands de vêtements, de CD et d'articles de quincaillerie bon marché. On y trouve aussi l'un des derniers vendeurs de *pie & mash* (tourte à la viande et purée, une spécialité cockney) de la capitale.

ISLINGTON (plan 3, D2 n°42) Chapel Market, à Islington M° Angel ⏰ Mar.-sam. 9h-18h, dim. 8h30-16h

Chantons sous la pluie
James Smith & Sons

Les lettres rouges façon music-hall du mot "*Umbrellas*" apposés sur sa superbe façade victorienne (1857) sont sans équivoque. Aux mains de la même famille depuis toujours, l'enseigne est le fabricant de parapluies et de cannes le plus connu de Londres. La signature maison : le pépin à dix baleines, noir classique ou au goût du jour (155£). Le plus : un service irréprochable et la possibilité de faire tailler sa canne sur mesure et sur place au moment de l'achat.

BLOOMSBURY (plan 3, C4 n°43) Hazelwood House 53 New Oxford St M° Holborn ☎ 020 7836 4731 www.james-smith.co.uk ⏰ Lun.-mar. et jeu.-ven. 10h-17h45, mer. 10h30-17h45, sam. 10h-17h15

Charmante brocante
Camden Passage

Il fait bon flâner dans cette rue piétonne cernée de passages couverts, à l'écart d'Upper Street (à ne pas confondre avec le marché de Camden Town). Depuis 1960, quelques 300 brocanteurs animent le "village"

The Harry Potter Shop

où l'on chine à tout va meubles, vaisselle, fripes, bijoux...

ISLINGTON (plan 3, D2 n°45) Camden Pass M° Angel ☎ 074 6355 7899 www.camdenpassageislington.co.uk 🕐 Brocante Ouvert mer.-sam. 9h-18h ; dim. 11h-18h

Pour les moldus
The Harry Potter Shop
Les mordus et autres moldus de *Harry Potter* viennent s'y procurer tout l'attirail, des baguettes magiques aux robes de sorcier en passant par les dragées de Bertie Crochue (*Bertie Bott's Every Flavour Beans*)... Avant d'aller voir un peu plus loin ce qu'est devenu le **Quai 9$^{3/4}$** : une attraction où se prendre en photo avec le chariot enfoncé dans le mur (p.43) !

KING'S CROSS (plan 3, C2 n°44) King's Cross Station M° King's Cross ☎ 020 7803 0500 www.harrypotterplatform934.com 🕐 Lun.-sam. 8h-22h, dim. 9h-21h

---

🍸 SORTIES

Il brûle les planches
Almeida Theatre
L'une des meilleures scènes de Londres, puisant dans le répertoire national et international, se distingue par des productions imaginatives, souvent primées. Agréable foyer avec café-bar.

ISLINGTON (plan 3, D1 n°52) Almeida St M° Angel ou Highbury & Islington ☎ 020 7359 4404 (rés.) www.almeida.co.uk 🕐 Box Office Ouvert lun.-sam. 10h-18h (jusqu'à 19h30 pour les billets du jour)

Almeida Theatre

Salles de concert
Kings Place

Au bord de l'eau, l'un des meilleurs endroits de Londres où écouter de la musique classique, jazz, folk mais aussi contemporaine. Avec ses deux salles de concert d'envergure internationale et ses espaces dévolus aux arts visuels, le centre culturel de King's Cross est un vrai pôle d'attraction.

KING'S CROSS (plan 3, C2 n°53) 90 York Way M° King's Cross 📱 **020 7520 1490 www. kingsplace.co.uk**

Pour un live
Scala

Cette vieille bâtisse impressionnante (un ancien cinéma des années 1920) est devenue une salle de concert qui se transforme parfois en club. On y trouve une belle scène avec une programmation sans concession : Franz Ferdinand, les Scissor Sisters ou Mylo.

KING'S CROSS (plan 3, C2 n°54) 275 Pentonville Road M° King's Cross 📱 **020 7833 2022 http://scala.co.uk** ⏱ **Horaires selon la soirée, ven. 22h-4h**

Joli pub
The Lamb

Le quartier, dans l'ombre d'un grand hôpital, abrite encore heureusement ce joli pub fleuri. Ce petit bijou victorien est resté dans son jus depuis le 19e s. ; on y trouve même des vestiges d'époque comme le bar en acajou équipé de panneaux en verre, pivotant pour préserver l'intimité des conversations. Parfait pour une bière (3,50£), tranquille, au milieu des habitués – plutôt quadras chics.

BLOOMSBURY (plan 3, C3 n°55) 94 Lamb's Conduit St M° Russell Square 📱 **020 7405 0713 www.thelamblondon.com** ⏱ **Lun.-mer. 12h-23h, jeu.-sam. 12h-0h, dim. 12h-22h30**

Vieux troquet bohème
Bradley's Spanish Bar

Un vieux troquet bohème pour se reposer du lèche-vitrine sur Oxford Street. Banquettes rouges, velours défraîchis, appliques d'un autre âge, tableaux, bibelots : un cadre chargé et désuet que n'aurait pas renié un repéreur de décors de films et que les habitués, décalés ou ringards, adorent. Le jukebox fait l'unanimité. Quelques bières espagnoles (San Miguel, Cruzcampo...).

BLOOMSBURY (plan 3, B4 n°56) 42-44 Hanway St M° Tottenham Court Road 📱 **020 7636 0359** ⏱ **Lun.-jeu. 12h-23h30, ven.-sam. 12h-0h, dim. 13h-22h30**

Pour un *chill* en terrasse
Egg London

Sans doute la boîte la plus dépaysante de Londres : cinq salles balançant entre industriel chic et loft new-yorkais super classe et surtout, une vaste terrasse pour *chiller* le dimanche au soleil. Renseignez-vous sur le dress code, car la porte ne s'ouvre pas facilement. Très excentré (prendre le bus n°274, arrêt Brewery Road, ou n° 390, arrêt Vale Royal) ou un taxi.

KING'S CROSS (plan 3, C1 n°57) 200 York Way M° Kings Cross (1,3km) ou Caledonian Road & Barnsbury (1km) 📞 020 7871 7111 www.egglondon.co.uk ⏰ Mar. 23h-6h, ven. 23h-8h, sam. 23h-10h

La perle rare
The Wenlock Arms

On y a trouvé la recette pour un nectar de pub familial : épaisse moquette à fleurs, bières artisanales bon marché, bois sombre. Évidemment, pour que la fragrance enivrante du bar de quartier se dégage avec toute sa force, il faut aussi une bonne rasade d'habitués : des vieux, des jeunes, des rockers et des travailleurs, des instituteurs et des ouvriers, des femmes, des hommes. Dégustez sans modération, ce genre de pépite se fait rare à Londres.

ISLINGTON (plan 3, D2 n°58) 26 Wenlock Road M° Old Street 📞 020 7608 3406 http://wenlockarms.com ⏰ Lun.-jeu. 16h-23h ; ven.-sam. 12h-1h, dim. 12h-23h

Cocktails savants
69 Colebrooke Row

Le labo des cocktails nouvelle génération. Un air d'érudition mêlée de passion flotte dans la petite salle intimiste noir et rouge bercée de jazz (concert le dim., pianiste les mar. et jeu. soirs). Une chose est sûre, on ne vient pas là pour faire un concours de pintes. Essayez plutôt le Vintage El Presidente, le Death in Venice, le Haiku ou le Spitfire, parmi la douzaine de breuvages proposés, les meilleurs de Londres ! À partir de 10,50£.

ISLINGTON (plan 3, D1 n°59) 69 Colebrooke Row M° Angel 📞 07450 528 593 www.69colebrookerow.com ⏰ Dim.-mer. 17h-0h, jeu. 17h-1h, ven.-sam. 17h-2h

QG de yakusas
Shochu Lounge

Accoudez-vous au bar en bois massif et écoutez les explications des barmen. Regardez-les vous couper un énorme glaçon à la scie et appréciez le goût subtil du *shochu*, un alcool blanc de riz ou de patate douce, équivalent japonais de la vodka, en moins fort (25°). Le décor se montre pas mal non plus dans le genre QG de yakuzas dans un *James Bond*. Cocktail env. 8£.

BLOOMSBURY (plan 3, B4 n°60) Sous-sol du restaurant Roka 37 Charlotte St M° Goodge Street 📞 020 7580 6464 www.shochulounge.com ⏰ Lun.-mer. 17h30-0h, jeu.-ven. 12h-0h, sam. 17h30-0h, dim. 17h30-22h30

Good vibes
Union Chapel

Une salle de concert exceptionnelle, dans une église encore en service ! Sous les arcades néogothiques, l'acoustique est parfaite, les *vibes* célestes ! Réputée pour ses soirées folk, jazz et tzigane, elle a aussi accueilli les plus grands, de Patti Smith à Elton John.

ISLINGTON (plan 3, D1 n°61) 19b Compton Terrace M° Highbury & Islington 📞 020 7226 1686 www.unionchapel.org.uk

CAMDEN TOWN ★

Le quartier le plus extravagant de Londres allie le charme pittoresque de ses vieilles maisons de brique et des écluses du Regent's Canal aux rumeurs de ses marchés aux puces et de ses bars underground. Chineurs, punks, gothiques, beautiful people, curieux, sans oublier les derniers vrais rockers de la ville... Il y a toujours un monde fou à Camden, quelle que soit l'heure du jour ou de la nuit.

À VOIR

Camden traîne depuis longtemps la réputation d'un repaire d'artistes et de marginaux. Ce quartier loti à partir de 1791 prit son essor dans les années 1820-1830, avec le creusement de Regent's Canal, puis l'arrivée du chemin de fer. Même si les classes moyennes ont reconquis ses petites maisons victoriennes, l'excentricité reste de rigueur...

🛈 ACCÈS ET INFOS

- Les stations de métro les plus commodes pour rejoindre le quartier sont Camden Town et Chalk Farm.
- Les puces sont ouvertes 7j./7 et en effervescence totale le week-end : Camden High Street et Chalk Farm Road sont alors impraticables.

Mythique

Camden Markets 🍴 (plan 3, B1)

Camden Lock Market Artistes, libraires, stylistes, créateurs de mobilier... occupent depuis 1974 les anciens bâtiments industriels, entrepôts et écuries, des quais et des docks du Regent's Canal. Vêtements neufs tendance "alternative" et fripes, bijoux, artisanat, vinyles... on y trouve un peu de tout ! Et pour revigorer les commerçants comme les chalands, une pépinière de cantines antillaises, chinoises et indiennes.

Canal Market De l'autre côté du pont, plus au nord, sur Chalk Farm Road (au niveau de Hartland Road). Sensiblement la même offre qu'au Camden Lock Market.

Stables Market Mobilier et menus objets, des "antiquités" à la brocante. Pour une pure tenue gothique, punk ou funky, faites le tour des boutiques de vêtements.

Camden High Street N'y manquez pas l'Electric Ballroom, salle de rock légendaire qui prête ses murs à une foire aux disques et au cinéma le samedi et à un marché de créateurs indépendants le dimanche. Et faites un saut jusqu'aux étals de shopping de Buck Street et d'Inverness Street.

Camden Lock Pl./ Chalk Farm Road Camden High St M° Camden Town 🖥 www.camdenlock.net
🕐 Tlj. 10h-18h Activité maximum le w.-e.

À NE PAS MANQUER

- Camden Town
- Primrose Hill

Camden Market

À FAIRE

Montez là-haut sur la colline
Primrose Hill (plan 3, A1-A2)

À l'ouest de Camden, la petite "colline aux Primevères" était un rendez-vous de duellistes. Sa quiétude et ses maisons victoriennes attirent aujourd'hui bien des célébrités. Surtout, ses vastes pelouses plantées de châtaigniers ménagent parmi les plus beaux points de vue qui soient sur le centre-ville. Féerique à la fin d'une journée ensoleillée.

Prince Albert Road Mᵒ Chalk Farm Bus 274 www.primrosehill.com

Marchez au fil de l'eau
Regent's Canal (plan 3, B1 et dépliant)

Percé en 1820, jalonné de douze écluses et deux tunnels, ce canal de 13km relie les docks de Londres à **Little Venice**. De Camden Lock, on rejoint ce bassin bordé de saules pleureurs apprécié des artistes par une balade des plus agréables sur les berges (4km, env. 1h de marche), au fil des péniches colorées amarrées le long du chemin de halage (ouvert du lever au coucher du soleil).

Regent's Canal Mᵒ Camden Town ou King's Cross St. Pancras

Embarquez à bord d'une navette fluviale
On peut également rejoindre Little Venice (cf. ci-dessus) à bord d'une péniche de la London Waterbus Company (trajet simple au départ de Camden env. 8£).

58 Camden Lock Pl. 020 7482 2660 www.londonwaterbus.com Avr.-sept. : tlj. 10h-17h ; oct. : jeu.-ven. 12h-16h, w.-e. 11h-16h ; nov.-mars : w.-e. 12h-16h (toutes les heures environ)

NOS ADRESSES

PAUSES

Nitro bon, nitro glacé
Chin Chin Labs

Derrière un comptoir étrange, des laborantins et des nuages de fumée mystérieux… Ne vous y trompez pas, il s'agit bien de glaciers, et il y a fort à parier que vous fondrez pour leurs succulentes glaces à l'azote, préparées sous vos yeux, à lécher avec un coulis, ou en "brownwich" (entre deux brownies) !

(plan 3, B1 n°9) 49-50 Camden Lock Pl. 07885 604 284 www.chinchinlabs.com Tlj. 12h-19h

Glaces italiennes
Marine Ices

De vrais *gelati* à l'italienne (vanille, banane…), sorbets, milk-shakes ou *sundaes* que tout le monde s'arrache !

(plan 3, B1 n°10) 61 Chalk Farm Road 020 7428 9990 Avr.-oct. : tlj. 11h-23h ; nov.-mars : mer.-dim. 12h-21h

Burger de charme
Haché ♥

Cet américain sert d'excellents burgers de bœuf, de poulet, de thon, végétariens, etc. avec des frites croustillantes ! Le cadre est charmant, jusqu'à la rose sur la table. Aux beaux jours, petit bout de terrasse pour ceux qui arrivent de bonne heure. Burger de 9 à 13£.

(plan 3, B1 n°11) 24 Inverness St M° Camden Town 020 7485 9100 www.hacheburgers. com Lun.-jeu. 12h-22h30, ven.-sam. 12h-23h, dim. 12h-22h

SHOPPING

"Docs" en stock
British Boot Company

Le temple des "Docs" ! Aux mains de la même famille depuis 1958, British Boot Company se targue de posséder le plus grand stock des célèbres godillots à couture jaune du docteur Martens de tout le Royaume-Uni.

(plan 3, B1 n°46) 5 Kentish Town Road M° Camden Town 020 7485 8505 www. britboot.co.uk Tlj. 10h30-19h

Rock et chic
All Saints ♥

Avec son mur de vieilles machines à coudre noires en vitrine, impossible de louper ce label de prêt-à-porter rock et chic. Ici pas vraiment

British Boot Company

d'excentricité, mais plutôt de belles pièces parfaitement coupées et des couleurs sombres, ainsi que des accessoires joliment rebelles (foulard à imprimé léopard 58£).

(plan 3, B1 n°47) 287 Camden High St M° Camden Town ou Camden Road 020 7284 6930 www.allsaints.com Lun.-sam. 10h-19h, dim. 12h-18h

SORTIES

L'âme de Camden
The Dublin Castle ♥

Lieu de pèlerinage sur la route du rock, ce grand pub faussement tranquille avec ses banquettes rondes est une institution ! Amy Winehouse s'est produite dans la petite salle du fond et avant elle, les Madness, Blur, The Cardigans... Le bar aux lumières rouges reçoit encore des groupes confidentiels et leurs fans (mer. au dim.). Peu recommandé pour un rdv galant, mais ambiance terrible pour une bande ! Entrée env. 6£, bière à moins de 5£.

(plan 3, B2 n°62) 94 Parkway 020 7485 1773 thedublincastle.com Lun.-mer. 13h-1h, jeu.-dim. 12h-2h

Cocktails et carton-pâte
Gilgamesh

Au cœur du Stables Market, entre tatoueurs et vendeurs d'encens, un escalator vous transporte au cœur d'un palais babylonien, lounge orientalisant réputé pour ses excellents cocktails à base de fruits de la passion, litchis, violettes, roses...

(plan 3, B1 n°63) The Stables Market Chalk Farm Road M° Camden Town ou Chalk Farm 020 7428 4922 www.gilgameshbar.com Tlj. 16h-tard dans la nuit

En marge du rock
Jazz Café

Les amateurs de world music, de reggae et de jazz ont aussi leur petit temple à Camden. Le week-end, soirées clubbing (23h-3h) avec une ligne strictement hip hop le vendredi et le samedi de la soul dans tous ses états, du disco au rare groove en passant par le funk.

(plan 3, B2 n°64) 5 Parkway M° Camden Town 0870 060 3777 http://thejazzcafelondon. com Tlj. 19h-2h

Rockoco
KOKO

Deux balcons surplombant une piste géante dans un décor carmin orné d'angelots, ce superbe théâtre rassemble, tous les vendredis, les amateurs du renouveau rock (jean extra slim de rigueur, sur scène comme dans la salle) sous les auspices du magazine *NME* (p.272). Le samedi, des nuits plus électroniques ont également lieu ; on a alors l'impression d'aller en rave à l'opéra ! Entrée à partir de 6£, concerts 13-23£.

(plan 3, B2 n°65) 1a Camden High St M° Mornington Crescent 020 7388 3222 www.koko.uk.com Dim.-jeu. 19h-23h, ven. 19h-4h, sam. 22h-4h

Légendaire
The Round House

Installée dans une rotonde classée (1846), cette salle est une légende de Camden : Jimi Hendrix et les Pink Floyd y ont joué. Programmation pop, rock et world pointue et centre de création pour les jeunes : danse, théâtre, cirque et cabaret.

(plan 3, B1 n°66) Chalk Farm Road M° Chalk Farm 020 7424 9991 ou 0300 6789 222 www.roundhouse.org.uk Box office : sur place lun.-sam. 11h-18h (plus tard les jours de concerts)

Hérissée de tours toujours plus hautes, la City vit à l'unisson de ses traders pressés... qui en font un désert le week-end. Vers l'est et le nord-est, l'ambiance se réchauffe sensiblement : c'est l'East End, monde vibrant où l'avant-garde arty et la jeunesse bohème ressuscitent ce que Londres a de plus vintage, à deux pas de la foule cosmopolite de Banglatown.

La City et l'East End

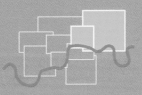

136 **Plan 4**
138 **Plan 5**
140 **Les incontournables**
142 **Nos conseils**
144 **Rendez-vous avec...**
146 **La City**
160 **Spitalfields**
168 **Hoxton-Shoreditch**
172 **Hackney-Dalston-Stratford**

Au pied de la nouvelle iconique tour de Londres, the Gherkin

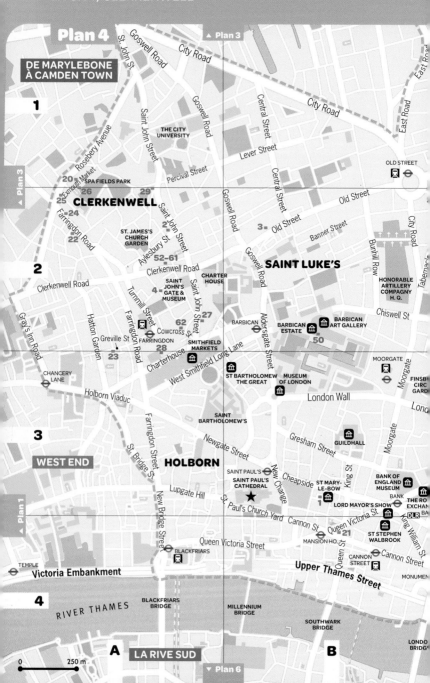

Plan 4

▲ Plan 3

DE MARYLEBONE
À CAMDEN TOWN

◄ Plan 3

1

St. John St

Goswell Road

City Road

City Road

East Road

East Road

Rosebery Avenue

Saint John Street

THE CITY
UNIVERSITY

Central Street

Lever Street

Central Street

OLD
STREET

20

Exmouth Market

SPA FIELDS PARK

Percival Street

Goswell Road

CLERKENWELL

26
25

29

Saint John Street

Old Street

Old Street

Banner Street

Bunhill Row

City Road

24

Farringdon Road

22

ST. JAMES'S
CHURCH
GARDEN

Aylesbury St

52-61

Clerkenwell Road

3

Old Street

SAINT LUKE'S

HONORABLE
ARTILLERY
COMPAGNY
H. Q.

Tabernacle

2

◄ Plan 3

Clerkenwell Road

Hatton Garden

CHARTER
HOUSE

Goswell Road

Chiswell St

4

SAINT
JOHN'S
GATE &
MUSEUM

Saint John Street

BARBICAN

Aldersgate Street

BARBICAN
ESTATE

BARBICAN
ART GALLERY

50

Grays Inn Road

Turnmill Street

62

27

Cowcross

MOORGATE

Moorgate

Greville St

FARRINGDON

28

Charterhouse

SMITHFIELD
MARKETS

West Smithfield

Long Lane

FINSB
CIRC
GARD

Lon

23

CHANCERY
LANE

Holborn Viaduc

West Smithfield

ST BARTHOLOMEW
THE GREAT

MUSEUM
OF LONDON

London Wall

Moorgate

3

◄ Plan 1

St Bridge St

Farringdon Street

SAINT
BARTHOLOMEW'S

Newgate Street

HOLBORN

Gresham Street

GUILDHALL

King St

Moorgate

WEST END

Lupgate Hill

SAINT PAUL'S

SAINT PAUL'S
CATHEDRAL

★

New Change

Cheapside

ST MARY-
LE-BOW

1

LORD MAYOR'S SHOW

BANK OF
ENGLAND
MUSEUM

BANK

THE RO
EXCHAN

DLR

BA

New Bridge Street

St. Paul's Church Yard

Cannon St

Queen Victoria St

MANSION HO.

21

ST STEPHEN
WALBROOK

King William St

BLACKFRIARS

Queen Victoria Street

Queen Victoria St

CANNON
STREET

Cannon Street

TEMPLE

Victoria Embankment

Upper Thames Street

MONUMEN

4

RIVER THAMES

BLACKFRIARS
BRIDGE

MILLENNIUM
BRIDGE

SOUTHWARK
BRIDGE

LONDO
BRIDG

0   250 m

A   LA RIVE SUD

▼ Plan 6

B

Pauses (n° 1 à 13)

11   Bar Kick p.170 ....C1
7   Beigel Bake p.164 .... C2
4   Jerusalem Tavern p.156.... A2
8   Leila's Shop p.170...............C1
3   Look Mum
    No Hands ! p.156 .... B2
13   Pizza East p.170............... C2
12   Sông Quê Café p.170..........C1
5   St John
    Bread & Wine p.163 .... C2
6   The Big Chill Bar p.164...... C2
9   The Book Club p.170 .... C2
1   The Café Below p.156 .... B3
2   The Modern Pantry
    Café p.156................ A2
10   The Royal Oak p.170...........C1

Restaurants (n° 20 à 32)

28   'Smiths'
    of Smithfield p.159 .... A2-A3
23   Bleeding Heart p.157 .... A2
30   Brick Lane Market p.164..... C2
32   Café Spice Namasté p.165... C4
31   Canto Corvino p.164 .... C3
25   Caravan p.158................. A2
20   Exmouth Market
    Sreet Food Market p.157....A1
26   Moro p.158 .... A2
24   Quality Chop House p.158 ... A2
27   St. John p.158 .... A2
21   Sweetings p.157............... B4
22   The Eagle p.157 .... A2
29   The Peasant p.159 .... A2

Shopping (n° 40 à 46)

46   Boxpark p.171................. C2
41   Cundall and Garcia p.166 .... C3
45   Labour & Wait p.171 .... C2
44   Relax Garden p.171...........C1
43   Rough Trade East p.166...... C2
40   Sunday Upmarket @ Old
    Truman Brewery p.165....... C2
42   Traffic People p.166.......... C2

Sorties (n° 50 à 57)

56   333 Mother p.171...............C1
53   93 Feet East p.167............ C2
50   Barbican Arts Centre p.159 .. B2
54   Dinerama p.169 .... C2
55   Dreambagsjaguar-
    shoes p.171...................C1
51   Vertigo 42 p.159............... C3
57   XOYO p.171................... B2
52   ZTH Cocktail Lounge p.159 .. A2

Hébergements (n° 60 à 62)

60   The Boundary p.294 .... C2
62   The Zetter Hotel p.294 ...... A2
61   The Rookery p.294 .... A2

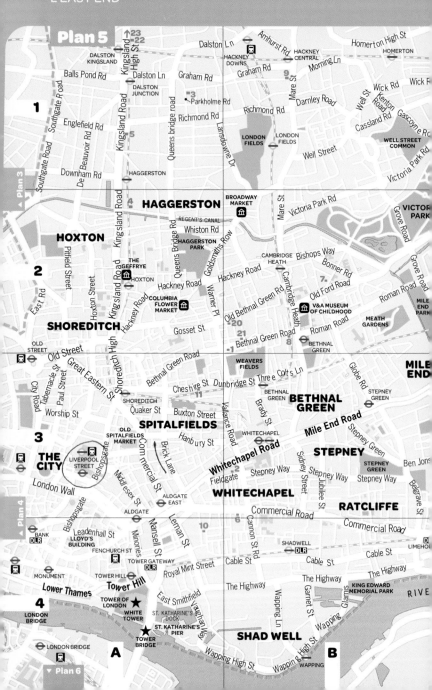

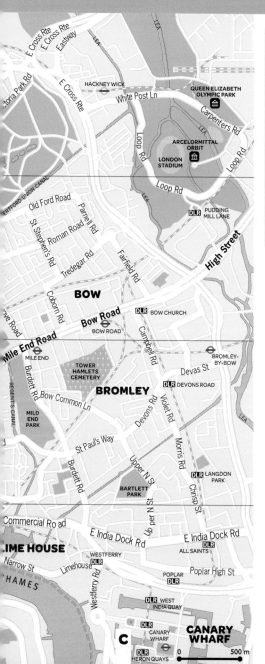

Restaurants (n° 1 à 10)

4 Berber & Q *p.174*............... A2
1 E. Pellicci *p.164*................. B2
6 Lahore Kebab House *p.144*.. B3
10 Lmnh Kitchen *p.145* A4
8 Nico's Cafe-Diner *p.144*...... B2
3 Prince George *p.174* A1
5 Rotorino *p.174* A1
2 Tayyabs *p.164*................. B3
7 The Approach
   Tavern *p.144*.................. B2
9 The Cock Tavern *p.145*........B1

Shopping (n° 11)

11 Cheshire Street *p.166* A3

Sorties (n° 20 à 23)

22 The Alibi *p.174* A1
20 The Bethnal Green Working
   Men's Club *p.167* B2
23 The Nest *p.174*................A1
21 The Star of Bethnal
   Green *p.167*................... B2

LES INCONTOURNABLES

★ **TOWER BRIDGE** (p.152) pour ses allures de château.

★ **DINERAMA** (p.169), **DALSTON YARD STREET FEAST** (p.173) pour goûter aux festins urbains de la nuit.

★ **TOWER OF LONDON** (p.151) pour ses gardes et les insignes de la Couronne.

★ **ST. PAUL'S CATHEDRAL** (p.146) pour la vue
étourdissante du haut de ses 530 marches.

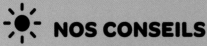

NOS CONSEILS

Des suggestions pratiques et des petites astuces pour découvrir la City et l'East End sans fausse note.

☀ Visitez l'East End le dimanche !

Évitez de visiter la City le week-end et le soir, moments où les rues sont vides et fantomatiques après le départ des cols blancs et les restaurants généralement fermés. Profitez en revanche de l'East End dont l'animation bat son plein en fin de semaine. Entre un shopping *trendy* autour de Hoxton Street, une soirée déjantée au Bethnal Green Working Men's Club (p.167) et un petit déjeuner dominical d'anthologie, n'oubliez pas d'aller flâner au marché aux fleurs de Columbia Street (p.169) !

☀ Humez l'air du temps (de demain)

Brick Lane, Cheshire Street, Hoxton Street... trépidant, bohème, branché, l'East End fourmille de lieux où dénicher articles de mode et déco vintage, humer l'air et l'art du temps. Pas de doute ! Si vous voulez savoir comment il faudra s'habiller et ce qu'on écoutera à Paris dans les deux mois à venir, c'est là que vous le découvrirez !

☀ Découvrez le haut lieu du design

Si la City reste un désert en matière de shopping, les grands designers et petits créateurs du village de Clerkenwell (p.155) en ont fait le quartier *in* du design. Ne manquez pas les showrooms des plus grands noms, comme **Knoll** dont il faut guetter la journée de soldes en novembre. Le *corner* de **Craft Central** (association pour la promotion des nouveaux talents du design) mérite aussi une escale. À ne pas manquer en mai, la Design Week de Clerkenwell.

☀ Offrez-vous un spectacle béton

Deux théâtres, trois cinémas, une salle de concert, deux galeries d'art... Toujours de haute volée, au **Barbican Arts Centre** (p.153), l'art prend les formes les plus diverses, de l'opéra à la danse, du jazz à la photographie et ce 363 jours par an. Derrière le béton emblématique de la cité brutaliste, les institutions culturelles conservent une vitalité intacte.
📱020 7638 8891 www.barbican.org.uk

La City

Galerie de design Fumi

☀ Scrutez la *skyline*

Profitez pleinement de la City en vous hissant au sommet de l'une de ses tours vertigineuses pour une vue totale sur la ville (p.154), un *drink* à la main. Un moment (au) top !

☀ Fêtez la nuit à l'est

Vous avez le cœur à la fête ? N'allez pas plus loin. Le triangle de la branchitude londonienne se concentre entre Great Eastern Street, Brick Lane et Old Street, et comprend les quartiers de Shoreditch, Hoxton et Spitalfields. Hauts lieux bobos, ces anciens faubourgs populaires ont tout ce qu'il faut de vie nocturne foisonnante, de décos arty et de *London vibes*, avec parfois en contrepartie une certaine uniformisation de la clientèle. Mais en cherchant un peu on y trouve son compte : aussi bien d'immenses salles pour danser en bande – comme le 333 (p.171) ou le Big Chill Bar (p.164) –, que des lieux plus intimistes. Au nord, Dalston, encore assez underground, étend le domaine de chasse des clubbers à la recherche de nouveaux lieux cool.

☀ Soyez témoin d'une rencontre royale

Soyez témoin de l'histoire de la City à l'occasion du Lord Mayor's Show. Cette grandiose parade, qui a lieu tous les ans le deuxième samedi de novembre, voit le maire nouvellement élu de la City se rendre en carrosse à Westminster Palace, afin de prêter allégeance à la Couronne en présence des pairs de la Chambre des lords. La procession quitte le Guildhall à 11h pour rejoindre les Royal Courts of Justice. Le spectacle, retransmis en direct à la BBC, attire près de 500 000 curieux dans les rues du quartier, et se termine par des feux d'artifice sur la Tamise.

⌨ www.lordmayorsshow.london ⏲ 2ᵉ sam. de nov.

RENDEZ-VOUS AVEC...

Lewin Chalkley est le cofondateur de la boutique Look Mum No Hands !, un lieu étonnant et hybride, où l'on vient aussi bien siroter un bon café que trouver de nouveaux freins pour sa bicyclette (p.156). Ce passionné de vélo sillonne l'est londonien et nous livre ses meilleures adresses.

Ma *curry house*

Lahore Kebab House

Un débat fait rage chez nous pour savoir si la meilleure *curry house* du quartier (et donc de Londres, évidemment) est Tayyabs (p.164) ou Lahore. Personnellement, j'opte pour cette dernière en raison de son superbe curry Nihari à la moelle et de ses grillades d'agneau minute. Mais n'hésitez pas à me contredire !

(plan 5, B3 n°6) 2-10 Umberston St M° Whitechapel ou Aldgate East ☎ 020 7481 9737 www.lahore-kebabhouse. com ◷ Tlj. 11h30-1h

Mon jardin

The Approach Tavern

Un pub londonien classique et cozy, où je retrouve les habitués. Bonne bière, bonne cuisine, bonne ambiance... que demander de plus ? Il y a même un jardin à l'arrière pour aller siroter son verre au soleil. Mon père m'a emmené ici pour la première fois quand j'avais 7 ans et depuis, j'y reviens toujours.

ENVIE DE FLÂNER ?

Pour échapper à l'agitation d'East End, ou pour changer du vélo, il fait bon louer un bateau et ramer sur le petit lac au cœur du Victoria Park, entre carpes et œuvres d'art.

🛈 ADRESSES

• **A** Lahore Kebab House
• **B** The Approach Tavern
• **C** Nicos Cafe
• **D** The Cock Tavern
• **E** LMNH Kitchen

(plan 5, B2 n°7) 47 Approach Road M° Bethnal Green ☎ 020 8980 2321 ◷ Tlj. 12h-23h

Mon stand de ravitaillement

Nico's Cafe-Diner

Si vous avez très, très faim ou que vous vous promenez avec un ami amateur de concours de plus gros mangeur, il faut passer chez Nico. Ici, pas de plats bio ou sans gluten

Exmouth Market

SI L'EAST END ÉTAIT...

Un parfum Ce serait celui des currys qui s'échappent de ces ribambelles de gargotes de Brick Lane et de Whitechapel et embaument les rues. Tant qu'on sentira ça, on saura que le quartier résiste encore à la gentrification !

mais une cuisine anglaise sans chichis pour travailleur de force, comme cette assiette gigantesque de foie, bacon, frites et petits pois. Un rapport calories-prix totalement imbattable !

(plan 5, B2 n°8) 299 Cambridge Heath Road M° Bethnal Green ☎ 020 7739 8832 ⏰ Lun.-ven. 7h-19h, sam. 7h-16h

Mon pub

The Cock Tavern

Un de nos anciens employés a repris ce pub que je considérais déjà auparavant comme le meilleur de Hackney ! Tout y est : un très beau choix de bières et surtout de cidres, une salle sombre et confortable où se mélangent des vieux habitants du quartier et des jeunes hipsters barbus. En bonus : on y trouve même des jarres d'œufs au vinaigre !

(plan 5, B1 n°9) 315 Mare St ☎ www.thecocktavern.co.uk ⏰ Lun.-jeu. 12h-23h, ven.-sam. 12h-1h, dim. 12h-22h30

Mon café

Lmnh Kitchen

Nous venons d'ouvrir cette adresse à Whitechapel, alors je peux ne pas paraître totalement impartial mais, promis, nous avons les meilleurs toasts aux champignons des kilomètres à la ronde ! Notre café n'est pas mal non plus ! Et si vous êtes allergique au vélo, sachez qu'ici, il n'y en a pas qui pendent du plafond !

(plan 5, A4 n°10) 101 Back Church Lane M° Aldgate East ☎ 020 3621 8898 ⏰ Lun.-mer. 7h30-17h, jeu.-ven. 7h30-23h, sam.-dim. 8h30-16h

LA CITY

C'est en semaine, à midi ou à 17h, qu'il faut visiter la City. Dans ses rues encaissées entre les gratte-ciel c'est alors un ballet incessant de traders pressés, de berlines rutilantes, de taxis nerveux et de coursiers à vélo frénétiques. Royaume de 2,5km², le cœur historique de la capitale est la première place financière internationale, au coude-à-coude avec New York à qui elle dispute, irrésistiblement tirée vers le haut, l'audacieuse *skyline* d'une ville-monde.

À VOIR

○ LE SQUARE MILE

De Saint-Paul à l'ouest, au Guildhall au nord et à la tour de Londres à l'est, la City trace au bord de la Tamise un rectangle de 2,5km² – d'où son surnom de Square

ⓘ ACCÈS ET INFOS

- La station St. Paul's débouche au nord de la cathédrale, la station Bank au cœur de la City, Tower Hill à deux pas de la tour de Londres. Pour les quartiers de Smithfield et de Clerkenwell, la station Farringdon étant excentrée et mal desservie, optez pour le bus 63, de St. Paul's (dans Farringdon St, dir. King's Cross).
- City of London Information Centre St Paul's Churchyard M° St. Paul's ☎ 020 7332 1456 www.visitlondon.com, www.visitthecity.co.uk ⏰ Lun.-sam. 9h30-17h30, dim. 10h-16h

Mile ("mile carré"). Le réseau plutôt complexe de ses avenues converge vers son cœur financier, où trois de ses plus augustes institutions lui prêtent un décor néoclassique digne de la Rome antique : le siège de la célèbre Bank of England, le Royal Exchange, première Bourse de Londres, et Mansion House, la résidence officielle du lord-maire. Les rues qui partent de la place offrent de belles échappées sur les édifices les plus remarquables du quartier : le "Gherkin" et Tower 42 dominent à l'est ; la tour de la Lloyd's se profile dans l'axe de Cornhill et la flamme du monument dans celui de King William Street.

En dôme majeur
St. Paul's Cathedral ★ I⛪ (plan 4, B3)

L'édifice religieux le plus cher aux Londoniens, pour lequel Churchill instaura une veille constante pendant le Blitz, s'élevait intact au milieu du champ de ruines de la City au lendemain des bombardements. Bâtie de 1675 à 1710, après le Grand Incendie, la cathédrale est le chef-d'œuvre de Wren. Maintes cérémonies, dont les funérailles de l'amiral Nelson (1805) et de Winston Churchill (1965), ainsi que le mariage du prince Charles et de lady Diana Spencer en 1981, s'y sont déroulées. Toute l'année y sont donnés de nombreux concerts et récitals d'orgue, dont des *lunchtime concerts* gratuits en semaine (programme à l'accueil).

Nef, chœur et crypte Longue de 152m, la nef en calcaire immaculé semble une épure d'architecture classique, alors que le chœur foisonne de mosaïques et de dorures. La crypte honore des gloires nationales : Wren et le duc de

À NE PAS MANQUER

- St. Paul's Cathedral
- Leadenhall Market
- Lloyd's Building
- 30 St. Mary Axe
- Tower of London
- Tower Bridge
- Museum of London

La tour de Londres et les "petites" dernières :
30 St. Mary Axe, 122 Leadenhall, 20 Fenchurch Street

Wellington, l'amiral Nelson (au centre avec son cercueil taillé dans le grand mât d'un navire français), le poète et peintre William Blake...

La coupole et le dôme Haute de 110m, la coupole – la plus grande du monde après Saint-Pierre de Rome – réserve de belles surprises depuis ses galeries "suspendues", mais attention si vous êtes sujet au vertige ! Premier palier, à 30m du sol, la **Whispering Gallery** ménage une magnifique vue plongeante sur le rez-de-chaussée. Cette "galerie des Murmures" doit son nom à ses qualités acoustiques : par ricochet, on entend d'un côté à l'autre des paroles même chuchotées. Deuxième palier, la **Stone Gallery** ("galerie de Pierre", extérieure), réserve à 53m de hauteur une saisissante vue sur la ville. Mais c'est après avoir gravi 530 marches que l'on prend la mesure des extraordinaires dimensions du dôme : à 85m du sol, au pied du lanternon, la **Golden Gallery** ("galerie d'Or") offre un fabuleux panorama sur Londres.

St Paul's Churchyard M° St Paul 020 7246 8350 www.stpauls.co.uk Lun.-sam. 8h30-16h 16£

Le cœur de la City

Guildhall Art Gallery (plan 4, B3)

Siège des corporations depuis le 12e s., le Guildhall devint l'hôtel de ville de la City en 1319, quand après un bras de fer de deux siècles avec la Couronne, elles acquirent leur autonomie et leurs privilèges (*liberties*). Le City of London Corporation (conseil municipal de la City) reste le fier symbole de son indépendance – le quartier dispose encore de sa propre police et élit chaque année son maire. Le site sur lequel s'élève le Guildhall a toujours joué un rôle central dans les affaires de la City. Il accueillit l'amphithéâtre romain dont il reste des fondations, puis les premières assemblées du peuple des Saxons. À voir ; Great Hall, l'une des plus vastes salles d'apparat médiévales du pays, dont le décor au summum du romantisme sert de cadre à de fastueuses cérémonies comme le Lord Mayor's Banquet.

Guildhall Yard Gresham St Mº St. Paul's ou Bank 📞 **020 7332 3700 www.cityoflondon.gov.uk/ guildhall** 🕐 **Lun.-sam. 10h-16h30 (dim. de mai à sept.) Fermé si événement**

London ringing
St. Mary-le-Bow (plan 4, B3)
Au sud du Guildhall, cette église possède le plus beau des clochers-porches conçus par Wren (1670-1683). L'une de ses cloches a sonné le couvre-feu à 21h de 1469 à 1876. Peut-être est-ce pour sa longévité que l'on entend encore dire qu'il fallait être né à portée du son du carillon de **St. Mary-le-Bow** (*"Born within the sound of Bow Bells"*) pour prétendre être un authentique Cockney. La crypte abrite un snack : The Café Below (p.156).

Cheapside Mº St. Paul's ou Mansion House 📞 **020 7248 5139 www.stmarylebow.co.uk** 🕐 **Lun.-mer. 7h30-18h, jeu. 7h30-18h30, ven. 7h30-16h**

La "Vieille Dame" de la City
Bank of England (plan 4, B3)
Les Britanniques en sont aussi fiers que de la livre sterling ! Son essor a accompagné celui de leur pays. Fondée en 1694, elle fut l'une des premières banques privées à ne plus seulement stocker des fonds, mais aussi à émettre des ordres et des chèques, facilitant ainsi leur circulation et leur placement dans la capitale et à l'étranger. En 1766, elle devint la banque officielle du gouvernement et en 1844, elle reçut le monopole de l'émission des livres sterling, avec obligation de conserver une encaisse-or correspondant au tiers de la masse des billets en circulation. C'est alors que Londres s'imposa comme le premier marché-or et centre financier de la planète.

Threadneedle St Mº Bank

Aux sources de la bourse
Bank of England Museum (plan 4, B3)
On y découvre d'abord le Stock Office, reconstitution dont les comptoirs en acajou, les parements de pierre et la coupole centrale restituent bien le cadre d'un grand établissement financier de la fin du 18e s. Gravures, coffres, lingots d'or et billets illustrent l'histoire de la banque et la modernisation des moyens d'échange monétaires jusqu'au pupitre informatique des traders d'aujourd'hui.

Bartholomew Lane Mº Bank 📞 **020 7601 5545 www.bankofengland.co.uk** 🕐 **Lun.-ven. 10h-17h Fermé j. fériés**

Trocs en stock
The Royal Exchange (plan 4, B3)
Le centre d'échanges commerciaux, créé en 1567 à l'initiative d'un riche marchand conseiller du roi, abrita la première Bourse de Londres jusqu'en

1698. Cette année-là, excédés par leur bruyante pratique, les négociants en chassèrent les courtiers, qui poursuivirent leurs transactions dans la rue et les *coffee houses* du quartier, avant de fonder le Stock Exchange en 1773. Le Royal Exchange cessa ses fonctions en 1939, et le véritable temple romain qui l'abritait depuis 1844 a été converti en galerie marchande de luxe. Son vaste atrium désormais protégé par une verrière a toutefois conservé son riche décor victorien.

Cornhill M° Bank

Traders sous verre
Leadenhall Market 👍 (plan 4, C4)
À l'ombre des six tours du Lloyd's Building (1986), cette halle victorienne (1881) aux arcades métalliques surmontées de hautes verrières, et sa coupole centrale élevée par Horace Jones au cœur du Londres romain, n'ont guère changé depuis. De magnifiques tons rouge, or et argent pour une ambiance unique – le marché a servi de décor de film à *Harry Potter* – constamment entretenue par l'affluence des cadres distingués de la City qui envahissent ses bars à vins, snacks et pâtisseries à midi.

Gracechurch St M° Monument ⌁ **020 7332 1523** ⏱ **Marché Ouvert lun.-ven. 10h-18h**

Inside out
Lloyd's Building 👍 (plan 4, C3)
Iconique, avec ses tours d'ascenseurs en inox, le siège du premier marché d'assurance mondial est un bâtiment phare de l'architecture high-tech signé Richard Rogers (1986). Hymne au verre et au métal, c'est un haut lieu de

Leadenhall Market

fonctionnalisme et d'ingénierie, dont les installations et conduites de service ont été rejetées à l'extérieur pour libérer les volumes intérieurs. Cette conception est la marque de fabrique de Rogers, qui avait déjà créé l'événement avec le centre Pompidou à Paris. Étonnante modernité pour l'une des plus vieilles institutions financères du monde, née à la fin du 17e s. dans l'auberge d'Edward Lloyd, rendez-vous des armateurs, marins, négociants et courtiers investis dans le commerce maritime...

Leadenhall St M° Bank ou Monument 🏠 www. lloyds.com

Lloyd's Building

Cornichon bio !
30 St. Mary Axe 🎦 (plan 4, C3)

Sa forme a été retenue pour son aérodynamisme et ses vertus écologiques : elle minimise les effets du vent sur les piétons qui approchent le bâtiment, tout en les mettant à profit pour moduler la ventilation des bureaux – une station météo intégrée gère l'ouverture des fenêtres ! La tour consomme ainsi deux fois moins d'énergie en chauffage et climatisation qu'un building classique... Création radicale de Norman Foster, l'édifice (2004), de 41 étages et 180m, est écolo jusqu'au surnom dont il est affublé, "the Gherkin" (le "cornichon").

30 St. Mary Axe M° Liverpool Street ou Aldgate

Un jardin dans le ciel
20 Fenchurch Street (plan 4, C4)

Au 35e étage du "Walkie Talkie", le fameux gratte-ciel aux vitres concaves signé Rafael Viñoly, loge **Sky Garden**. Ce "jardin dans le ciel" est doublé d'une terrasse à ciel ouvert et offre l'occasion de prendre de la hauteur en bénéficiant d'une vue à 360° sur la ville (sur réservation et temps limité à 1h) ! Aussi, une brasserie et un restaurant chic.

20 Fenchurch St M° Monument 📞 020 7337 2344 skygarden.london ⏰ Sky Garden Ouvert lun.-ven. 10h-18h, w.-e. 11h-21h

Joyau baroque
St. Stephen Walbrook (plan 4, B4)

Elle passe pour la plus belle église construite par Wren (1680) dans la City. Après la cathédrale Saint-Paul bien sûr ! De la rue, peu d'atouts mais à l'intérieur, on reconnaît bien le talent de l'architecte pour la composition et son sens des proportions. De plan carré, la nef est bornée par de hautes colonnes corinthiennes, sur lesquelles reposent huit arcs coiffés d'une splendide coupole. L'édifice semble recueilli sur lui-même, en équilibre tel un château de cartes.

39 Walbrook M° Bank 📱 020 7626 9000 http://ststephenwalbrook.net ⏰ Lun.-mar et jeu.-ven. 10h-16h (15h30 ven.), mer. 11h-15h

Colonne commémorative

Monument (plan 4, C4)

Cette monumentale colonne dorique fut érigée sur des plans de Wren pour commémorer le Grand Incendie. Sa hauteur de 62m est égale à la distance qui la sépare du point de départ du sinistre, le fournil du boulanger du roi, dans Pudding Lane. L'inscription en latin rappelle les 13 000 maisons brûlées, les 176ha ravagés... À l'intérieur, un escalier de 311 marches mène au sommet pour une vue plongeante sur la City, aujourd'hui limitée par les tours environnantes.

Monument St M° Monument 📱 020 7626 2717 www.themonument.info ⏰ Oct.-mars : tlj. 9h30-17h30 ; avr.-sept. : tlj. 9h30-18h 💶 4£

> **DRÔLE D'AFFAIRE**
>
> Après son achèvement en 2014, malheur à qui stationnait au pied de la tour "Walkie Talkie" (20 Fenchurch Street). Réverbérant les rayons de soleil telle une loupe géante, ses parois de verre galbées étaient accusées de faire fondre les voitures garées à proximité. La ville dut alors faire sabler les vitres.

La tour de Londres

Tower of London ★ I🔥 (plan 4, C4)

La redoutable forteresse bâtie à l'initiative de Guillaume le Conquérant à partir de 1078 servit surtout de prison. On ne compte plus les atrocités qui y ont été commises. Édouard IV y fit écrouer et exécuter son cousin Henri VI pour lui ravir le trône, avant que ses propres fils n'y soient jetés et mis à mort par son frère Richard III pour les mêmes raisons. Anne Boleyn et Catherine Howard, respectivement deuxième et cinquième épouses d'Henri VIII, y croupirent avant d'avoir la tête tranchée. Marie Tudor y fit décapiter sa cousine Jane Grey, qui avait "usurpé" le trône, puis y enferma sa demi-sœur, la future Élisabeth Ire. Plus récemment, lors de la Seconde Guerre mondiale, on y incarcéra Rudolf Hess et des aviateurs allemands.

Visite Aujourd'hui, les nombreux visiteurs fascinés par les **joyaux de la Couronne** (dont le plus gros diamant du monde) donnent à la tour de Londres des airs de parc d'attractions à thème... dûment surveillé par les Beefeaters, ce corps de garde constitué à la fin du 15e s. et qui porte encore la hallebarde et la livrée Tudor rouge et or, avec chapeau haut de forme à pompons. Comme jadis, ils ferment chaque soir la forteresse au cours de la **cérémonie des clés**, à laquelle on peut assister gratuitement, de 21h50 à 22h et si l'on a réservé longtemps à l'avance (en ligne seulement). À l'ouest de la cour, ne manquez

Tower of London

pas **Beauchamp Tower** (14ᵉ s.), remarquablement préservée où l'on peut encore lire sur ses murs les inscriptions laissées par de nombreux prisonniers.

M° Tower Hill 📱 0844 482 7799 (de Grande-Bretagne) ou +44 (0)20 3166 6000 (de l'étranger) www.hrp.org.uk/toweroflondon ⏱ Mars-oct. : mar.-sam. 9h-17h30, dim.-lun. 10h-17h30 ; nov.-fév. : mar.-sam. 9h-16h30, dim.-lun. 10h-16h30 € 22,50£

Pont levé

Tower Bridge ★ (plan 4, C4)

Emblème du glorieux passé maritime de la nation victorienne, le plus célèbre des ponts londoniens se lève encore trois à quatre fois par jour pour le passage des bateaux. Entre les deux tours aux balcons ouvragés évoquant le château de *La Belle au bois dormant*, le tablier central se dresse alors tel un pont-levis... Difficile de concevoir que ce décor de théâtre dissimule un système complexe de levage hydraulique. Un musée retrace l'histoire du pont et sa construction (achevée en 1894) en aval de la City et l'important trafic fluvial. Si vous n'avez pas consulté le site Internet au préalable, vous pouvez demander aux gardiens du musée à quelle heure est programmée la prochaine manœuvre de levage, mais soyez attentifs car elle ne dure vraiment pas longtemps ! Enfin, ne manquez pas la vue de la passerelle, aménagée à 42m au-dessus de l'eau et dont une section comporte un sol en verre !

M° Tower Hill ou London Bridge 📱 020 7403 3761 www.towerbridge.org.uk ⏱ Tour nord Ouvert avr.-sept. : tlj. 10h-18h ; oct.-mars : tlj. 9h30-17h30

○ VERS LE NORD

Si London Wall, l'artère qui suit le tracé du rempart élevé au 2ᵉ s. pour protéger la ville, marque la frontière historique de la City, celle-ci s'étend désormais au-delà.

Tranches de ville
Museum of London ✿ (plan 4, B3)
Apprendre à quoi servaient les poulets momifiés chez les Celtes, comment sont nés la mode et le shopping, vivre le Grand Incendie comme si on y était... l'admirable muséographie de cette institution, l'un des plus grands musées d'histoire urbaine au monde, vous transporte au cœur de la capitale d'hier et d'aujourd'hui. Des ossements de mammouths vieux de 250 000 ans à la reconstitution grandeur nature de ruelles de la métropole victorienne, l'exposition ne se cantonne pas aux dates et événements marquants, elle relate aussi l'évolution de l'habitat et de l'urbanisme, s'intéresse aux révolutions intellectuelles et aux croyances, aux bouleversements du monde du travail et à l'évolution des mœurs.

150 London Wall M° Barbican ☎ 020 7001 9844 www.museumoflondon.org.uk ⏱ Tlj. 10h-18h

Quand les Romains faisaient le mur
London Wall (plan 4, B3)
Près du Museum of London s'offre une belle vue sur un pan du London Wall. Les parements de brique sont d'époque médiévale, l'enceinte n'ayant cessé d'être reconstruite et fortifiée, mais ses fondations sont d'origine (3e s.). Haute de 6m et large de 3m, elle n'a été abattue qu'en 1769. Autre portion remarquable de l'autre côté de la rue, un peu plus au sud.

140 London Wall M° Barbican

Béton brut
Barbican Estate (plan 4, B2)
Une cité futuriste (1973) conçue selon les principes chers à Le Corbusier et dont les immeubles, esplanades et pièces d'eau sont posés sur une immense dalle occultant les voies de circulation automobile. Dominant l'ensemble, trois hautes tours de béton de conception brutaliste ; deux d'entre elles abritent notamment des équipements sociaux et des appartements. Inauguré en 1982, le **Barbican Arts Centre** est l'un des principaux centres culturels de Londres. Au 3e étage, l'**Art Gallery** n'est pas facile à trouver, mais ses expositions, qui traitent de thèmes aussi variés que la *street culture*, l'architecture ou le théâtre contemporains, déçoivent rarement.

Barbican Centre Silk St M° Barbican ☎ 020 7638 8891 ou 020 7638 4141 www.barbican.org.uk/artgallery ⏱ Sam.-mer. 10h-18h, jeu.-ven. 10h-21h

Chœur roman
St. Bartholomew-the-Great (plan 4, B3)
La plus vieille église paroissiale de la City est celle du prieuré de l'hôpital Saint-Barthélemy (1123). La Réforme fut fatale à la majeure partie du monastère et à la nef de l'église, mais celle-ci offre l'un des rares témoignages d'architecture normande à Londres. On pénètre dans l'édifice par le transept, dont les grands arcs brisés ont été reconstruits au 13e s. Le chœur roman du début du 12e s. se dévoile majestueusement à contre-jour, au travers d'une myriade de chandeliers et de chaises bien alignées ; ses arcs en plein cintre, ses solides piliers et

DRINKS AU TOP

Jamais trop verticale, Londres version IIIe millénaire a acté en 2016 la construction de 236 nouvelles tours (un chiffre qui a créé une vaste polémique) : celle que l'on commence de surnommer la "Dubaï européenne" se vit en altitude ! Spectacle mémorable que celui des méandres de la Tamise, de l'écheveau hétéroclite des buildings du centre, et de l'océan de maisonnettes de brique des *suburbs* se perdant dans l'horizon... Nos points d'observation préférés, idéaux pour siroter un verre : Vertigo 42 (p.159), avec vue plongeante sur le Gherkin, The Shard (p.196), au plus haut point de la ville, l'Oxo Tower (p.191) et le 20 Fenchurch Street, avec son étonnant Sky Garden, "jardin dans le ciel" (p.150) !

Le Gherkin (30 St. Mary Axe)

les colonnettes de son triforium sont inondées de lumière par de larges baies hautes de style gothique. Le cloître (15ᵉ s.) abrite un agréable café.

West Smithfield Church House, Cloth Fair Mᵒ Farringdon ou St. Paul's 📞 **020 7600 0440 www. greatstbarts.com** ⏰ **Lun.-ven. 8h30-17h, sam. 10h30-16h, dim. 8h30-20h** 💷 **4£**

● SMITHFIELD

L'ancien faubourg reprend vie autour d'un joli choix de cafés, de restaurants et de galeries d'art essaimant dans St. John Street et ses abords.

Marché à la viande
Smithfield Market (plan 4, A2-A3)

Les belles halles victoriennes (1868) du marché à la viande s'élèvent à l'emplacement d'un ancien marché aux bestiaux (10ᵉ s.). Notez la charpente couverte de bois et non de verre, afin de préserver la fraîcheur du bâtiment. Restauré, le marché offre encore un spectacle pittoresque au petit matin, lorsque se croisent équarrisseurs en blouses ensanglantées et financiers de la City tirés à quatre épingles.

Charterhouse St Mᵒ Barbican ou Farringdon 📱 **www.smithfieldmarket.com**

Smithfield Market

Enclave branchée
St. John Street (plan 4, A2)

Ateliers, cafés-restaurants, coiffeurs dans le vent y perpétuent la tradition bohème du faubourg autour de plusieurs belles maisons victoriennes en brique, dont une série de *tenements*, à l'angle de Compton St.

Mᵒ Farringdon

● CLERKENWELL

Au nord de London Wall, l'ancienne enclave populaire résiste vaillamment à la progression des bureaux et cabinets d'affaires. Ultrabranché, il abrite la plus grande concentration au monde de designers, d'architectes, d'agences de graphisme et de pub... et une agréable place de village avec ses arbres et ses terrasses, Clerkenwell Green.

Pittoresque
Exmouth Market (plan 4, A1)

Les Londoniens aiment flâner dans cette jolie rue sans voiture, bordée de maisons peintes en jaune, violet, ou bleu et qu'animent boutiques, terrasses et un appétissant *street food market*. On fait le plein de gadgets chez **Space EC1** et de bijoux chez **EC One** (une cinquantaine de créateurs *British*, comme Alex Monroe, ou internationaux, pièces de 50 à 5 000£).

Mᵒ Angel 📱 **http://exmouth.london**

PAUSES

En-cas en bas
The Café Below

L'anagramme était tentante : The Café Below ("au-dessous") est installé dans la crypte de l'église St. Mary-le-Bow ! Avec ses voûtes et piliers en granit et ses plats basiques, on se croirait dans le réfectoire d'un monastère. Soupes, salades, plats chauds ou végétariens à partir de 9£. On peut aussi emporter sa commande ou s'attabler, quand il fait beau, sur le parvis de l'église.

LA CITY (plan 4, B3 n°1) St. Mary-le-Bow Church Cheapside M° St. Paul's 020 7329 0789 www.cafebelow.co.uk Lun.-mar. 7h30-14h30, mer.-ven. 7h30-14h30 et 17h30-21h30

Maison de village
The Modern Pantry Café

Avec sa terrasse sur la place et ses airs de maison de village, ce café-restaurant invite à une douce pause. Muffins, *pies*, *afternoon tea* et bons plats plus élaborés. Plat 17-20£.

CLERKENWELL (plan 4, A2 n°2) 47-48 St John's Sq. 020 7553 9210 www.themodernpantry.co.uk Mar.-ven. 8h-22h30, lun. 8h-22h, sam. 9h-22h30, dim. 10h-22h

Cappuccino avec ou sans vélo
Look Mum No Hands !

Pas besoin d'avoir une roue à changer sur son vélo pour profiter de ce café pas comme les autres, cf. Rendez-vous avec... (p.144), et y savourer une tranche de cake avec un cappuccino...

CLERKENWELL (plan 4, B2 n°3) 49 Old St 020 7253 1025 www.lookmumnohands.com Lun.-ven. 7h30-22h, sam. 8h30-22h, dim. 9h30-22h

Pub georgien
Jerusalem Tavern

Il se dégage de ce grand classique du Londres georgien une ambiance envoûtante. Une alchimie subtile propre aux lieux de caractère, absolument imperméable aux modes. On se sent bien immédiatement dans le calme qui règne ici, parmi les habitués feuilletant le journal. On aime la patine du bois vert pâle, l'espace biscornu, la petite cheminée, le zinc lilliputien... et les savoureuses bières artisanales.

CLERKENWELL (plan 4, A2 n°4) 55 Britton St M° Farringdon 020 7490 4281 www.stpetersbrewery.co.uk Lun.-ven. 11h-23h, dim. 12h-18h

Même près de la City, on s'arrête pour le *tea*.

✗ RESTAURANTS

Surtout destinés à une clientèle de cols blancs, les restaurants de la City ferment en général le soir et le week-end. Optez donc pour l'exceptionnelle concentration de tables aussi agréables qu'abordables de Smithfield et de Clerkenwell.

Ruée sur la cuisine de rue
Exmouth Market Street Food Market £

Sous la bonne étoile du fameux restaurant mauresque Moro se côtoient ici toutes les cuisines d'ailleurs, à découvrir au gré de stands appétissants. Les *working girls and boys* du quartier ne s'y trompent pas qui s'y ruent nombreux.

CLERKENWELL (plan 4, A1 n°20) 11-13 Exmouth Market M° Angel ▯ www.exmouth-market.com ⏰ Lun.-ven. 12h-14h30

Exmouth Market

Le grand-père des gastropubs
The Eagle ££

C'est ici qu'est née en 1990 la "révolution gastropub" et la mode des cuisines ouvertes sur la salle. La fureur des débuts a disparu, mais le lieu conserve authenticité et chaleur : toute la bohème de Clerkenwell se retrouve le week-end autour de sa cuisine méditerranéenne. Plats 10-15£, tapas 3-8£.

(plan 4, A2 n°22) 159 Farringdon Road M° Farringdon ▯ 020 7837 1353 ⏰ Pub Lun.-sam. 12h-23h, dim. 12h-17h Restauration Tlj. sf dim. soir

L'archétype de l'oyster bar
Sweetings ££

Trois petites salles au décor victorien pour cette maison spécialisée dans le poisson et les huîtres depuis plus d'un siècle. Pas de *dress code*, mais vous vous sentirez totalement déplacé en tee-shirt et baskets parmi les traders. Ne prend pas de réservation, mais les places se libèrent rapidement. Plats 16-35£.

LA CITY (plan 4, B4 n°21) 39 Queen Victoria St M° St. Paul's ▯ 020 7248 3062 ⏰ Lun.-ven. 11h30-15h30

Dîner complice
Bleeding Heart ££

Une vieille cour et trois lieux : bistrot, restaurant gastronomique et taverne, avec quelques tables dressées dehors aux beaux jours. Notre préférence va au bistrot (à droite), charmant avec ses affiches anciennes, ses murs de brique et ses chandelles. La cuisine et le service sont assurés en grand style (et avec humour) par des Français. Bon rapport qualité-prix : plats 14-29£, menu 3 plats 25£ env. Réservation conseillée.

CLERKENWELL (plan 4, A2 n°23) Bleeding Heart Yard EC1 (accès par Greville St) M° Farringdon ▯ 020 7242 8238 http://bleedingheart.co.uk ⏰ Lun.-ven. 12h-15h et 18h-21h30, sam. 12h-16h et 17h30-21h30

Ancien bouillon

Quality Chop House ££

À deux pas d'Exmouth Market, l'ancien *dining and tea room* des petits employés du faubourg est resté presque intact, avec son damier de carreaux noir et blanc au sol et ses banquettes compartimentées d'un autre âge. Au menu ? Soupe à l'ail des ours, seiche aux blettes arc-en-ciel, terrine de porc aux pistaches... Une belle adresse, contiguë à une épicerie fine où se ravitailler en produits *British*. Plats 14-26£.

CLERKENWELL (plan 4, A2 n°24) 88-94 Farringdon Road Overground Farringdon ☎ 020 7278 1452 http://thequalitychophouse. com ⏰ Lun.-sam. 12h-15h et 18h-23h, sam. 12h-16h

'Smiths' of Smithfield

Déco indus' et saveurs fusion

Caravan ££

Créé en 2010 par un ancien cuisinier du très réputé Providores, le lieu incarne bien l'esprit de la nouvelle brasserie londonienne. Décor dépouillé – grosses ampoules nues, mobilier récup-chic et ambiance de loft – pour un menu inspiré : *wonton* au bleu et au beurre de cacahuète (4£), boulettes d'agneau de la vallée d'Elwy et semoule à l'abricot, sauce à la menthe (8£)... Comptez 20£ par pers.

CLERKENWELL (plan 4, A2 n°25) 11-13 Exmouth Market M°Farringdon ☎ 020 7833 8115 www.caravanrestaurants. co.uk ⏰ Lun.-ven. 8h-22h30, sam. 10h-22h30, dim. 10h-16h

La cantina

Moro ££

En plein cœur d'Exmouth Market, une *cantina* hispano-mauresque, immense et bruyante, envahie par les cols blancs de la City. Le décor est minimaliste et *trendy*, mais la cuisine débridée : soupe de pois cassés marocaine, moules aux tomates et aux amandes ; cabillaud grillé sauce à la menthe et à la grenade ; glace aux raisins de Málaga aromatisée au xérès. Également des tapas à picorer au bar pour les petites faims. Plat env. 16-24£.

CLERKENWELL (plan 4, A2 n°26) 34-36 Exmouth Market M° Farringdon ☎ 020 7833 8336 www.moro.co.uk ⏰ Lun.-sam. 12h-14h30 et 18h-22h30, dim. 12h30-14h45

Tout est bon dans le cochon

St. John ££

Verrières et murs blancs immaculés, cet ancien atelier inondé de lumière baigne dans une atmosphère nouvelle bohème. Petits plats simples mais originaux au bar : terrine, artichauts aux oignons rouges et olives (8£) et à l'étage, de solides recettes de terroir revisitées avec brio par Fergus Henderson, l'un des chefs de file de la *modern British food*, et dont le bestseller *Nose to Tail Eating* prône une approche "totale" de l'animal qu'il faut manger, selon lui, "de la tête aux pieds". Plats env. 18-25£. Rés. conseillée.

CLERKENWELL (plan 4, A2 n°27) 26 St. John St M° Farringdon 📱020 7251 0848 www. stjohngroup.uk.com ⏰ Lun.-ven. 12h-15h et 18h-23h, sam. 18h-23h, dim. 12h30-16h

Branché
'Smiths' of Smithfield ££

L'adresse ultrabranchée de Smithfield, dans un entrepôt victorien, face au marché. Sur quatre niveaux, des tables prises d'assaut à l'heure de la sortie des bureaux ! Mention spéciale pour le **Top Floor**, dont les immenses baies vitrées dominent les halles. La cuisine d'inspiration anglo-méditerranéenne est agréable sans plus, moins chère au 2e qu'au dernier étage (plats 18-35£). Rés. indispensable.

CLERKENWELL (plan 4, A2-A3 n°28) 67-77 Charterhouse St M° Farringdon ou St. Paul's 📱020 7251 7950 www.smithsofsmithfield. co.uk ⏰ Fermé sam. midi et dim. soir

Pub et gastropub
The Peasant ££

Une belle devanture ancienne derrière laquelle se retrouve la jeunesse bobo du quartier. Chaleureuse avec ses boiseries, ses radiateurs en fonte et ses murs d'un rouge flamboyant, la salle du pub sert des plats simples mais soignés (salade, burger, risotto...). Bonne et roborative cuisine anglaise de gastropub à l'étage. Plat 10£ (pub) et 18£ (gastropub). *Set menu* : 20£ (2 plats).

CLERKENWELL (plan 4, A2 n°29) 240 St John St M° Farringdon 📱020 7336 7726 www. thepeasant.co.uk ⏰ Lun.-sam. 12h-23h, dim. 12h-22h30

🍸 SORTIES

Spectacle de haut vol
Barbican Arts Centre

Musique, théâtre, danse... l'offre du Barbican Centre, siège de l'Orchestre symphonique de Londres, est toujours de haut vol (p.142). Côté cinéma notamment, les meilleurs films du moment et parfois des classiques et des films sur Londres.

LA CITY (plan 4, B2 n°50) Silk St Entrée principale sur Silk St M° Barbican 📱020 7638 8891 www.barbican.org.uk ⏰ Lun.-sam. 9h-23h, dim. et j. fér. 12h-23h

Panorama à 360°
Vertigo 42

Perché au 42e étage de l'une des plus hautes tours de la City, on profite d'une vue fantastique sur toute la ville en promenant son verre dans ce bar-corridor vitré s'enroulant autour de l'édifice. Réservez pour bénéficier des meilleures places (avec vue sur la Tamise) à la meilleure heure (au coucher du soleil).

LA CITY (plan 4, C3 n°51) Tower 42 25 Old Broad St M° Bank 📱020 7877 7842 www. vertigo42.co.uk ⏰ Lun.-ven. 12h-16h30 et 17h-23h, sam. 17h-23h

Bar à cocktails
ZTH Cocktail Lounge

Pour un verre dans le salon d'un "vieil ancêtre", dans l'un des plus beaux hôtels branchés de Londres, au cœur de Clerkenwell. Notez la contribution du chef Bruno Loubet – The Grain Store (p.125) – à la carte des amuse-bouches.

CLERKENWELL (plan 4, A2 n°52) St John's Sq., 86-88 Clerkenwell Road M° Farringdon 📱020 7324 4545 www.thezetter.com

SPITALFIELDS

Ruelles d'un autre âge, immenses entrepôts, marchés populaires
et quelques belles maisons georgiennes, aux portes de la City,
Spitalfields fait entrer de plain-pied dans l'East End. Avec vers l'est
les *curry houses* de Brick Lane, cœur de Banglatown, le quartier surprend
toujours par l'atmosphère à la fois cosmopolite, arty et branchée
qui entoure ses bars noceurs et ses boutiques de jeunes créateurs.

À VOIR

🛈 ACCÈS

• Aux portes de la City, Liverpool Street est la station
la plus commode pour gagner Spitalfields ; celle de
Shoreditch High Street est la plus proche de Brick
Lane.

L'ensemble des faubourgs
à l'est de la City a très vite
formé un seul quartier comprenant Spitalfields, Brick Lane et Whitechapel.
Comme pour tout l'East End, plus que l'architecture, c'est un pan de l'histoire
de Londres et de celle de l'immigration qui est à découvrir ici.

⬤ SPITALFIELDS
Halle victorienne
Old Spitalfields Market 👍 (plan 4, C2)

Sauvée par les associations du quartier, la grande halle à charpente métallique
(1893) a recouvré tout son lustre victorien. Elle a pourtant perdu son aile tournée vers la City, lorsque le marché de gros de fruits, légumes et fleurs fondé
au 7ᵉ s. déménagea en 1992, pour laisser place à une galerie ultramoderne
et à un immeuble de bureaux. De jolies façades à pignon de style médiéval
et aux devantures pittoresques bordent le marché couvert. À l'intérieur, une
myriade de petits étals proposent à tous les prix des vêtements neufs et d'occasion, des bijoux et accessoires, des objets décoratifs, des CD et des vinyles,
etc. Sans oublier les stands de petite restauration : charcuterie et fromages
britanniques, tandooris indiens, tajines marocains, falafels juifs, currys thaïs,
French pancakes (crêpes... à l'anglaise), tapas espagnoles...

16 Horner Sq. M° Liverpool Street 🏠 www.oldspitalfieldsmarket.com 🕐 Dim.-ven. 10h-17h, sam.
11h-17h

1720, c'était ce matin
Dennis Severs' House 👍 (plan 4, C2)

C'est l'une de ces demeures typiques de Folgate Street, dont les jolies maisons
georgiennes construites par des huguenots évoquent la (relative) prospérité
qu'apporta leur vocation textile au faubourg. Vous y attend une expérience
unique : entrer en un lieu que l'on croirait déserté depuis quelques minutes à
peine par ses propriétaires de 1720 ! Des bûches flambent dans la cheminée,
la table n'est pas desservie, le lit paraît encore chaud... L'artiste Dennis Severs

IF YOU STARE AT THIS
AND STROKE YOUR CHIN
YOU MAY APPEAR
INTELLIGENT
AND
CULTURED

Old Truman Brewery

(1948-1999) a reconstitué avec un soin méticuleux le décor étonnamment luxueux de chacune des pièces. Le must : la visite aux chandelles, qui rend encore plus palpable le passé.

18 Folgate St Mᵒ Liverpool Street ou Shoreditch High Street 📱 020 7247 4013 www. dennissevershousè.co.uk ⏲ Dim. 12h-16h, lun. 12h-14h Visite aux chandelles tous les lun., mer. et ven. soir 17h-21h (rés. obligatoire) € 10£

Quartier huguenot

Autour de Fournier Street 👍 (plan 4, C2)

Parmi les huguenots qui s'installèrent à Spitalfields après la révocation de l'édit de Nantes se trouvait un grand nombre de tisserands de la soie, dont on peut encore admirer les demeures de part et d'autre de Fournier Street et d'Elder Street. Notez les très belles portes et, à l'étage, les grandes fenêtres destinées à donner la meilleure lumière possible à ces artisans penchés sur leur métier. Rénové, ce quartier de maisons des années 1720-1750 forme un ensemble rare à Londres.

Mᵒ Aldgate East ou Liverpool Street

⬤ BRICK LANE

Cette rue où l'on produisait des briques et de la bière au 18ᵉ s., est à la fois le cœur de Banglatown, quartier des immigrés du sous-continent indien depuis les années 1960, et le rendez-vous des artistes et de la jeunesse branchée.

Le cœur battant de Brick Lane

The Old Truman Brewery 👍 (plan 4, C2)

Une haute cheminée en brique, estampillée d'un immense "TRUMAN", signale les entrepôts de cette ancienne brasserie du 17ᵉ s. Gigantesque usine, véritable ville dans la ville, témoin marquant de l'histoire industrielle de l'East End, le site accueille désormais ateliers de graphistes, boutiques indépendantes, bar underground et salle d'exposition pointue, ainsi que divers festivals. Le soir, surtout en fin de semaine, une foule dense et enjouée vient profiter de ses cafés, de l'enfilade des grandes tables de bois qui anime Dray Walk, l'une de ses allées. La nuit, une faune branchée se rue sur ses précieuses terrasses pour faire la fête sous les étoiles. Grande effervescence également quand le **Vintage Market** (jeu.-dim.), le **Sunday Upmarket** (dim.) et le **Backyard Market** (w.-e.) investissent les parkings et hangars.

91 Brick Lane Entre Hanbury St, Woodseer St, Spital St, Buxton St, Quaker St et Grey Eagle St M° Shoreditch High Street 020 7770 6000 trumanbrewery.com

● WHITECHAPEL

Aux limites de la City et au cœur de l'East End, ce quartier est, aujourd'hui comme hier, celui du petit peuple. Il passa longtemps pour le plus dangereux après les crimes de Jack l'Éventreur qui révélèrent l'ampleur de la misère de ses ruelles sombres. Pakistanais et Bangladeshis ont peu à peu remplacé la population juive implantée dès le 17e s. Malgré ses constructions modernes et ses nombreux commerces, le quartier conserve son caractère profond de cité ouvrière du 19e s.

Rapporteuse d'art

Whitechapel Gallery (plan 4, C3)

Elle naquit en 1901, à l'initiative d'une association philanthropique, pour apporter l'art au cœur de l'East End. Sa première exposition attira plus de

Whitechapel Gallery

200 000 visiteurs et celle de l'été 1956, intitulée "This is Tomorrow", révéla le pop art au grand public ! Quatre à cinq expositions s'y succèdent chaque année, présentant des plasticiens contemporains ou rendant accessibles Picasso, Pollock ou Rothko. La façade du bâtiment (C. Harrison Townsend, 1895-1899) constitue elle-même un legs précieux : c'est l'une des rares réalisations londoniennes de style Arts and Crafts, un mouvement qui visait à embellir les rues et à partager l'art avec tous.

77-82 Whitechapel High St Mᵒ **Aldgate East** ☎ **020 7522 7888 www.whitechapelgallery.org** ⏰ **Mar.-mer. et ven.-dim. 11h-18h, jeu. 11h-21h**

⊙ BETHNAL GREEN

Retour en enfance

V&A Museum of Childhood (plan 5, B2)

Toute l'histoire de l'enfance à travers les siècles. Entre naïveté et drôlerie, ses trésors (re)donnent le goût du jeu. La collection, provenant du Victoria & Albert Museum, est surtout constituée de jouets et de costumes d'enfants, mais il y a fort parier que parmi ses maisons de poupée, notamment du 17ᵉ au 21ᵉ s., certaines étaient sans doute autant destinées aux petites filles qu'à leurs mamans ! Quant à la belle architecture métallique du musée, toute de boulons et de rivets, elle avait été érigée à South Kensington pour l'Exposition universelle de 1851, mais fut remontée à Bethnal Green douze ans plus tard. Également une boutique et un café Benugo où se restaurer.

Cambridge Heath Road Mᵒ **Bethnal Green** ☎ **020 8983 5200 www.vam.ac.uk/moc** ⏰ **Tlj. 10h-17h45**

NOS ADRESSES

☕ PAUSES

Breakfast is ready !

St John Bread & Wine

Ce qui ne devait être que l'atelier à pains du chef Fergus Henderson, cf. St. John (p.158), est devenu une salle de restauration célèbre pour ses petits déjeuners. L'espace épuré, marque de fabrique de la maison St. John, ménage aussi de la place à une cuisine de terroir particulièrement goûteuse. Petit déj. 4,50-9£, plat 8-20£.

SPITALFIELDS (plan 4, C2 nᵒ5) 94-96 Commercial St ☎ **020 7251 0848 www.stjohnbreadandwine.com** ⏰ **Tlj. 8h-23h Petit déj. Tlj. 8h-12h**

Bagels non-stop
Beigel Bake

Bien connue des noctambules, cette boulangerie ouverte 24h/24 est l'endroit idéal où se réconforter en dévorant un bon bagel bien chaud entre deux virées.

SPITALFIELDS (plan 4, C2 n°7) 159 Brick Lane M° Shoreditch High Street ☎020 7729 0616 www.beigelbake.com ⏲24h/24

Au soleil ou sous les étoiles
The Big Chill Bar ♥

Ce grand bar fait partie de la réhabilitation très réussie de l'immense brasserie Truman. On y vient en fait pour en sortir… Dès qu'il fait plus de 20 °C, la bohème dorée afflue dans la petite allée pour boire des pintes à la fraîche et rire la tête dans les étoiles, bercée par le mix lointain du DJ d'astreinte dans le bar surchauffé. Une ambiance de liberté incroyable tous les week-ends, digne d'un festival rock. Bière à partir de 4,60£. Sandwichs et snacks.

SPITALFIELDS (plan 4, C2 n°6) Old Truman Brewery, Dray Walk, off Brick Lane M° Shoreditch High Street ☎020 7392 9180 http://wearebigchill.com ⏲Dim.-jeu. 12h-0h, ven.-sam. 12h-1h

 **RESTAURANTS**

Arrêts aux stands
Brick Lane Market £

Au fil de Brick Lane, en partant de l'Old Truman Brewery vers Shoreditch High Street, des stands en rotation permanente pour vous faire découvrir les saveurs du monde sans quitter la rue.

SPITALFIELDS (plan 4, C2 n°30) M° Liverpool Street ou Shoreditch High Street ⏲Dim. 10h-17h

Jovialité italienne
E. Pellicci ♥£

Ce *caffè* tenu par une famille italienne est l'un des plus populaires de l'East End. La salle minuscule et ornée d'un beau lambris Art nouveau est rapidement bondée. Entre étudiants, ouvriers et personnes âgées, l'ambiance est conviviale. Sandwichs, plats autour de 7-9£ (lasagnes et pâtes maison, veau en sauce, etc.). *Full English breakfast* 6£.

SPITALFIELDS (plan 5, B2 n°1) 332 Bethnal Green Road M° Bethnal Green ☎020 7739 4873 ⏲Lun.-sam. 7h-16h

Curry house
Tayyabs £

Fondée en 1972, c'est l'une des plus anciennes *curry houses* de Londres. Si le petit troquet d'origine s'est agrandi, ses deux étages sont vite assiégés et il est conseillé de réserver si l'on veut goûter la spécialité maison, des côtelettes d'agneau au gril. Plat 7-15£. Voir aussi (p.144).

WHITECHAPEL (plan 5, B3 n°2) 83-89 Fieldgate St ☎020 7247 6400 www.tayyabs.co.uk ⏲Tlj. 12h-23h30

Généreux comme là-bas
Canto Corvino ££

Le lieu s'est vite imposé comme l'un des meilleurs italiens de la ville, autour d'une cuisine résolument moderne. Un bel endroit aux dimensions généreuses (140 couverts) et qui prend même les réservations ! *Weekend set lunch* 29£ (3 plats).

SPITALFIELDS (plan 4, C3 n°31) 21 Artillery Lane M° Liverpool Street ☎0207 655 0390 www.cantocorvino.co.uk ⏲Lun.-ven. 12h-15h et 18h-22h, sam. 11h-16h et 18h-22h

Bon voyage à Bollywood
Café Spice Namasté ♥££

Ne vous y trompez-pas, derrière sa belle façade néoromane en brique se cache une salle aux couleurs bollywoodiennes (rose, violet, pistache...) ornée de fleurs de lotus. Le menu, concocté par le chef vedette Cyrus Todiwala, détaille l'origine des plats, leur mode de préparation et leurs particularités. Curry, tandoori et marinades d'épices transportent ainsi aux quatre coins du sous-continent... Plats 15-20£. Patio à l'arrière. Vente à emporter.

SPITALFIELDS (plan 4, C4 n°32) 16 Prescot St M° Tower Hill 📱020 7488 9242 www. cafespice.co.uk ⏰ Lun.-ven. 12h-15h et 18h15-22h30, sam. 18h30-22h30

SHOPPING

Marché aux créateurs
Sunday Upmarket @ Old Truman Brewery

Marché aux créateurs dans l'un des entrepôts de l'Old Truman Brewery. Un unique jour d'ouverture mais une forte probabilité d'y dénicher des accessoires, vêtements neufs ou fripes, objets déco bon marché et même une petite œuvre d'art. Parmi les 150 stands recensés, une poignée titille les papilles en proposant de la street-food des quatre coins du monde : *yakisoba* japonais, tapas mexicaines... et évidemment des cupcakes fantaisie.

SPITALFIELDS (plan 4, C2 n°40) Hanbury St M° Liverpool Street, Aldgate East ou Shoreditch High Street 📱020 7770 6100 www. sundayupmarket.co.uk ⏰ Dim. 10h-17h

Old Truman Brewery

Friperies et boutiques arty
Cheshire Street

Un vent créatif souffle sur cette petite rue, notamment à **Comfort Station**. Dans une déco noir et blanc graphique, inspiration Andrée Putman, la créatrice Amy Anderson y expose sacs et bijoux faits main. À noter que le début de la rue (du n°1 au n°12) n'est qu'une succession de magasins vintage, comme **Vintage Basement** ou le très sérieux **House of Vintage** qui ne vend que des pièces de grands couturiers en très bon état (veste Yves Saint Laurent, robe Armani env. 90£).

SPITALFIELDS (plan 5, A3 n°11) Cheshire St M° Bethnal Green, Shoreditch High Street, Aldgate East ou Liverpool Street

Épicerie d'antan
Cundall and Garcia

Enseigne victorienne et bocaux de bonbons en vitrine, cette épicerie artisanale installée dans une maison huguenote du 18ᵉ s. semble d'un autre temps. On y trouve la crème des spécialités britanniques : thés, cakes, confitures, chutney, *pies*, fromages, et d'adorables souris en sucre (1£), sans oublier des liqueurs (English Mead 8£).

SPITALFIELDS (plan 4, C3 n°41) 42 Brushfield St M° Liverpool Street 📞 020 7247 2487 www.agoldshop.com 🕐 Lun.-ven. 10h-16h, sam.-dim. 12h-17h

Glamour *old school*
Traffic People

La petite marque a fait du chemin et s'est offert cette spacieuse boutique en plein cœur de Spitalfields. Recherchant l'élégance relevée d'une touche de glamour *old school*, les créateurs Louise Reynolds et Mark Readman revisitent les robes de cocktail années 1930 et fifties dans des imprimés floraux, et flirtent même avec le disco. À ne pas rater, les tee-shirts maison et les accessoires.

SPITALFIELDS (plan 4, C2 n°42) 10 Dray Walk (Old Truman Brewery) M° Shoreditch High Steet ou Liverpool Street 📞 020 7539 9342 www.trafficpeople.co.uk 🕐 Tlj. 11h-18h

Grand magasin de disques
Rough Trade East

Il ne manquait plus que lui dans la très tendance Old Truman Brewery ! Trente ans après sa fondation à

The Star of Bethnal Green

Portobello (p.232), le petit empire de la musique s'est lui aussi posé dans un entrepôt de la brasserie. À raison, puisque ses 5 000m^2 de bacs et de rayons l'ont consacré meilleur disquaire de Londres. CD, livres, magazines et les galettes bien sûr, à chaque fois le nec plus ultra, y compris des éditions limitées... vous avez là des exclusivités parfaitement classées et présentées. Les plus ? Un café-bar et une petite scène pour des lives et autres sets surprise (rock, folk, acoustique...).

SPITALFIELDS (plan 4, C2 n°43) 91 Brick Lane Overground Shoreditch High Street ou M° Liverpool Street www.roughtrade.com Lun.-jeu. 9h-21h, ven. 9h-20h, sam. 10h-20h, dim. 11h-19h

🍸 SORTIES

Début de soirée musical
93 Feet East

Dans une cour de l'ancienne brasserie Truman, il peut se targuer d'une superbe terrasse. Et les trentenaires s'y retrouvent nombreux, dûment chaussés des tongs réglementaires, dès les premiers week-ends de beau temps. Des concerts sont souvent programmés. Attendez-vous à du rock décalé, de la musique du monde revisitée et des DJ pointus – vous plongez dans l'une des antres branchés de Brick Lane, ne l'oubliez pas ! Entrée libre le vendredi, libre ou à prix doux (8-10£) le reste de la semaine. Bière 4,50£.

SPITALFIELDS (plan 4, C2 n°53) The Old Truman Brewery, 150 Brick Lane M° Shoreditch High Street 020 7770 6006 www.93feeteast.co.uk Mar.-jeu. 17h-1h, ven.-sam. 17h-3h, dim. 17h-22h30

Cabotin à souhait
The Bethnal Green Working Men's Club ♥

Avec sa déco seventies et ses vieux rideaux en velours, ce club créé en 1953 pour se détendre après le travail n'a pas changé depuis 1971 ! Il accueille désormais des spectacles de cabaret déjantés et autres shows et variétés à l'ancienne pour une foule ravie, décalée et rigolarde. Les serveuses glissent en rollers et les sociétaires du club (souvent septuagénaires) continuent de se réunir au sous-sol... Du jamais vu ! Prix de l'entrée variable selon la soirée. Bière à partir de 3,50£.

BETHNAL GREEN (plan 5, B2 n°20) 42-44 Pollard Row M° Bethnal Green 020 7739 7170 www.workersplaytime. net Mer.-dim. 21h-2h (horaires selon programmation)

Plus qu'un QG, une institution
The Star of Bethnal Green

Un vrai QG, autant pour les amateurs de foot que pour les fans de musique de tout poil, adeptes des karaokés kitsch, des bandes-son jazzy ou de légendes funk et disco. Les voisins passent saluer le patron le temps d'un café, d'autres font le déplacement pour son décor façon vieille gloire décadente (lustres poussiéreux, fauteuils dépareillés, moquette rouge usée) et pour les *gigs* explosifs qu'y concoctent les DJ. Une institution. Programme en ligne.

BETHNAL GREEN (plan 5, B2 n°21) 359 Bethnal Green Road M° Bethnal Green 020 7458 4480 http://starofbethnalgreen. co.uk Lun.-jeu. 16h-0h, ven. 16h-2h, sam. 12h-2h, dim. 12h-0h

HOXTON-SHOREDITCH

Avec Brick Lane, Hoxton Square forme le second foyer de l'East End branché et bohème. Cafés *groovy*, restaurants fusion, boutiques de mode et galeries d'art ont fleuri tout autour... Shoreditch, ou "Sosho" comme on dit aussi désormais, est *The place to be* !

À VOIR

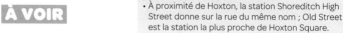

ⓘ ACCÈS

- À proximité de Hoxton, la station Shoreditch High Street donne sur la rue du même nom ; Old Street est la station la plus proche de Hoxton Square.

So arty
Hoxton Square ᵢ🍴 (plan 4, C1)

Il rappelle Soho Square avec ses hauts platanes qui jettent aux beaux jours une ombre fraîche sur ses pelouses envahies par la jeunesse. Tout autour, de vieilles maisons en brique côtoient des constructions contemporaines inspirées. Coiffée d'un saisissant cube de verre, le **White Cube** (qui a déménagé en 2012) fut la figure de proue d'une vingtaine de galeries d'avant-garde venues s'installer dans le quartier dans les années 2000.

Hoxton Sq. M° Old Street

Souvenirs victoriens
Au sud d'Old Street (plan 4, C1)

Un beau morceau de l'East End industrieux : Leonard Street, Charlotte Street et Rivington Street sont bordées d'entrepôts du 19ᵉ s. bien conservés, reconvertis en galeries, studios, restaurants, cafés, boîtes de nuit...

Hoxton Sq. M° Old Street

Rehab'
Tea Building (plan 4, C2)

Bel exemple de la réhabilitation de Shoreditch, cet entrepôt du 19ᵉ s. abrite restaurants, dont Pizza East (p.170), ateliers d'artistes, agences de design, galeries, et même un hôtel (pour membres) avec piscine et spa.

56 Shoreditch High St M° Shoreditch High Sreet 🖥 www.teabuilding.co.uk

Humez les tendances en famille
Rich Mix (plan 4, C2)

Dans une ancienne usine de confection, un centre culturel devenu un laboratoire vibrant de tendances : cinéma d'art et d'essai, théâtre, danse, expos, concerts en tout genre, bars... Avec des programmes éducatifs ludiques, les enfants ne sont pas en reste.

35-47 Bethnal Green Road M° Shoreditch High Street 🖥 020 7613 7498 www.richmix.org.uk
🕓 Lun.-ven. 9h-22h (et jusqu'à 1h, selon événement), w.-e. 10h-1h

Quand le célèbre food-truck B.O.B's fait sa star au Dinerama

Home sweet home
The Geffrye Museum of the Home (plan 5, A2)
On découvre dans ce musée les intérieurs feutrés de la classe moyenne britannique, de 1600 à nos jours, passant au fil des pièces d'un tableau du 18e s. à un roman victorien ou à un clip des années 1970 ! Un éblouissant répertoire de styles, non dénué de valeur sociologique. Jolie sélection de plats de ménage britanniques au café du musée.

136 Kingsland Road M° Hoxton Bus 149 ou 242 (de Liverpool St), 243 (d'Old St) 020 7739 9893 www.geffrye-museum.org.uk Mar.-dim. 10h-17h

> **C'EST DANS L'AIR**
> Goûtez à l'ambiance de fête des soirées **Dinerama** ⭐, raouts qui prennent place en fin de semaine dans un hangar industriel : une quinzaine de stands pour un festival de saveurs sur fond de musique électro. Entrée libre jusqu'à 19h, puis 3£.
> (plan 4, C2 n°54) Près de Old St/Shoreditch High St streetfeast.com Jeu.-dim. 12h-0h

Flânez parmi les fleurs
Columbia Road Flower Market 👍 (plan 5, A2)
Le dimanche matin, ne manquez pas d'aller flâner du côté de Columbia Road, avec ses pittoresques devantures, ses jolis cafés, ses irrésistibles boutiques et son marché aux fleurs ! Où l'on voit bien que ce sont les Anglais qui ont inventé au 19e s. le *window gardening*, l'art du jardinage à la fenêtre ou au balcon !

Columbia Road M° Old Street (puis bus 55) ou M° Hoxton (puis bus 26 ou 48) www.columbiaroad.info Dim. 8h-15h

PAUSES

English breakfast

Leila's Shop

Paniers d'œufs, miches de pain frais et fourneaux d'antan pour un authentique *English breakfast* avec thé, müesli, œufs frits et toasts (7£).

SHOREDITCH (plan 4, C1 n°8) 17 Calvert Ave M° Shoreditch High Street 📞020 7729 9789 ⏱Mer.-dim. 10h-17h

Pub de quartier

The Royal Oak

Repaire d'une clientèle jeune, un pub de quartier chaleureux, dont les fenêtres à guillotine ouvrent sur les jolies maisons en brique de Columbia Road. Idéal après le marché !

HOXTON (plan 4, C1 n°10) 73 Columbia Road M° Hoxton 📞020 7729 2220 http://royaloaklondon.com ⏱Lun.-jeu. 16h-23h, ven. 16h-0h, sam. 12h-0h, 11h30-22h30

Couleur locale

Bar Kick

Téléphonez pour réserver votre table de baby-foot ou allez vous enfoncer dans l'un des canapés bedonnants. L'ambiance cool et cosmopolite (très East End) monte d'un degré lors des retransmissions de matchs de foot.

SHOREDITCH (plan 4, C1 n°11) 127 Shoreditch High St M° Old Street ou Shoreditch High Street 📞020 7739 8700 www.cafekick.co.uk ⏱Lun.-mer. 12h-23h, jeu. 12h-0h, ven.-sam. 12h-1h, dim. 12h-22h30

Bar à tout

The Book Club

Un bar à tout faire comme Londres en a le secret. Performances, lectures, soirées DJ, et même ping-pong. Côté déco, on aime la brique omniprésente, côté playlist, on apprécie les grooves sûrs et classe. Entrée payante (env. 5£) après 21h.

SHOREDITCH (plan 4, C2 n°9) 100 Leonard St. M° Shoreditch High Street ou Old Street 📞020 7684 8618 www.wearetbc.com ⏱Lun.-mer. 8h-0h, jeu.-ven. 8h-2h, sam. 10h-2h, dim. 10h-0h

RESTAURANTS

Vietnamien

Sông Quê Café £

À côté du Geffrye Museum, le décor est on ne peut plus kitsch mais la qualité de la cuisine digne du pays, les portions copieuses et les prix tenus : soupe *phô*, nouilles et riz au porc, au poulet ou au tofu env. 9£.

SHOREDITCH (plan 4, C1 n°12) 134 Kingsland Road M° Hoxton 📞020 7613 3222 www.songque.co.uk ⏱Lun.-ven. 12h-15h et 17h30-23h, sam. 12h-23h, dim. et j. fér. 12h-22h30

Pizza hype

Pizza East ££

Un lieu dépouillé (brique, béton, tuyaux apparents), une idée simple (pizzas revisitées, charcuterie et fromages italiens à déguster sur de longues tables à partager) et un succès fulgurant. 9-18£ le plat.

SHOREDITCH (plan 4, C2 n°13) 56 Shoreditch High St M° Shoreditch High Street 📞020 7729 1888 www.pizzaeast.com ⏱Lun.-mer. 12h-0h, jeu. 12h-1h, ven. 12h-2h, sam. 9h-2h, dim. 9h-0h

SHOPPING

Japonisant
Relax Garden

Mini-échoppe d'un duo sino-japonais, dont les robes et tops fashion aux lignes simples restent abordables.

SHOREDITCH (plan 4, C1 n°44) 40 Kingsland Road ☎ 020 7033 1881 www.relaxgarden.com ⏰ Lun.-mer. 12h-19h, jeu.-ven. 12h-20h, sam.-dim. 12h-18h

Doux labeur
Labour & Wait

Des objets rétro qui rendent la vie plus facile (taille-crayon en bakélite 6£). Déco, jardinage, bricolage, leur fonctionnalité et leur solidité sont reconnus par les magazines spécialisés du monde entier.

SHOREDITCH (plan 4, C2 n°45) 85 Redchurch St ☎ 020 7729 6253 www.labourandwait.co.uk ⏰ Mar.-ven. 11h-18h30, w.-e. 11h-18h

In the box
Boxpark

Installé en 2011, les 60 containers noirs formant ce qui devait être le premier centre commercial éphémère du monde sont toujours là : un vrai vivier de petits créateurs doublés de stands de street-food et espaces d'expo. Pourvu que ça dure !

(plan 4, C2 n°46) 2-10 Bethnal Green Road ☎ www.boxpark.co.uk ⏰ Boutiques lun.-sam. 11h-19h (20h jeu.), dim. 12h-18h Restauration lun.-sam. 8h-23h, dim. 10h-22h

SORTIES

Spot tendance
Dreambagsjaguarshoes

Béton brut, meubles de récup', peintures signées de grapheurs du coin et une foule de jeunes branchés écoutant un mix second degré de *surf music* des sixties. Profitez-en pour glaner les prochaines tendances !

SHOREDITCH (plan 4, C1 n°55) 32-34 Kingsland Road M° Old Street, Shoreditch High Street ou Hoxton ☎ 020 7683 0912 www.jaguarshoes.com ⏰ Tlj. 12h-1h

3 en 1
333 Mother

Le pionnier de la vie nocturne du quartier et un must. On y trouve toujours une file de jeunes avec une mode d'avance, qui attendent pour aller danser sur les mixes d'une pointure. Le superbe bar à l'étage, comme dans un film de David Lynch, incite aussi à se remuer (pop et électro) jusqu'assez tard dans la nuit. Mais pourquoi ne pas prendre un verre sur le toit-terrasse ? Entrée souvent gratuite en semaine, 7£ ven. et sam. après 23h.

HOXTON (plan 4, C1 n°56) 333 Old St M° Old Street ☎ 020 7739 5949 www.333oldstreet.com ⏰ Lun.-jeu. 12h-2h, ven.-sam. 12h-3h, dim. 12h-2h

Le meilleur de la nuit
XOYO

Son nom est sur toutes les lèvres. Deux étages veinés de tuyaux apparents et une programmation éclectique pointue de mix et de concerts pour des soirées de haut vol ! Le vendredi soir, c'est le DJ résident du moment qui fait danser la bohème branchée.

HOXTON (plan 4, B2 n°57) 32-37 Cowper St ☎ 020 7608 2878 xoyo.co.uk ⏰ Ven.-sam. 21h-4h

HACKNEY-DALSTON-STRATFORD

La naissance de l'ambitieux parc urbain de Stratford, site olympique des jeux de 2012, n'est qu'une étape dans la métamorphose du Grand Est londonien. Vers le nord, les faubourgs de Hackney et Dalston attirent l'attention avec leurs entrepôts et ateliers de confection laissés en friche, trésors encore parfois inexploités... mais pour combien de temps ?

À VOIR

> **ℹ ACCÈS ET INFOS**
>
> • Overground Hackney Central, Hackney Wick, Dalston Junction ou Dalston Kingsland pour Hackney.

Alors que l'East End voit ses loyers augmenter et sa population s'embourgeoiser, la relève *arty* et fauchée s'est lancée à la conquête des friches du nord où surgissent, parmi les *Caribbean takeaways*, les amicales de supporters du Fenerbahçe et les coiffeurs afro, clubs branchés (du côté de Dalston) et galeries d'artistes (Hackney Wick). Un joyeux melting-pot et de belles promesses. Les hipsters ne s'y trompent pas qui affluent en nombre à Hackney pour le marché du samedi, ressuscité au début des années 2000.

Marché (se)couru
Broadway Market ℹ♿ (plan 5, B2)

Entre boutiques vintage, restaurants et cafés chics, l'une des plus vieilles rues de Londres longtemps délaissée accueille aujourd'hui l'un de ses marchés les plus courus. Le samedi, hipsters à vélo et familles bobos convergent vers ses 140 étals (on n'en comptait que 4 en 2004) de viandes fermières et poissons de luxe, pains, cakes et *pies* bio, légumes oubliés et autres produits locaux, mais aussi fripes et bijoux... Un coin très (bon) vivant entre les vastes pelouses du London Fields Park et le Regent's Canal. Et après le bain de foule, pourquoi ne pas aller piquer une tête au **Lido**, la grande piscine de plein air (chauffée) ?

HACKNEY Overground Cambridge Heath 🖥 www.broadwaymarket.co.uk 🕐 Sam. 9h-17h
LONDON FIELDS LIDO (plan 5, B1) London Fields West Side Hackney Overground London Fields
📞 020 7254 9038 🕐 Tlj. 6h30-21h 💲 4,80£

À FAIRE

Gardez une forme olympique
Queen Elizabeth Olympic Park (plan 5, C1)

250ha et six ans de travaux ont été nécessaires à la création du site des JO de 2012. Converti depuis en un ambitieux parc urbain à vocation écologique, il ouvre ses installations au public, qui vient profiter des terrains de hockey et de tennis, de l'arène (volley, badminton, escrime...) et du VeloPark – un circuit de

À NE PAS MANQUER

- Broadway Market
- Dalston Yard Street Feast

La tour ArcelorMittal Orbit

8km. On y fréquente aussi l'époustouflant centre aquatique signé Zaha Hadid, ou encore le gigantesque toboggan de la tour ArcelorMittal Orbit (cf. ci-après). Les enfants peuvent s'amuser sur deux aires de jeux en communion avec l'esprit des lieux : bacs à sable, cabanes, ponts de singe, toboggans, balançoires, mini-arène, souches d'arbres à explorer, rochers à escalader…

STRATFORD Olympic Park Montfichet Road M° Stratford (lignes Jubilee, Central, Overground et DLR) ☏ 0800 072 2110 www.queenelizabetholympicpark.co.uk ⏱ Tlj. 24h-24h

Glissez sur le plus grand toboggan du monde

ArcelorMittal Orbit (plan 5, C1)

Repérable au ruban métallique rouge qui se tord et s'enroule autour d'elle, la tour du site olympique, conçue par le sculpteur Anish Kapoor et l'ingénieur Cecil Balmond, s'élève à 115m de hauteur. De ses deux plateformes, à 76 et 80m de hauteur, on contemple l'ensemble du parc et Londres à l'horizon. Le plus ? On en redescend, si l'on veut, par le **Slide**, un toboggan géant – le plus grand de la planète – qui enchaîne 11 virages sur une longueur de 178m : 40 secondes de sensations fortes et coups d'œil inégalables en vue ! Bar au rdc.

STRATFORD Queen Elizabeth Olympic Park M° Stratford (lignes Jubilee, Central, Overground et DLR) ☏ arcelormittalorbit.com ⏱ Lun.-ven. 11h-17h, w.-e. 10h-18h ⓔ 10£

C'EST DANS L'AIR

Entre night-club et banquet urbain, **Dalston Yard Street Feast** ★, le marché nocturne du très branché quartier de Dalston, attire une foule de *foodies* (ouvert en été ven.-sam. 17h-0h). Entrée libre jusqu'à 19h, puis 3£. Rens. sur www.streetfeastlondon.com.

✗ RESTAURANTS

Melting-pot bon esprit
Prince George £

Vous désespérez de trouver un quartier populaire, bigarré et bon esprit ? Hackney vous propose le Prince George son pub. Rien de mieux que du classique : bois sombre, lumières chiches, une cheminée et des habitués rubiconds. Snacks savoureux.

HACKNEY (plan 5, A1 n°3) 40 Parkholme Road M° Dalston Kingsland 📞 **020 7254 6060** 🕒 **Lun.-jeu. 17h-0h, ven. 17h-1h, sam. 14h-1h, dim. 14h-22h30**

BBQ branché
Berber & Q ££

Sous une voûte de chemin de fer de Haggerston, une *grill house* ethnique et chic hypertendance, qui fait la part belle aux parfums de l'Orient qu'elle associe à des grillades (15£ env.) sur la braise (souvent à partir de viandes fumées maison). Ah, oreilles sensibles, sachez-le, *"There is music"* !

DALSTON (plan 5, A2 n°4) Arch 338, Acton Mews Overground Haggerston 📞 **020 7923 0829 http://berberandq.com** 🕒 **Mar.-dim. 18h-23h Brunch sam. et dim. 11h-15h**

Solaire
Rotorino ££

Stevie Parle, chef de l'année 2010, a ouvert ici son deuxième restaurant. Briques apparentes et banquettes rembourrées, carrelage et lino, se distille une atmosphère rétro pour une cuisine aux accents du Sud de l'Italie. On en parle beaucoup, y compris au-delà de ce coin branché de l'est londonien. Plats 7-23£.

DALSTON (plan 5, A1 n°5) 434 Kingsland Road Overground Haggerston ou Daltson Junction 📞 **020 7249 9081 www.rotorino.com** 🕒 **Lun.-ven. 18h-22h, sam. 17h-22h, dim. 12h-20h45**

🍸 SORTIES

DJ qualifiés
The Alibi

Un bar de brique sans *dress code* et gratuit, autrement dit une perle rare. Mais que les "lookés" se rassurent, les combats de style y font rage ! Après quelques bières, on lève le poing et on sue à grosses gouttes sur les mixes *ebm, early house,* italo et électro de DJ qualifiés. Arrivez tôt ! Karaoké et projection de films le lundi soir.

HACKNEY (plan 5, A1 n°22) 91 Kingsland High St Accès Bus 149 et 243 (24h/24) M° Dalston Kingsland 📞 **020 7249 2733 http:// thealibilondon.co.uk** 🕒 **Dim.-mer. 20h-2h, jeu.-sam. 20h-3h**

Une nuit à Dalston
The Nest

Le *dubstep* de Skream et l'électro-rock de Danton Eeprom ont fait des ravages dans ce petit club aux murs jalonnés d'alcôves. Un classique de Dalston. Billets achetés à l'avance 5-7£ le ven., à la porte 7-10£.

DALSTON (plan 5, A1 n°23) 36 Stoke Newington Road M° Dalston Kingsland 📞 **020 7354 9993 www.ilovethenest.com** 🕒 **Jeu.-sam. 22h-4h (le reste de la semaine selon la programmation)**

STREET-FOOD FOLIES

Remis au goût du jour, les marchés de producteurs ont donné naissance à une vibrionnante *street food culture*. Aussi qualitative que festive et créative, elle donne à découvrir, au gré de ses cantines ambulantes et autres camionnettes fumantes, une formidable addition de cuisines revisitées. Pour savourer le monde dans une barquette, plusieurs spots : Exmouth Street Market (p.157) près de la City, Brick Lane Market (p.164) dans l'East End, Broadway Market à Hackney (p.172), Maltby Street Market à London Bridge (p.201), sans oublier les sites du collectif KERB (www.kerbfood.com) ni les très courus festins urbains, tels ceux du Street Feast (streetfeast.com) qui animent la nuit londonienne.

L'engouement pour le sandwich revisité a fait de Londres la nouvelle *"burger queen"*

SHAKESPEARE'S HEAD

LONDON

Les ponts jetés sur la Tamise en l'an 2000 ont résolument amarré
la rive sud à la ville. Longtemps bannie, l'ancienne zone manufacturière
et portuaire n'a pas fini de faire tourner les têtes. Faites-en l'expérience à
bord du London Eye, à la Tate Modern, au top du Shard ou tout simplement
en profitant des vues magiques qu'elle réserve sur la berge opposée.

La rive sud

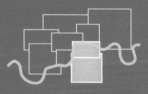

178 **Plan 6**
180 **Plan 7**
182 **Les incontournables**
184 **Nos conseils**
186 **Rendez-vous avec...**
188 **South Bank**
194 **Southwark**

Au Shakespeare Head Pub

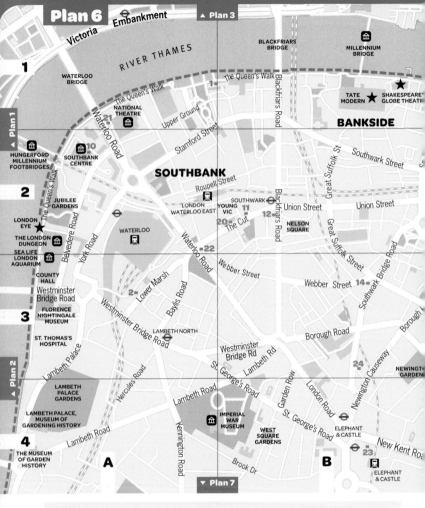

Pauses (nº 1 à 8)

6 Konditor & Cook p.200 ...... C2
7 Maria's Market
   Café p.200 .... C2
1 OXO Tower Bar p.191...... A1-B1
2 Scooter Caffè p.191.......... A3
8 The Anchor p.200 .... C1
3 The Market Porter p.200 ..... C2

4 The Rake p.198................. C2
5 The Royal Oak p.198.......... C3

Restaurants (nº 10 à 16)

12 Baltic p.192 .... B2
14 El Vergel p.201 .... B3
10 Real Food Market
   @ Southbank Centre p.191 ... A2
16 Roast p.201.................... C2

13 Ropewalk @ Maltby Street
   Market p.201 .... D3
11 The Anchor & Hope p.192 ... B2
15 The Butlers Wharf
   Chop House p.201............. D2

Sorties (nº 20 à 24)

23 Corsica Studios p.193 .... B4
24 Ministry of Sound p.193 ...... B3

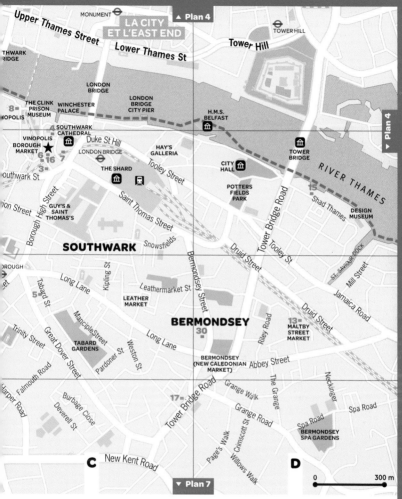

21 National Film Theatre – British Film Institute / BFI *p.192* A1
20 The Cut *p.192* B2
22 The Old Vic *p.193* A2
Hébergements (n° 30)
30 Bermondsey Street Apartments *p.294* D3

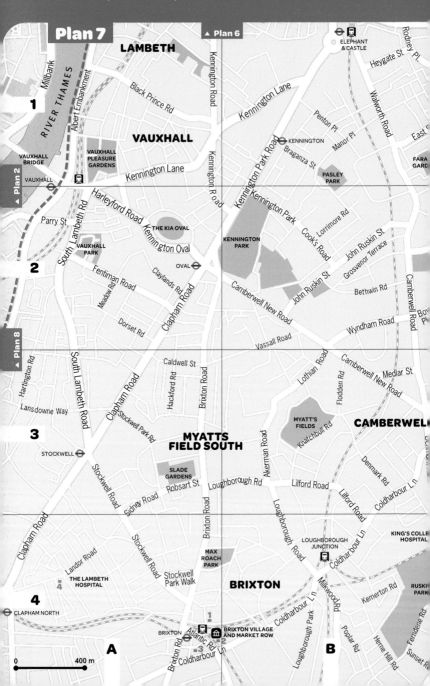

Plan 7

▲ Plan 6

LAMBETH

ELEPHANT & CASTLE

Rodney Pl

Heygate St

Walworth Road

East

Millbank

RIVER THAMES

1

Albert Embankment

Black Prince Rd

Kennington Road

Kennington Lane

Kennington Lane

Penton Pl

Manor Pl

FARA GARD

VAUXHALL BRIDGE

VAUXHALL PLEASURE GARDENS

VAUXHALL

KENNINGTON

Braganza St

PASLEY PARK

▲ Plan 2

VAUXHALL

Kennington Lane

Kennington Park Road

Kennington Road

Lorrimore Rd

Parry St

Harleyford Road

THE KIA OVAL

Kennington Park

Cook's Road

John Ruskin St

John Ruskin St

Grosvenor Terrace

Camberwell Road

South Lambeth Rd

VAUXHALL PARK

Kennington Oval

KENNINGTON PARK

2

Fentiman Road

Claylands Rd

OVAL

John Ruskin St

Bethwin Rd

Meadow Rd

Clapham Road

Camberwell New Road

Wyndham Road

Camberwell

Bow

▲ Plan 8

Dorset Rd

Vassall Road

Hartington Rd

South Lambeth Road

Caldwell St

Brixton Road

Lothian Road

Camberwell New Road

Medlar St

Flodden Rd

Lansdowne Way

Hackford Rd

MYATT'S FIELDS

CAMBERWELL

3

STOCKWELL

Clapham Road

Stockwell Park Rd

MYATTS FIELD SOUTH

Akerman Road

Knatchbull Rd

Denmark Rd

Coldharbour Ln

SLADE GARDENS

Robsart St

Loughborough Rd

Lilford Road

Lilford Road

Stockwell Road

Sidney Road

Brixton Road

Loughborough Road

LOUGHBOROUGH JUNCTION

Coldharbour Ln

KING'S COLLE HOSPITAL

Clapham Road

Landor Road

THE LAMBETH HOSPITAL

MAX ROACH PARK

Stockwell Park Walk

Milkwood Rd

RUSKI PARK

Kemerton Rd

4

Stockwell Road

BRIXTON

Coldharbour Ln

Herne Hill Rd

Ferndene Rd

CLAPHAM NORTH

BRIXTON

Atlantic Rd

BRIXTON VILLAGE AND MARKET ROW

Coldharbour Park

Poplar Rd

Sunset

0   400 m

A

Brixton Rd

Coldharbour Ln

B

1

3

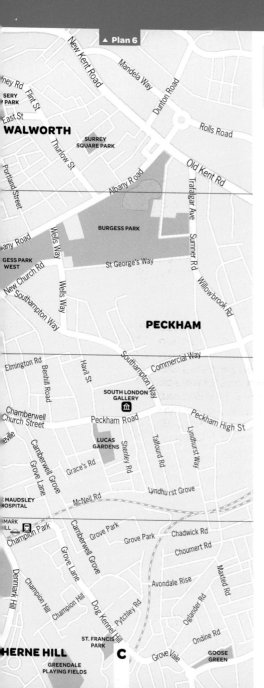

▲ Plan 6

Restaurants (n° 1 à 4)

3	Bukowski Grill *p.186*	A4
4	Café Cairo *p.187*	A4
2	KaoSarn *p.186*	A4
1	Pop Brixton *p.186*	A4

LES INCONTOURNABLES

★ **TATE MODERN** (p.194) pour un grand bol d'art.

★ **SHAKESPEARE'S GLOBE THEATRE** (p.199) pour vibrer d'émotion.

★ **BOROUGH MARKET** (p.195) pour se délecter au cœur des halles gourmandes.

★ **LONDON EYE** (p.188) pour voir jusqu'au bout de Londres en un tour de roue.

NOS CONSEILS

Des suggestions pratiques et des petites astuces pour découvrir la rive sud sans fausse note.

☀ Voguez sur la Tamise

De la Tate Britain à la Tate Modern, et vice versa, la navette Tate to Tate Boat est l'occasion d'une petite balade fluviale au cœur de Londres au fil des joyaux de la capitale : Westminster, la cathédrale Saint-Paul, les gratte-ciel de la City, London Eye, etc. Pour des croisières commentées, optez pour la River Cruise (40min, 12£ env.) du London Eye (p.188) : embarquement au Jubilee Pier, devant le Royal Festival Hall, billetterie au bureau du London Eye ou sur www.londoneye.com.

Tate to Tate Boat Millbank/Bankside ⌷ www. tate.org.uk ⏱ De 10h à 16h30 (17h le w.-e.) toutes les 40min. € Trajet simple 7,50£

☀ Découvrez une promenade royale

Le **Queen's Walk** (p.189) aligne le long de la Tamise les multiples théâtres, salles de concert et galeries qui ont fait de South Bank un vrai pôle culturel. Bercé par le ressac, profitez de cette promenade qui vous offrira un spectacle magnifique sur la rive nord du fleuve et ses plus beaux édifices, notamment Westminster, Whitehall Cour... puis la longue enfilade néoclassique de la prestigieuse Somerset House, sans parler des plus célèbres ponts londoniens. Arrêtez-vous au belvédère aménagé sur les quais à l'entrée de Gabriel's Wharf afin d'admirer la *skyline* de la City, magique la nuit...

☀ Guettez les *street food markets*

La renaissance de la rive sud est aussi culinaire. Une foule de petites cantines cool et de marchés animés y attirent les Londoniens des quatre coins de la ville. Laissez-vous tenter par une douce flânerie entre hipsters et étals gourmands au cœur d'un melting-pot de pop-up fumants et grésillants. Outre le célèbre Borough Market (p.195), le petit marché de Druid Street ainsi que celui de Ropewalk @ Maltby Street Market (p.201), qui réunit le meilleur de l'artisanat gourmand londonien, vous tendent les stands.

☀ Longez la Tamise *by night*

Que ce soit du top du Shard (p.196), du Hungerford Bridge (p.189) ou du Millennium Bridge (p.194), la rive sud offre un éblouissant spectacle nocturne. Parés de mille feux, le palais de Westminster et les buildings de la City composent un décor familier mais féerique.

☀ Vivez les grandes heures du théâtre élisabéthain

De mai à septembre, laissez vous transporter à l'aube du 17e s. au Shakespeare's Globe Theatre qui fait revivre les grandes heures du théâtre élisabéthain, à ciel ouvert, comme il se doit (p.199). Pour une immersion complète, choisissez les places

The Shard et Tower Bridge

du parterre, où l'on se tient debout comme à l'époque et qui ne coûtent que 5£. Pensez à réserver pour une représentation le week-end. Ne négligez pas la visite du théâtre et du musée qui en relate la construction commanditée par l'acteur et réalisateur Sam Wanamaker (1919-1993) : dix ans de travaux, avec matériaux et techniques d'époque.

21 New Globe Walk Bankside M° Southwark ☎ 020 7902 1400 www.shakespearesglobe.com

☀ Électrisez-vous de *Brixton vibes*

Qu'on se le dise, Brixton reste le seul vrai havre nocturne au sud de la Tamise : l'ancien bastion du reggae et des *bad boys* anti-Thatcher s'est assagi, certes, mais il abrite encore de nombreux bars rock'n'roll où faire la fête jusqu'au petit matin. Vibrez au son du punk-rock alternatif dans ce quartier qui accueillit jadis les Clash et autres Sex Pistols, ou profitez de petits concerts de pop indé autour d'une pinte dans une ambiance *roots* et vibrante. Le Dogstar (http://dogstarbrixton.com), le Brixton Jamm (www.brixtonjamm.org) ou le Windmill (http://windmillbrixton.co.uk) sont là pour vous électriser.

☀ Profitez du temps des terrasses

Tous dehors ! À la belle saison, on se délecte des toits-terrasses branchés de Peckham qui hébergent des bars éphémères gentiment bohèmes comme Frank's ou CLF Art Café. Les enfants, les amis et les chiens sont les bienvenus à ces veillées où règnent convivialité et bonne humeur, le temps de se régaler d'un cocktail ou de grillades. Un vrai goût de *summertime*...

FRANK'S 🖥 frankscafe.org.uk ⏰ Mai-fin sept. : mar.-ven. 17h-23h, sam.-dim. 11h-23h CLF ART CAFÉ 🖥 www.clfartcafe.org ⏰ Lun.-mer. 17h-23h, jeu. 17h-2h30, ven.-sam. 17h-6h

RENDEZ-VOUS AVEC...

Artisan du renouveau de Brixton et défenseur infatigable de la pizza napolitaine, Guiseppe Mascoli a ouvert sa première pizzeria, Franca Manca, au cœur du Brixton Village en 2008. Le temps de dire *"parmigiani"* et la franchise essaimait dans tout Londres. Il nous présente ses cinq adresses favorites de ce quartier où il vit, sort et travaille depuis plus de vingt-cinq ans.

Mon "village"
Pop Brixton

Brixton cultive depuis toujours un esprit un peu décalé... Pop Brixton, village bricolé de containers et de planches agglomérées, symbolise bien cette ambiance particulière, si attachante. J'y flâne à l'affût des nouvelles stars de la street-food londonienne : on se régale jamaïcain, indien, sicilien sur fond de musique live. La relève de Brixton !

(plan 7, A4 n°1) 49 Brixton Station Rd M° Brixton ☎ 020 7274 2902 www.popbrixton.org ⏰ Dim.-mer. 9h-23h ; jeu.-sam. 9h-0h

Mon resto thaïlandais
KaoSarn

Je connais assez Brixton Village pour vous dire que le KaoSarn y possède l'un des meilleurs emplacements ! En plus des tables protégées dans le passage, il profite d'une superbe terrasse plein soleil où il fait bon déjeuner au printemps. Dans les assiettes, de bons classiques pas

> ### SI BRIXTON ÉTAIT...
> **Une musique** Ce serait du reggae, de celui qui s'échappait de toutes les boutiques jamaïcaines de Brixton Village quand je suis arrivé ici pour travailler.

ℹ️ ITINÉRAIRE

- **A** Pop Brixton
- **B** Brockwell Lido
- **C** KaoSarn
- **D** Bukowski Grill
- **E** Café Cairo

chers du tout... Personnellement, j'adore leur salade Plah Goong, avec ses crevettes grillées, bien épicée.

(plan 7, A4 n°2) Brixton Village Market, Coldharbour Lane M° Brixton ☎ 020 7095 8922 ⏰ Mar.-sam. 12h-15h30 et 17h30-22h, dim. 17h30-21h

Mon barbecue américain
Bukowski Grill

C'est un nouveau concept d'établissement pour carnivores que je fréquente quand j'ai des envies de grillade. Aux burgers, un peu trop

KaoSarn

américains pour moi, je préfère les belles côtes d'agneaux cuites au feu de bois accompagnées de confiture de piment et de roquette. Nettement plus méditerranéen !

(plan 7, A4 n°3) Unit 10, Market Row M° Brixton ☎ 020 7733 4646 www.bukowski-grill.co.uk ⏱ Mar.-sam. 12h-23h, dim. 12h-21h

Mon pub
Café Cairo

À dix minutes du centre de Brixton, voilà un endroit vraiment étonnant, un mélange de tente bédouine et de pub anglais. J'y vais le soir, après la fermeture du restaurant, fumer une chicha dans la cour avec des amis ou siroter un spritz (comme dans mon Piémont natal) au coin de la cheminée. Je laisse la petite piste de danse au sous-sol aux plus jeunes ! On y retrouve les habitués et on y passe toujours un bon moment.

(plan 7, A4 n°4) 88 Landor Rd M° Clapham North ☎ 0207 207 0926 ⏱ Jeu. 18h-1h30, ven.-sam. 18h-2h, dim. 18h-0h

Ma piscine
Brockwell Lido

Voilà vraiment un rendez-vous de Brixtoniens ! Depuis les années 1930, dès qu'il y a du soleil, les familles viennent passer l'après-midi autour de cette grande piscine Art déco cachée au milieu de Brockwell Park. Attention, il n'y a pas de chaises longues, on vient avec son tapis de sol et sa serviette ! Moi, je préfère m'installer à l'ombre d'un parasol au Lido Café et grignoter une quiche avant d'aller affronter l'eau !

(hors plan 7 par B4) Brockwell Park, Dulwich Rd M° Brixton ☎ 020 7274 3088 www.brockwelllido.com

SOUTH BANK

Une incroyable grande roue d'où contempler Londres de haut en bas, une balade le long de la Tamise d'où la ville apparaît comme un féerique décor de cinéma, une centrale électrique devenue l'un des musées d'art moderne et contemporain les plus visités au monde – et des plus jubilatoires : il a suffi de quelques éléments phares pour redonner naissance à "l'autre" rive.

À VOIR

ACCÈS

• South Bank s'étire le long de la Tamise de Westminster Bridge à Blackfriars Bridge. Accès par la ligne de métro Jubilee (station Waterloo).

Une programmation béton !

National Theatre 🛗 (plan 6, A1)

Forteresse de béton brut d'un seul tenant, ceinte de terrasses et couronnée d'un empilement de parallélépipèdes : le National Theatre, signé Denys Lasdun (1976), scandalisa par ses lignes modernistes. On accède librement au foyer d'un beau design seventies, qui abrite une librairie et un bar. Les trois salles accueillent des concerts gratuits de jazz, de musique classique et de musiques du monde dans une programmation très riche et de qualité. Des lectures de poésie et surtout des pièces de théâtre y sont également proposées. Aux beaux jours, des performances d'avant-garde se déroulent en plein air.

South Bank Upper Ground M° Waterloo 📞 020 7452 3400 www.nationaltheatre.org.uk ⏰ Tlj. 10h-17h

Étoiles des mers

Sea Life London Aquarium (plan 6, A2-A3)

Trois niveaux en sous-sol, plongés dans l'obscurité, où les stars du grand bleu sont en vedette sous les spots. Le parcours offre un vrai tour du monde aquatique. Les enfants peuvent caresser des raies dans un bassin spécial, mais la palme revient au grand aquarium dévolu à l'océan Pacifique : sur deux étages, raies mantas et surtout requins-nourrices et requins-taureaux de 2m jaillissent gueule béante face aux visiteurs ! Ne ratez pas leur repas ! Attention : test du système d'alarme incendie tous les jeudis (10h-11h).

London County Hall Entrée sur le quai 📞 0871 663 1678 www2.visitsealife.com/london ⏰ Mi-juil.-août : tlj. 9h-20h ; sept.-mi-juil. : lun.-ven. 10h-18h, w.-e. 9h30-19h Horaires sur ©️ 25£ env.

Tour de roue

London Eye ★ 🛗 (plan 6, A2)

La plus grande roue d'Europe (135m) impressionne par sa légèreté et son élégance. Conçue par British Airways pour saluer l'an 2000, elle devait être démantelée l'année suivante, mais son succès l'a ancrée dans le paysage

À NE PAS MANQUER

- National Theatre
- London Eye
- Southbank Centre
- Imperial War Museum

La Tamise, Hungerford Bridge et le London Eye

londonien... On embarque pour un *flight* (un vol) avec panorama sur la ville à couper le souffle et jusqu'à 40km à la ronde par temps clair. Le must ? Le dernier tour par un beau soir d'été, quand le coucher du soleil enflamme la Tamise et qu'une brume légère voile le palais de Westminster. Réserver ou prévoir une bonne file d'attente...

Jubilee Garden Queen's Walk M° Waterloo 📱 0333 321 2001 www.londoneye.com ⏰ Sept.-mai : 11h-18h ; juin-août : 10h-20h30 Horaires : € 23,50£

Magnificence des quais
The Queen's Walk (plan 6, A1-A2)

Sous les auspices du London Eye, le long du fleuve, du County Hall à OXO Tower, le Queen's Walk aligne les théâtres, salles de concert et galeries d'art qui ont fait de South Bank l'un des grands pôles culturels de Londres. Aux beaux jours, le flot des badauds qui musardent sur les quais, bercés par le ressac de la Tamise vient grossir la foule des spectateurs... La promenade est un spectacle en soi. Les bâtiments qui la dominent illustreraient à merveille un précis d'architecture des années 1950 à 1970 et, avec le même ticket, on jouit d'une vue splendide sur la rive nord de la Tamise ! Au pied du London Eye s'offre un panorama imprenable sur le Parlement de Westminster. La magnificence des quais se révèle le mieux au petit matin ou la nuit venue, quand ils se parent de mille feux...

Pont de lumière
Hungerford Millennium Footbridges (plan 6, A2)

Deux passerelles suspendues à l'aide de mâts et de haubans. À la nuit tombée, de judicieuses illuminations forment un véritable tunnel de lumière qui paraît flotter au-dessus de l'onde... Vus des quais, les haubans évoquent une procession de voiliers. Outre une liaison directe entre South Bank et Trafalgar Square, cette réalisation offre aux piétons de belles vues sur le fleuve.

South Bank M° Waterloo

Centre artistique total
Southbank Centre 👍 (plan 6, A1)

Première à relever le défi de la réhabilitation de la rive sud, cette cité moderniste (1951) dominée par le béton gris a suscité bien des polémiques à sa création. Elle a surtout donné à la ville l'une de ses principales institutions culturelles avec sa galerie d'exposition (Hayward Gallery) et ses trois auditoriums, dont le prestigieux Royal Festival Hall, à l'acoustique exceptionnelle. Danse, musique, opéra, expositions de photo et d'art contemporain, la qualité des performances et les espaces intérieurs baignés de lumière drainent les foules à toute heure de la journée ; on aime sa terrasse pour un *drink* avec vue sur la Tamise et son Real Food Market du week-end très couru (p.191).

South Bank Belvedere Road M° Waterloo 📞 020 7960 4200 www.southbankcentre.co.uk Pendant la durée des travaux du Queen Elizabeth Hall et de la Hayward Gallery (jusqu'à fin 2017), concerts et expositions sont programmés dans d'autres salles du centre

Émotions fortes
Imperial War Museum 👍 (plan 6, A4–B4)

Montrer les conséquences, en particulier pour les civils, des conflits dans lesquels les armées du Royaume-Uni et du Commonwealth furent engagées tout au long du 20e s., telle est la mission de ce captivant musée. La partie consacrée à la Première Guerre mondiale s'appuie sur les souvenirs (armes, uniformes, agendas, lettres...) de ceux qui l'ont vécue pour faire comprendre comment la guerre a commencé, pourquoi elle a continué, et quel a été son impact global. Saisissante de solennité et de pédagogie, l'exposition bouleversante sur l'Holocauste est déconseillée aux moins de 14 ans : un wagon mène à une immense maquette du camp d'Auschwitz, blanche comme un linceul. Photos et objets personnels témoignent de la survie dans les camps, avant l'envoi dans les chambres à gaz. Soyez prévenus, qu'elles soient permanentes ou temporaires, les expositions, toujours de belle tenue, de cet admirable musée suscitent des émotions fortes.

Lambeth Road M° Lambeth North 📞 020 7416 5000 www.iwm.org.uk ⏰ Tlj. 10h-18h

À FAIRE

Crânez comme un squelette
The London Dungeon (plan 6, A2)

Véritable rite initiatique pour les ados, cette attraction tient à la fois du train fantôme et de la galerie des horreurs. On y revit l'histoire de la capitale au travers de ses aspects les plus macabres et les plus terrifiants : la peste de 1348, le Grand Incendie de 1666, les meurtres perpétrés par Jack l'Éventreur en 1888, etc. Le parcours (1h30) est jalonné de mannequins et d'acteurs vivants (ou à moitié morts) qui n'ont qu'une mission : effrayer... ou faire rire, si l'on est capable de crâner aussi bien qu'un squelette ! Interdit aux moins de 10 ans et les moins de 16 ans doivent être accompagnés d'un adulte.

County Hall, Westminster Bridge Road M° Waterloo 020 7403 7221 www.thedungeons.com/london/en Lun.-mer. et ven. 10h-16h, jeu. 11h-17h, sam.-dim. 10h-18h 25£

Promenez-vous à vélo
The London Bicycle Tour Company (plan 6, A1-A2)
Cette association propose des visites guidées de la capitale à vélo et vous fournira tous les renseignements indispensables à vos escapades sur deux roues. Également un service de location (3,50£/h). Balades (demi-journée) env. 24-27£/pers. selon la durée.

1 Gabriel's Wharf 56 Upper Ground M° Waterloo ou Southwark 020 7928 6838 www.londonbicycle.com Avr.-oct. : tlj. 9h30-18h ; nov.-mars : tlj. 10h-16h

NOS ADRESSES

 PAUSES

Vintage
Scooter Caffè
Un ancien atelier de réparation de Vespa... Rien de plus charmant que son mobilier dépareillé pour prendre un (excellent) café ou siroter un verre.

(plan 6, A3 n°2) 132 Lower Marsh 020 7620 1421 Lun.-jeu. 8h30-23h, ven. 8h30-0h, sam. 10h-0h, dim. 10h-23h

Tour avec vue
OXO Tower Bar
Au 8e étage de la tour OXO, pour dominer la Tamise et la City un cocktail à la main. Jazz live le soir à la brasserie attenante qui offre l'été un cadre parfait pour un repas à la fraîche.

(plan 6, A1-B1 n°1) OXO Tower Wharf, Barge House St South Bank M° Waterloo 020 7803 3888 www.oxotower.co.uk Lun.-jeu. 11h-23h, ven.-sam. 11h-0h, dim. 12h-22h30

OXO Tower Restaurant

 **RESTAURANTS**

Arrêt au stand
Real Food Market
@ Southbank Centre
Derrière le centre culturel (p.190), un marché où dénicher la crème des produits britanniques vendus par des

producteurs locaux : fromages, fruits et légumes, viande mais aussi plats cuisinés et stands de street-food du monde entier !

(plan 6, A2 n°10) Southbank Centre Square M° Waterloo ⏰ Ven. 12h-20h, sam. 11h-20h, dim. 12h-18h

Gastropub
The Anchor & Hope ♥££
À 5min de la Tate Modern, un excellent gastropub. Armez-vous de patience car il faut attendre qu'un coin de table se libère (inscrire son nom au tableau). Cuisine du jour copieuse et savoureuse, aux accents du terroir. Plats 13-25£ (canard, agneau ou bœuf rôti avec lardons braisés et légumes de saison), menu déjeuner 15£ (2 plats).

(plan 6, B2 n°11) 36 The Cut M° Southwark ☎ 020 7928 9898 www.anchorandhopepub. co.uk ⏰ Lun. 17h-23h, mar.-sam. 11h-23h, dim. 12h30-15h (sur rés.)

Eau de Pologne
Baltic ££
Sa verrière soutenue par une belle charpente en bois inonde de lumière une salle immaculée, froide comme tout ce qui touche à la Baltique. On s'y réchauffe de blinis, d'un bortsch ukrainien, de poissons fumés, de *pierogi* (raviolis polonais) ou d'un bœuf Stroganoff. Plat env. 18£, *set lunch* en semaine (2 plats à 17,50£)… Concerts de jazz le dim. 19h-22h.

(plan 6, B2 n°12) 74 Blackfriars Road M° Southwark ☎ 020 7928 1111 www. balticrestaurant.co.uk ⏰ Lun. 17h30-23h15, mar.-sam. 12h-15h et 17h30-23h15, dim. 12h-16h30 et 17h30-22h30

🍸 SORTIES

Les innombrables salles de South Bank perpétuent brillamment sa tradition de "rive des plaisirs" héritée de l'époque où théâtres et cabarets étaient interdits en ville. Le Southbank Centre (p.190) et le National Theatre (p.188) y sont de prestigieuses institutions. Mais pour trouver des lieux qui font du bruit et incitent à bouger, il faut s'éloigner de la Tamise. À Elephant & Castle, deux boîtes phares de la nuit londonienne font danser les *groovy boys and girls* jusqu'à l'aube.

Au bar du théâtre
The Cut ♥
Loft géant et bruyant dans une lumière ambrée, le bar du théâtre **Young Vic**, petit frère du **The Old Vic**, l'un des tremplins les plus remarqués pour la nouvelle et talentueuse génération de dramaturges londoniens, est très prisé par l'intelligentsia londonienne. Arrivez vers 19h-21h, lorsque la représentation est en cours, pour tenter de vous trouver une place sur le balcon-terrasse

du premier étage, divin aux beaux jours.

(plan 6, B2 n°20) Young Vic, 66 The Cut M° Southwark ou Waterloo ☎ 020 7928 4400 www.thecutbar.com ⏰ Lun.-jeu. 8h-23h, ven. 8h-23h30, sam. 9h-0h

Pour voir les choses en grand
National Film Theatre – British Film Institute / BFI
Conservatoire du cinéma britannique, le NFT-BFI propose une programmation aussi pointue qu'éclectique. Envie de revoir un

Stephen Frears, *Quatre mariages et un enterrement* ou les aventures de Harry Potter en 3D sur écran XXL ? La paroi à 360° de cette arène de verre abrite le plus grand écran du pays – 20x26m !

(plan 6, A1 n°21) 1 Charlie Chaplin Walk, South Bank M° Waterloo 020 7928 3232 www.bfi.org.uk Tlj. 10h30-19h30

Réviser ses classiques
The Old Vic

Créé en 1818, il reste l'un des plus augustes témoins de l'histoire théâtrale sur la rive sud de la Tamise. Dans sa belle salle à l'italienne, il propose de nombreux classiques du répertoire britannique dans la tradition du grand théâtre national. Places 10-90£.

(plan 6, A2 n°22) The Cut M° Southwark ou Waterloo 0844 871 7628 (Box Office) www.oldvictheatre.com

Électro affûtée
Corsica Studios 👍

Derrière les arches de la station ferroviaire Elephant & Castle, une salle à la programmation électronique savante qui fait régulièrement honneur aux artistes locaux. Entrée 7,50-15£.

ELEPHANT & CASTLE (plan 6, B4 n°23) Unit 4/5 Elephant Road M° Elephant & Castle 020 7703 4760 www.corsicastudios.com (selon programmation) dim.-jeu. 22h-3h, ven.-sam. 22h-6h

Plus qu'un club, un son
Ministry of Sound

Vu les caissons de basses hauts de 2m50, le son développé par les baffles surdimensionnés se révèle effectivement surpuissant et pourtant très précis. Un exploit ! Les DJ stars en profitent, qui emmènent des centaines de clubbers du monde entier jusqu'à l'aube chaque week-end sur ses trois dance-floors. Entrée 15-24£ selon la soirée (18-24£ le sam.).

ELEPHANT & CASTLE (plan 6, B3 n°24) 103 Gaunt St M° Elephant & Castle 020 7740 8600 www.ministryofsound.com Ven. 22h30-6h, sam. 23h-7h

Ministry of Sound

SOUTHWARK

La cathédrale de Southwark est l'ultime témoin du premier noyau urbain de la rive sud. Si la révolution industrielle a eu raison du bourg médiéval, restent cependant les halles métalliques de Borough Market, les viaducs ferroviaires de London Bridge Station et nombre des entrepôts et docks qui composent son paysage pittoresque.

À VOIR

ℹ ACCÈS

• Après South Bank, la rive sud se prolonge vers l'est de Bankside (du Blackfriars Bridge au Southwark Bridge) jusqu'à Southwark ; accès en métro via les stations Southwark et London Bridge.

Arche de lumière
Millennium Bridge 👍
(plan 6, B1)

Ce morceau de bravoure, un aérien ruban d'aluminium long de 320m reliant la cathédrale Saint-Paul à la Tate Modern, a été conçu par Norman Foster dans le cadre des réalisations phares saluant le nouveau millénaire. Il faut franchir l'ouvrage de nuit pour admirer son éclairage plus encore que son panorama. D'une beauté hypnotique, le tablier inondé de lumière donne l'impression de traverser la Tamise sur un rayon laser.
Bankside (face à la Tate Modern) M° Southwark

Une Tate bien faite
Tate Modern ★ 👍 (plan 6, B1)

En 2000, les architectes suisses Herzog & de Meuron font d'une ancienne centrale électrique (1952) et de sa gigantesque salle des turbines un temple XXL de l'art moderne. Seize ans plus tard, comme elle croule sous l'afflux des visiteurs – 4 à 5 millions par an, un record pour une institution de ce type –, le duo bâlois lui ajoute une tour de dix étages en forme d'origami géant. Surface augmentée, nouveaux lieux d'échanges et de rencontres, cafés, restaurants, boutiques et même un *rooftop* d'où l'on profite de superbes vues à 360° sur la capitale, c'est une vraie cité des arts qui a vu le jour. Surtout, le redéploiement du fonds, enrichi de nombreuses acquisitions, a été l'occasion de révolutionner l'approche muséographique ; sa collection, qui prolonge celle de la Tate Britain (p.98), couvre tous les grands courants artistiques de 1900 à nos jours, mais sa présentation fait un beau pied de nez à l'histoire de l'art.

La mission Toucher un large public, le plus jeune possible, l'inviter toujours à (re)découvrir, à s'émerveiller et plus encore, à prendre part au processus artistique, tel est l'enjeu de la "New Tate". Moderne ou contemporaine, peinture ou photographie, sculpture ou vidéo, installations ou projections immersives, peu importent les écoles et les genres, les 800 œuvres des 300 artistes exposés issus de 50 pays se révèlent ici par entrechocs au travers d'improbables rapprochements. Débats, rencontres, apprentissages, ateliers, et même un programme

- Millennium Bridge
- Tate Modern
- Southwark Cathedral
- Borough Market
- The Shard
- City Hall
- Brixton Village and Market Row
- Shakespeare's Globe Theatre

City Hall et The Shard

visant à faire participer le visiteur à la mise au point d'une exposition (Tate Collective)... L'interactivité est la vraie vedette de ce musée de demain.

Bankside M° Southwark 📞 020 7887 8888 www.tate.org.uk/modern 🕐 Dim.-jeu. 10h-18h, ven.-sam. 10h-22h 💶 Entrée libre (seules certaines expositions temporaires sont payantes), donation 4£ bienvenue

Escale gothique
Southwark Cathedral 👍 (plan 6, C2)

Apparition gothique dans un décor de docks, de voies ferrées, d'entrepôts victoriens et d'immeubles contemporains, la cathédrale maintes fois rebâtie est riche d'une longue histoire. Elle est née d'un prieuré fondé en 1106, agrandi dans le style gothique au 13e s., puis incendié en 1303 et largement reconstruit au 19e s. La nef conserve quelques belles arcades du début du 13e s. près de l'entrée. Elle est séparée du chœur, témoin de l'édifice gothique original, par une double galerie de sculptures et de dais finement ciselés dont la richesse rivalise avec les plus beaux retables gothiques.

Montague Close Cathedral St M° London Bridge 📞 020 7367 6700 http://cathedral.southwark. anglican.org 🕐 Lun.-ven. 8h-18h, w.-e. 8h30-18h

Super marché !
Borough Market ★ 👍 (plan 6, C2)

Enclavée entre de vénérables maisons de brique et deux viaducs ferroviaires, le plus ancien marché alimentaire de Londres (1755) semble tout droit sorti d'un roman de Dickens avec sa belle charpente métallique habillée de planches. Les jours de marché, on déambule entre des monceaux de fruits et légumes (un peu de charcuterie aussi)... Les denrées, qui font la part belle au bio et aux spécialités du vieux continent, sont assez chères et attirent les stars et autres *beautiful people*. Ne ratez surtout pas le Floral Hall sur Stoney Street. Vestige de la Piazza de Covent Garden, ce beau portique métallique, dont l'étage est serti d'élégantes verrières, a été remonté ici en point d'orgue à la réhabilitation du site.

8 Southwark St M° London Bridge 📞 **020 7407 1002 www.boroughmarket.org.uk** ⏰ **Lun.-mar. 10h-17h (restaurants), mer.-jeu. 10h-17h, ven. 10h-18h, sam. 8h-17h**

COULEUR LOCALE

Carreaux émaillés, bancs de bois, le plus authentique des *pie & mash* de la ville, **M. Manze** (1902) crée le décor idéal où remonter le temps après les puces de Berdmonsey. Également l'un des derniers endroits où l'on sert de l'anguille en gelée (*jellied eel*), spécialité de l'Est londonien. *"An essential slice of Old London"*, à partir de 2,50-6£.

(plan 6, C4 n°17) 87 Tower Bridge Road M° London Bridge ou Borough 📞 020 7407 2985 www.manze.co.uk ⏰ Mar.-jeu. 10h30-14h, lun. 11h-14h, ven. 10h-14h30, sam. 10h-15h

---

Au top
The Shard ᴵ🔊 (plan 6, C2)

Haute de 310m, la lame translucide (un "tesson de verre" comme le précise son nom anglais) conçue par Renzo Piano domine l'Europe. Bureaux, centre commercial, palace cinq étoiles, dix appartements privés de luxe, galeries panoramique et même un jardin (aménagé sur douze niveaux au sommet de la tour) occupent les 95 étages de la "première cité verticale du monde", inaugurée à l'occasion des Jeux olympiques de 2012. Ne manquez pas de vous hisser à son sommet pour une vue imprenable sur la ville. L'accès est onéreux et la réservation obligatoire, mais le panorama à 360° unique. La vue depuis les belvédères des 68e et 72e étages – à 244m de hauteur – porte par temps clair jusqu'à 60km environ à la ronde. Quant à la plateforme en plein air du dernier étage, elle vous réserve des sensations fortes.

32 London Bridge St M° London Bridge 📞 **020 3102 3930 www.theviewfromtheshard.com www. the-shard.com** ⏰ **Avr.-oct. : tlj. 10h-22h ; nov.-mars : dim.-mer. 10h-19h, jeu.-sam. 10h-22h** 💷 **30,95£**

Hauts magasins
Hay's Galleria (plan 6, C2)

Au cœur de l'un des plus vastes ensembles d'entrepôts de la capitale, cette galerie comble un ancien bassin, creusé au 19e s. entre de hauts magasins pour accueillir les navires chargés d'épices et de thé de Chine ou d'Inde. Couverte d'une élégante verrière, elle héberge cafés, restaurants et boutiques.

Hay's Wharf Counter St 1 Battlebridge Lane 📞 **020 7403 3583**

Une ville sur l'eau
HMS Belfast (plan 6, D1)

Sur la Tamise, le navire de guerre en "tenue de camouflage", hérissé d'énormes canons, s'illustra lors du débarquement allié de Normandie, le 6 juin 1944. La visite révèle une redoutable ville sur l'eau avec boulangerie, chapelle, menuiserie, hôpital, cabinet de dentiste et bureau de poste, outre les indispensables cuisines, cantines, salle des commandes, cabine radio, quartiers privés...

Morgan's Lane, Tooley St The Queen's Walk M° London Bridge 📞 **020 7940 6300 www.iwm.org. uk/visits/hms-belfast** 🕐 **Mars-oct. : tlj. 10h-18h ; nov.-fév. : tlj. 10h-17h** 💶 **16£**

Coquille de verre
City Hall 👍 (plan 6, D2)

Une coquille de verre qui ouvre son cœur à 360° sur le monde : le City Hall (2002) n'est pas l'œuvre la moins originale de Norman Foster. Conçu pour accueillir les réunions et quelques bureaux du Conseil du Grand Londres, le bâtiment, haut de 45m, veut exalter le civisme dans la transparence. Symbolisant son accessibilité, une rampe hélicoïdale partant du parvis pénètre dans l'édifice au niveau –1, puis s'enroule autour de la salle du Conseil avant de la couronner d'une superbe spirale aérienne. On peut la gravir librement jusqu'au niveau 2 pour admirer son audace architecturale et la ville à travers ses parois vitrées.

The Queen's Walk Queen's Walk M° London Bridge 📞 **020 7983 4000** 🕐 **Lun.-jeu. 8h30-18h, ven. 8h30-17h30**

Bric-à-brac poétique
Bermondsey (New Caledonian) Market (plan 6, D3)

Au bout de Bermondsey Street, un pittoresque marché aux puces prisé des professionnels et des accros de la chine. Il est recommandé d'arriver tôt. Même sans intention d'acheter, on appréciera le charme des échoppes et des étals, souvent joliment décorés. Objets de marine, plaques de rue émaillées, vaisselle et tout un bric-à-brac parfois poétique.

Bermondsey St À l'angle de Tower Bridge Road et de Bermondsey St M° Borough 📞 **www.bermondseysquare.net** 🕐 **Ven. 6h-14h**

Maltby Street Market

À FAIRE

Tirez parti d'un passage sur la rive sud pour pousser plus au sud encore et faire un tour à Brixton. Le faubourg ouvrier devenu une véritable poudrière après la désindustrialisation – les émeutes de 1981, 1985 et 1995 restent gravées dans les mémoires – est en pleine mutation. Symbole de sa résurrection, le très branché Brixton Village s'enorgueillit de ses nouveaux coffee-shops et restaurants *trendy*. Mais que les nostalgiques se rassurent, on trouve encore des petits bars *roots* où ressentir les vibrations du bastion du reggae et des *bad boys* anti-Thatcher ! Quant au quartier de Peckham, longtemps meurtri par des années de guerres des gangs et de pauvreté, il connaît lui aussi une embellie autour du "village" bohème de Bellenden Road, et vaut le détour pour son très créatif musée d'art contemporain.

Goûtez aux cultures du monde
Brixton Village and Market Row (plan 7, B4)
Bastion ultracool et coloré du sud de Londres, au cœur de la première communauté afro-caribéenne de la capitale, le bouillonnant marché de Brixton connaît une nouvelle vie. Boubous africains, fruits exotiques, galeries d'art, restaurants *friendly*, boutiques vintage et bars dernier cri drainent un flot de *foodies* et autres branchés curieux de s'initier aux cultures du monde. Pour s'y rendre de la station de métro, rien de plus simple, il suffit de suivre la foule.
BRIXTON Atlantic Road M° Brixton 🖳 www.wearebrixtonvillage.london ⏰ Lun. 8h-18h, mar.-dim. 8h-23h30

Découvrez l'avant-garde britannique
South London Gallery (plan 7, C3)
Bien avant que Peckham ne devienne à la mode, ce musée d'art contemporain lié au mouvement des Young British Artists – issus du Goldsmiths College voisin dans les années 1990 – passe pour l'une des plus convaincantes vitrines de l'avant-garde britannique, toutes expressions confondues (peinture, sculpture, photo, vidéo...). Un détour par cette grande et belle maison victorienne aux mises en scène inspirantes s'impose donc, d'autant que son très apprécié café N°67 invite à une agréable pause gourmande.
PECKHAM 65-67 Peckham Road Overground Peckham Rye 🖳 020 7703 6120 www.southlondongallery.org ⏰ Mar.-ven. 11h-18h, w.-e. 11h-21h

NOS ADRESSES

☕ PAUSES

Bar à bières
The Rake
Au cœur du trépidant Borough Market, un rade dont la petite taille n'a d'égal que son immense choix de bières avec près de 130 étiquettes !
(plan 6, C2 n°4) 14 Winchester Walk M° London Bridge 🖳 020 7407 0557 www.utobeer.co.uk/the-rake ⏰ Lun.-ven. 12h-23h, sam. 10h-23h, dim. 12h-20h

Une *real ale* sinon rien
The Royal Oak
Un pub immémorial tout en boiseries fréquenté par une brochette d'habitués ventrus. Attention, ici on ne plaisante pas avec la bière : ce sera de la *real ale* ou rien ! Régulièrement primée pour sa qualité elle vient spécialement d'une brasserie indépendante. Commandez donc une pinte

SHAKESPEARE EN V.O. ★

Frémir aux amours de Romeo et Juliette à la lumière des étoiles, trembler devant la paranoïa de Macbeth sous un ciel menaçant, rire aux aventures du *Songe d'une nuit d'été* les cheveux au vent... C'est possible au **Globe Theatre**, reconstitution fidèle du théâtre où William Shakespeare (1564-1616) créa la plupart de ses chefs-d'œuvre. Avant même le spectacle, le bâtiment nous transporte au 16e s. avec ses toits de chaume, ses galeries de bois dignes d'une auberge médiévale, et sa cour centrale où les spectateurs debout se trouvent régulièrement livrés aux intempéries ! Idéalement, procurez-vous une traduction française de la pièce avant la représentation. *Représentations d'avr. à oct. Rés. à l'avance* (p.184) *Place debout 5£, assise 20-45£*

Shakespeare's Globe Theatre

de *mild* et trouvez-vous un rocking-chair pour apprécier ce moment d'Angleterre liquide.

(plan 6, C3 n°5) 44 Tabard St M° London Bridge 📞 020 7357 7173 🕐 Lun.-ven. 11h-23h, sam. 12h-23h, dim. 12h-21h

Fort des halles
The Market Porter

Deux atouts pour ce pub tout en bois, à première vue semblable aux milliers d'autres des environs. D'abord son voisinage avec le Borough Market, qui en fait le rendez-vous des joyeux maraîchers dès 6h. Ensuite il offre un très beau choix de mousses de tous les horizons, dont onze à la pression, que les gentils barmen vous feront goûter avec le sourire.

(plan 6, C2 n°3) 9 Stoney St M° London Bridge 📞 020 7407 2495 🕐 Lun.-ven. 6h-8h30 et 11h-23h, sam. 12h-23h, dim. 12h-22h30

Pause cake
Konditor & Cook

Face à Borough Market, un bel endroit où acheter de bonnes pâtisseries : brownies, cookies et de gros gâteaux crémeux, notamment les *magic cakes*, des bouchées pour certaines ornées de lettres avec lesquelles on peut écrire, pourquoi pas, "*I love you*". Pour le déjeuner, petite restauration bien commode autour de 6£.

(plan 6, C2 n°6) 10 Stoney St M° London Bridge ou Borough 📞 020 7633 3333 www.konditorandcook.com 🕐 Lun.-jeu. 8h-18h30, ven. 8h-19h, sam. 8h30-19h, dim. 11h-17h30

Avec les travailleurs de l'aube
Maria's Market Café

Autre repaire où viennent se réfugier les travailleurs de l'aube, ce café du marché est un *greasy spoon* réputé.

(plan 6, C2 n°7) Borough Market, Stoney St Middle Market 🕐 Mer. 5h-14h30, jeu.-ven. 5h-16h, sam. 5h-17h

Au bord de l'eau
The Anchor

Pour une pause au bord de la Tamise, un vieux pub à la façade pimpante et une grande terrasse aux tables assiégées dès les premiers rayons du soleil.

(plan 6, C1 n°8) 34 Park St Bank End 📞 020 7407 1577 🕐 Lun.-mer. 11h-23h, jeu.-sam. 11h-0h, dim. 12h-23h

Konditor & Cook

RESTAURANTS

Locavore de rue
Ropewalk @ Maltby Street Market £

Grand rendez-vous des *foodies* de la rive sud, ce pittoresque petit marché du week-end s'étend au fil des arches de la voie ferrée de London Bridge et rassemble parmi les meilleurs artisans de la cuisine de rue. Une bonne idée pour un apéro locavore autour de quelques huîtres (étal London Oysters) et d'un shot de gin artisanal (stand Little Bird) !

(plan 6, D3 n°13) 41 Maltby St M° Bermondsey maltby. st ⏲ Sam. 9h-16h, dim. 11h-16h

Roast

Cantina latina
El Vergel £

À 10min à pied de la Tate Modern, une déco de béton brut, graffitis et couleurs ensoleillées pour toutes sortes de spécialités sud-américaines et des petits déjeuners latino-anglais (de 8h à 11h) avec chorizo, thé, tortilla, *beans*, galette de maïs et toast à la confiture. Plat 3,50-10£ env.

(plan 6, B3 n°14) 132 Webber St M° Borough ☎ 020 7401 2308 www.elvergel.co.uk ⏲ Lun.-ven. 8h-15h, sam. 10h-16h

Résolument *British*
The Butlers Wharf Chop House ££

Décorée par Sir Terence Conran, la salle revêtue de bois évoque un *club-house* d'aviron et l'été, les tables alignées sur le quai ouvrent une magnifique perspective sur Tower Bridge. Dans l'assiette, des classiques britanniques remis au goût du jour : terrine d'*Old Spot* de Gloucester préparée au cidre, côte de bœuf grillée et pudding du Yorkshire, *Welsh rarebit* (toast au fromage), cheese-cake au chocolat blanc. Plats 17-28£, formules déj., carte spéciale au bar.

(plan 6, D2 n°15) Butlers Wharf 36E Shad Thames (entrée sur les quais) M° London Bridge ou Tower Hill ☎ 020 7403 3403 www. chophouse-restaurant.co.uk ⏲ Lun.-sam. 12h-16h et 18h-23h, dim. 12h-17h et 18h-22h

Le marché est servi
Roast £££

Ce restaurant de Borough Market prend ses aises au 1er étage du Floral Hall, dont les verrières offrent des vues uniques sur les charpentes métalliques des halles, les maisons en brique de Stoney Street et les trains filant vers London Bridge Station. Le chef Stuart Cauldwell accommode à merveille les produits régionaux. Plats 24,50-40£ ; formule déjeuner 30£ (3 plats). Fameux *full English breakfast* (15£). Rés. conseillée.

(plan 6, C2 n°16) The Floral Hall, Stoney St M° London Bridge ☎ 020 3006 6111 www. roast-restaurant.com ⏲ Petit déj. Lun.-ven. 7h-11h, sam. 8h30-11h30 Déj. Lun.-sam. 12h-15h45, dim. 11h30-18h30 Dîner Lun.-ven. 17h30-22h45, sam. 18h-22h45 Menus au bar Lun.-mer. 7h-0h, jeu.-ven. 7h-0h45, sam. 8h-0h45, dim. 11h30-19h45

Des musées prestigieux au nec plus ultra du shopping de luxe de South Kensington et Knightsbridge, l'Ouest aristocratique draine des flots de visiteurs. Offrez-vous d'agréables flâneries en allant butiner du côté des ruelles fleuries de Chelsea, entre les bosquets du romantique Holland Park ou le long des façades colorées de Notting Hill.

De South Kensington à Notting Hill

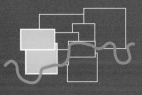

204 **Plan 8**
206 **Plan 9**
208 **Les incontournables**
210 **Nos conseils**
212 **Rendez-vous avec...**
214 **South Kensington-Chelsea**
226 **Kensington-Notting Hill**

Le Royal Albert Hall

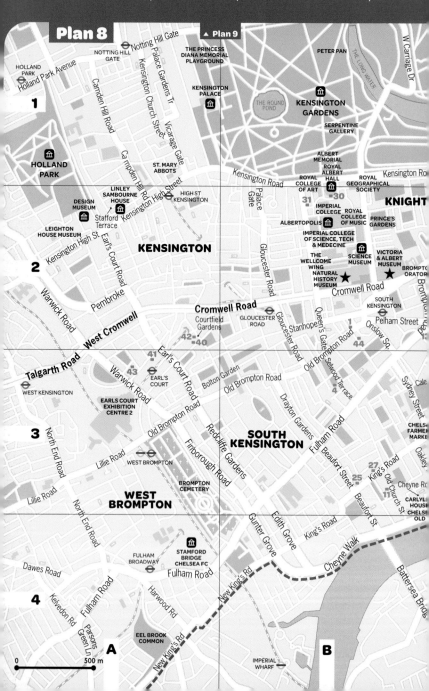

Plan 8

▲ Plan 9

HOLLAND PARK

Holland Park Avenue

NOTTING HILL GATE

Notting Hill Gate

THE PRINCESS DIANA MEMORIAL PLAYGROUND

PETER PAN

THE LONG WATER

W Carriage Dr

1

Camden Hill Road

Kensington Palace Gardens Tr

Kensington Church Street

Vicarage Gate

KENSINGTON PALACE

THE ROUND POND

KENSINGTON GARDENS

SERPENTINE GALLERY

ALBERT MEMORIAL

HOLLAND PARK

LEIGHTON HOUSE MUSEUM

DESIGN MUSEUM

LINLEY SAMBOURNE HOUSE

Stafford Terrace

ST. MARY ABBOTS

Camden Hill Rd

Kensington High Street

HIGH ST KENSINGTON

Kensington Road

Palace Gate

ROYAL ALBERT HALL

ROYAL COLLEGE OF ART

30

ROYAL GEOGRAPHICAL SOCIETY

Kensington Ro

KNIGHT

31

IMPERIAL COLLEGE

ROYAL COLLEGE OF MUSIC

PRINCE'S GARDENS

2

Kensington High St

Earl's Court Road

Pembroke

KENSINGTON

Gloucester Road

ALBERTOPOLIS

IMPERIAL COLLEGE OF SCIENCE, TECH & MEDECINE

THE WELLCOME WING

NATURAL HISTORY MUSEUM ★

SCIENCE MUSEUM

★ VICTORIA & ALBERT MUSEUM

BROMPTO ORATOR

Cromwell Road

SOUTH KENSINGTON

Brompto

Warwick Road

West Cromwell

Talgarth Road

West Cromwell

Cromwell Road

Courtfield Gardens

42

40

GLOUCESTER ROAD

Gloucester Road

Queen's Gate

Stanhope

Old Brompton Road

1

44

Pelham Street

Onslow Sq.

Cale

WEST KENSINGTON

41

43

EARL'S COURT

Warwick Road

Earls Court Road

EARLS COURT EXHIBITION CENTRE 2

Bolton Garden

Old Brompton Road

Drayton Gardens

Selwood Terrace

4

Fulham Road

Sydney Street

CHELS FARME MARKE

Oakley

3

North End Road

Lillie Road

WEST BROMPTON

Old Brompton Road

Redcliffe Gardens

Finborough Road

SOUTH KENSINGTON

Beaufort Street

King's Road

27

25

Oakley

King's Road

Old Church St

Cheyne Rd

CARLYL HOUS CHELSE OLD

WEST BROMPTON

North End Road

Lillie Road

BROMPTON CEMETERY

FULHAM BROADWAY

STAMFORD BRIDGE CHELSEA FC

Edith Grove

Gunter Grove

King's Road

Cheyne Walk

Batterse

4

Dawes Road

Kelvedon Rd

Fulham Road

Parsons Green La

Fulham Road

Harwood Rd

EEL BROOK COMMON

New King's Rd

New King's Rd

IMPERIAL WHARF

Battersea Br

0   500 m

A   **B**

▲ Plan 9

HYDE PARK

WEST END

Pauses (n° 1 à 4)

1 Oddono's *p.220* B2
2 Tangerine Dream
   Café *p.220* C3
4 The Anglesea Arms *p.221* B3
   Orange Public
   .... C3

.... C3

Shopping (n° 20 à 27)

24 Anthropologie *p.224* C3
27 Brora *p.225* B3
26 Cath Kidston *p.224* C3
23 Conran Shop *p.224* C2
22 Donna Ida *p.223* C2
20 Harrods *p.223* C2
21 Harvey Nichols *p.223* C1
25 The Shop at Bluebird *p.224* .. B3

Sorties (n° 30 et 31)

31 Bar 190 *p.225* B2
30 Royal Albert Hall *p.225* B2

Hébergements (n° 40 à 44)

41 Mayflower Hotel *p.295* A3
40 Merlyn Court
   Hotel *p.295* A2
44 Number Sixteen *p.295* B2
42 The Nadler
   Kensington *p.295* A2
43 Twenty Nevern
   Square *p.295* A3

SQUARE GARDEN

HARRODS

HANS PLACE GARDEN

Beauchamp Place

Pont St

CADOGAN GARDENS

Pont St

Belgrave Pl.

LENNOX GARDENS

Lyall Street

Eaton Square

Eccleston St

Ebury Street

Buckingham Palace Rd

Sloane Street

HOLY TRINITY

BELGRAVIA

▶ Plan 2

Draycott Ave

Sloane Ave

ROYAL COURT TH.

SLOANE SQUARE

Ebury Street

15

26

SAATCHI GALLERY

Elystan St

Lower Sloane St

Pimlico Road

Ebury Road

King's Road

Royal Hospital Road

Chelsea Bridge Road

CHELSEA BARRACKS

Ebury Bridge Road

ROYAL HOSPITAL

24

CHELSEA

NATIONAL ARMY MUSEUM

ROYAL HOSPITAL GARDENS

RANELAGH GARDENS

Grosvenor Rd

CHELSEA PHYSIC GARDEN

2

Chelsea Embankment

CHELSEA BRIDGE

RIVER THAMES

ALBERT BRIDGE

Queenstown Rd

Albert Bridge Road

BATTERSEA PARK

BATTERSEA PARK

C

Prince of Wales drive

Battersea Park Rd

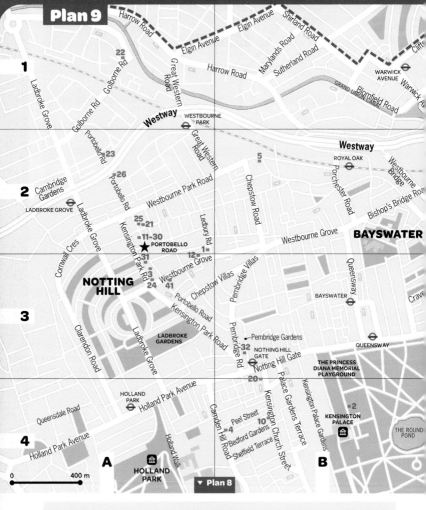

Pauses (nº 1 à 5)

3 Hummingbird Bakery *p.230* . A3
2 Kensington Palace
   Orangery *p.229* B4
1 Ottolenghi *p.229*.............. A2
5 The Cow *p.230* B2
4 Windsor Castle *p.230* B4

Restaurants (nº 10 à 13)

10 Churchill Arms
    Thai Kitchen *p.231* B4
12 Daylesford Organic
    Café *p.231* A3
13 Dock Kitchen *p.213* A1
11 Electric Diner *p.231*............ A2

Shopping (nº 20 à 26)

23 Honest Jon's *p.232* A2
20 Notting Hill
    Farmers' Market *p.232* B4
24 Paul Smith *p.232*.............. A3
26 Portobello Green *p.233* A2
27 Portobello Rd Market *p.233*.. A3
22 Rellik *p.231*...................... A1
21 Rough Trade *p.232* A2

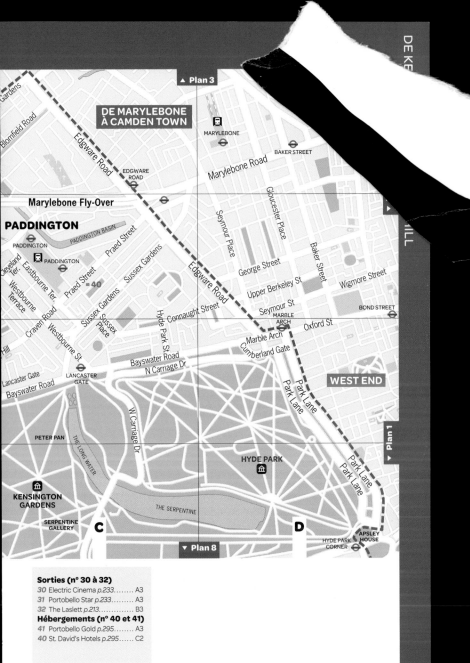

Sorties (n° 30 à 32)
30 Electric Cinema *p.233*........ A3
31 Portobello Star *p.233*......... A3
32 The Laslett *p.213*.............. B3
Hébergements (n° 40 et 41)
41 Portobello Gold *p.295*........ A3
40 St. David's Hotels *p.295*...... C2

★ **NOTTING HILL** (p.227) pour ses maisons colorées
et son marché joyeusement foutraque.

★ **NATURAL HISTORY MUSEUM** (p.215) pour ses allures de cathédrale.

★ **V&A MUSEUM** (p.216) pour ses British Galleries, gardiennes de l'art de l'habitat.

★ **HYDE PARK** (p.219) pour son charme bucolique au cœur de la capitale.

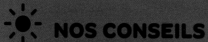

NOS CONSEILS

Des suggestions pratiques et des petites astuces pour découvrir l'ouest de Londres sans fausse note.

Envisagez un samedi

Dans un univers aussi bigarré que bobo, Portobello Road (p.233) vous réserve ses friperies et ses magasins de disques décalés, mais aussi le marché en plein air le plus célèbre de Londres. Stands d'antiquaires, de brocanteurs et de fruits et légumes animent les petites rues de Notting Hill dans une délicieuse ambiance. Pour chiner paisiblement parmi ces étalages hétéroclites, optez pour une balade matinale mais privilégiez le vendredi et surtout le samedi, jour où les marchands aux puces et jeunes créateurs sont au complet.

Portobello Road ⏰ **Lun.-mer. 9h-18h, jeu. 9h-13h, ven.-sam. 9h-19h**

Réservez votre transat pour paresser au parc

De mars à octobre, on peut louer un transat (*deck chair*) pour une séance de bronzette dans Hyde Park comme dans tous les parcs royaux : de 1,60£ la première heure à 8£ la journée (présenter une pièce d'identité en même temps que le ticket de réservation imprimé si vous choisissez le service de réservation en ligne).

www.parkdeckchairs.co.uk

Écumez les *charity shops*

Amateurs de fripes, courez les *charity shops* des quartiers cossus de la capitale ! Les Londoniens huppés s'y débarrassent des vêtements et accessoires dont ils se sont (vite) lassés. À la boutique de la Croix-Rouge de Chelsea, on peut ainsi trouver des articles de marques prestigieuses, notamment de l'illustre voisin Manolo Blahnik.

BRITISH RED CROSS DESIGNER CHARITY SHOPS 69-71 Old Church St ☎ **0845 054 7101 www.redcross.org.uk/charityshops**

Prenez un coup de Blues

Malgré tout votre enthousiasme de supporter, peu de chance de parvenir à assister à un match du Chelsea FC. Pour vous consoler de n'avoir pas pu obtenir de places aux abords du stade avant un match des Blues, visitez le terrain, les vestiaires, ainsi que le musée consacré à l'histoire de ce club de football mythique fondé en 1905.

Fulham Road 🖥 **www.chelseafc.com** ⏰ **Visites guidées : tlj. de 10h à 15h (départ toutes les 30min.) Musée ouvert tlj. 9h30-17h sauf j. de match**

Chelsea Flower Market

Portobello Road

☀ Passez une journée parmi les fleurs

Prestigieux rendez-vous depuis 1913, le **Chelsea Flower Show** invite paysagistes, horticulteurs et fleuristes à composer leurs œuvres végétales. Pensez à réserver votre entrée (dès novembre) pour ces fabuleuses floralies qui ont lieu la 3e ou 4e semaine de mai dans les Ranelagh Gardens et sachez que le vieux jardin botanique, Chelsea Physic Garden (p.218) petit écrin de verdure au charme fou, reste alors ouvert tous les jours. L'occasion de découvrir l'un des jardins secrets des Londoniens...

Royal Hospital M° Sloane Square
☎ 020 7649 1885 ou 0844 338 7505 (rés. de Grande-Bretagne) ou +44 (0)121 767 4063 (rés. d'Europe) www.rhs.org.uk/chelsea

☀ Dansez au rythme du carnaval

Avec ses 2 millions de spectateurs et sa gigantesque parade colorée, le Notting Hill Carnival (p.228) est le festival de rue le plus important d'Europe. Organisé par la communauté afro-antillaise, le plus fou des événements du calendrier londonien se déroule le dernier week-end d'août jusqu'au lundi. Le dimanche est dédié aux enfants, et le "vrai" carnaval se tient le lundi. Un must.

🖥 www.thelondonnottinghillcarnival.com

☀ Tentez les Proms

Rapprocher la musique classique du grand public, telle est la vocation des concerts-promenades. Opéra, musique de chambre... ce sont plus de 50 représentations de grande envergure et à petits prix (6£ la place debout) qui se succèdent durant l'été depuis 1941. Ambiance garantie à la dernière soirée dédiée aux chansons populaires et aux hymnes anglais (sachez toutefois qu'il est extrêmement difficile d'obtenir une place).

Royal Albert Hall ☎ 0845 401 5040 (rés.) www.bbc.co.uk/proms Mi-juil.-mi-sept.

RENDEZ-VOUS AVEC...

Les Couilles du Chien : le nom, en français dans le texte, de la boutique de Jerome Dodd désigne en anglais argotique (*"dog's bollocks"*) ce qu'il y a de meilleur. Depuis plus de 25 ans, le brocanteur fait ainsi la joie des amateurs (fortunés) d'objets anciens, architectes, artistes, designers. S'il chine aux quatre coins du royaume, ce parisien de naissance adore son quartier de Notting Hill pour son charme vintage et sa modernité, son luxe et sa simplicité populaire. Il vous le fait découvrir en cinq adresses.

Mon musée

Linley Sambourne House (18 Stafford Terrace)

Un petit musée très discret (p.226), connu surtout des antiquaires ! La maison présente un intérieur victorien parfaitement conservé, dans toute son opulence. J'adore m'y promener et y découvrir à chaque fois un nouveau détail, un bibelot. À faire au moins une fois : la visite guidée par un acteur costumé !

(plan 8, A2) 18 Stafford Terrace M° High Street Kensington

Ma friperie

Rellik

Pour sa sélection de vêtements vintage unique à Londres pourtant riche en friperies ! Les propriétaires se sont spécialisés dans les années 1970-80 avec des pièces de Vivian Westwood, Saint Laurent, Courrège, Dior, des chaussures, des

---

ℹ ADRESSES

- **A** 18 Stafford Terrace
- **B** Rellik
- **C** Honest Jon's
- **D** Dock Kitchen
- **E** The Laslett

ENVIE DE FLÂNER ?

Allez voir les as de la glisse au skate-park Bay Sixty 6, preuve que Notting Hill est encore jeune et bien vivant !

Bay 66 Acklam Road M° Westbourne Park
🕐 **Tlj. jusqu'à 21h**

---

sacs, etc. Je viens sonner ici quand je cherche un cadeau original, un bijou bizarre… Voir aussi (p.231).

(plan 9, A1 n°22) 8 Golborne Road M° Westbourne Park

Honest Jon's

Mon disquaire
Honest Jon's
Je collectionne les disques de reggae et de ska – en vinyle bien sûr – et ici, je trouve de vraies pépites. Mark et Alan y ont la même passion pour le groove que Jon, qui a fondé la boutique en 1974 (p.232). Si vous avez une question sur le blues des années 1920 ou sur la soul nigériane, ils ont la réponse.

(plan 9, A2 n°23) 278 Portobello Road M° Ladbroke Grove ☎ 020 8969 9822 http://honestjons.com ⏰ Lun.-sam. 10h-18h, dim. 11h-17h

Mon resto au bord de l'eau
Dock Kitchen
J'adore la déco, mi-industrielle mi-1970 signée Tom Dixon, de ce lieu situé dans un entrepôt le long du canal Grand Union. Et la cuisine, qui mélange les influences. Dès qu'il est à la carte, je me jette sur le *biryani*, plat de riz et d'agneau au chou-fleur !

SI NOTTING HILL ÉTAIT...

Une chanson Ce serait *Police and thieves* de Junior Murvin. Belle évocation de ce quartier autrefois très cosmopolite, cette chanson est devenue un hymne en 1976, lors des émeutes du carnaval.

(plan 9, A1 n°13) 342-344 Ladbroke Gr M° Kensal Green ☎ 020 8962 1610 ⏰ Lun.-sam. 12h-14h30 et 19h-22h30, dim. 12h-15h

Mon (bar d') hôtel
The Laslett
Petit, il allie moderne et vintage. Je m'y sens chez moi, ce qui est un peu le cas, car pas mal d'objets viennent de ma boutique ! J'y envoie dormir mes connaissances de passage à Londres et, surtout, je vais souvent déguster un cocktail sous le portrait de Russel Henderson, l'un des fondateurs du carnaval de Notting Hill : une légende.

(plan 9, B3 n°32) 8 Pembridge Gardens M° Notting Hill Gate ☎ 20 7792 6688 thelaslett.co.uk

SOUTH KENSINGTON-CHELSEA

C'est l'un des périmètres les plus huppés de Londres. Aux aristocrates de souche et aux riches étrangers prêts à toutes les folies dans les magasins de luxe de Knightsbridge se mêlent tous ceux venus visiter les prestigieux musées de South Kensington ou prendre un bain de verdure à Hyde Park. Blotti contre la Tamise, Chelsea ajoute une atmosphère de village, cossu lui aussi...

O SOUTH KENSINGTON

ℹ ACCÈS

• Station Hyde Park Corner pour Hyde Park ; Knightsbridge pour Harrods et les boutiques de Brompton Road ; South Kensington pour les musées et Old Brompton Road

En 1850, South Kensington n'est encore qu'une zone maraîchère émaillée de petits manoirs. C'est l'Exposition universelle présentée à Hyde Park l'année suivante qui précipite son expansion. En six mois, cette manifestation attire six millions de visiteurs et engrange des recettes juteuses. Ce qui permet à son organisateur, le prince Albert, de réaliser son rêve : créer à South Kensington un vaste complexe dévolu à l'éducation et à la culture, l'Albertopolis.

Cité des sciences et des arts
Albertopolis (plan 8, B2)

Véritable cité des sciences et des arts, l'Albertopolis compte, outre ses trois prestigieux musées, plusieurs grandes écoles et institutions culturelles de réputation internationale. Parmi ces établissements, à l'ouest du Royal Albert Hall, le **Royal College of Art**, l'une des meilleures universités d'art et de design au monde, expose en juin le travail de ses diplômés. Au sud du théâtre, sur le campus de l'Imperial College, le conservatoire, le **Royal College of Music**, accueille des récitals et des concerts (payants).

Amphi à musique
Royal Albert Hall (plan 8, B2)

Cette magnifique rotonde en brique rouge coiffée d'un dôme métallique (1871) abrite une salle pareille à un amphithéâtre romain. Si les chefs d'orchestre les plus illustres s'y sont produits, le RAH doit surtout sa popularité aux Proms (p.211), ces concerts-promenades classiques qui y sont donnés l'été depuis 1941. Y ont lieu toute l'année également des manifestations variées (p.225).

Kensington Gore M° South Kensington Bus 9, 10, 52, 70 🖥 www.royalalberthall.com

À NE PAS MANQUER

- Natural History Museum
- Victoria & Albert Museum
- Chelsea Physic Garden
- Cheyne Walk
- Cheyne Row
- Hyde Park

Sloane Square, Chelsea

On avance, on avance
Science Museum (plan 8, B2)

De la première machine à vapeur à la capsule *Apollo 10*, en passant par la première Rolls Royce, sans oublier les évolutions scientifiques les plus récentes (clonage, dernière mission sur Mars...), sur cinq étages, le musée évoque la prééminence scientifique et industrielle de la Grande-Bretagne à partir du 17e s. Il présente aussi, dans sa Wellcome Wing (2000), qui constitue le plus grand centre mondial consacré aux techniques modernes, l'ensemble des découvertes et des technologies qui signent de nos jours les grandes avancées...

Exhibition Road Mo South Kensington 📱 020 7942 4000 www.sciencemuseum.org.uk ⏱ Tlj. 10h-18h et jusqu'à 19h pendant les vac. scolaires Fermé 24-26 déc.

Rendez-vous avec un calmar
Natural History Museum ★  (plan 8, B2)

Le médecin et naturaliste Hans Sloane (1660-1753) est davantage connu en Grande-Bretagne pour y avoir introduit le chocolat à boire que pour les quelque 80 000 spécimens de minéraux, plantes et fossiles qu'il légua à la nation et qui contribuèrent à l'ouverture du British Museum en 1759. Enrichie par de généreux donateurs, cette collection se retrouva vite à l'étroit. C'est ainsi que fut inauguré en 1881, à South Kensington, un musée d'histoire naturelle. Il est devenu l'un des pôles mondiaux majeurs dans le domaine de la taxinomie (classification des espèces), rassemblant plus de 80 millions de spécimens. Également dotée d'une remarquable bibliothèque spécialisée, l'institution occupe l'un des plus beaux édifices publics londoniens de l'ère victorienne, un bâtiment aux allures de cathédrale conçu par Alfred Waterhouse dans les années 1860.

Visite Avec la baleine bleue de la galerie des Mammifères voisine, la galerie des Dinosaures tient le devant de la scène avec des œufs et des squelettes des grands reptiles disparus, et son T-rex animé chargé d'impressionner les visiteurs ! Quant à Archi, le célèbre calmar géant pêché au large des Malouines, il faut prendre rendez-vous pour le voir !

Cromwell Road M° South Kensington ☎ 020 7942 5000 www.nhm.ac.uk ⏰ Tlj. 10h-17h50
💶 Entrée libre sauf pour les expositions temporaires

DRÔLE D'AFFAIRE
C'est le premier directeur du muséum d'Histoire naturelle, Richard Owen qui en 1842 crée le nom de "dinosaure", à partir des racines grecques signifiant "terrible" et "lézard". Pour autant, le paléontologue s'oppose à la théorie de l'évolution de Darwin, son contemporain, qui rattache ces espèces fossiles aux êtres vivants. Il va même jusqu'à expliquer que le plan à utiliser pour l'exposition du musée doit refléter la volonté de Dieu.

Temple mondial de l'art et du design
Victoria & Albert Museum ★ ⅰ⅙ (plan 8, B2)

Céramique, joaillerie, mobilier, textile, sculpture, peinture... aucun domaine des arts appliqués et des beaux-arts n'échappe à ce prestigieux musée, dont les collections riches de plus de 2 millions d'objets embrassent 5 000 ans de création. Véritable labyrinthe, avec ses 10km de galeries sur six niveaux, le V&A, comme l'appellent affectueusement les Londoniens, connaît une effervescence permanente.

Visite Dans la section réservée à l'art asiatique, ne manquez pas le *Tigre de Tipu* (v. 1793), un automate en bois grandeur nature représentant un tigre terrassant un officier britannique : une manivelle actionnant un orgue caché fait rugir le fauve et gémir sa victime. Autres trésors, dans le département consacré à l'Europe, les cartons de Raphaël qui illustrent les vies de saint Pierre et de saint Paul et servirent à la confection de tapisseries pour la chapelle Sixtine en 1515. Détail important : les tapissiers œuvrant en suivant le carton sur l'envers de la tenture, les scènes des sept cartons se "lisent" de droite à gauche. Également incontournables, les British Galleries. Retraçant cinq siècles d'histoire des arts décoratifs dans le royaume, elles s'attardent notamment sur les grands noms du 19e s. auxquels on doit les trois salles de la cafétéria du V&A, leurs papiers peints, panneaux, frises, hautes fenêtres ornées de vitraux et leurs plafonds à caissons. À voir surtout, la salle à manger verte conçue par William Morris (1868), une première mondiale pour l'époque. Idéal pour marquer une pause et s'imprégner du goût et de l'art victorien !

Cromwell Road (entrées secondaires par le tunnel du métro, ouvert tlj. 10h-17h30, et par Exhibition Road) M° South Kensington ☎ 020 7942 2000 www.vam.ac.uk ⏰ Sam.-jeu. 10h-17h45, ven. 10h-22h

⚪ KNIGHTSBRIDGE
Pour la plupart des touristes, Knightsbridge rime avec une séance de shopping chez Harrods (p.223). Mais la visite du quartier n'implique pas nécessairement

de dilapider ses livres sterling. Un footing ou une sieste sur les pelouses de Hyde Park ne coûtent rien, sauf si l'on souhaite un transat (p.210). Ceux que le luxe fascine iront faire un tour du côté de Belgrave Square, l'une des plus belles places de la capitale, avec ses petits palais blancs que seules certaines représentations diplomatiques ont encore les moyens de louer.

⬤ CHELSEA

Depuis le 19e s., ce quartier cossu se veut un repaire d'intellectuels et d'artistes d'avant-garde, souvent scandaleux. Mais le cœur battant du Swinging London des années 1960, puis le berceau du mouvement punk se sont laissés rattraper par le conformisme. Les jeunes loups de la finance et les people y ont supplanté les peintres et les écrivains bohèmes et, tandis que, sur King's Road, son artère mythique, les boutiques de prêt-à-porter et magasins de chaîne se multiplient, Sloane Street est devenue l'une des rues commerçantes les plus huppées de la capitale. Pour découvrir un Chelsea plus pittoresque, il faut piquer vers le sud et le fleuve, du côté de Glebe Place, Cheyne Row et Cheyne Walk.

Méga arty
Saatchi Gallery (plan 8, C3)
Un espace gigantesque de 15 000m², d'un blanc immaculé. La galerie d'art contemporain du méga-collectionneur Charles Saatchi, ancien publicitaire, promeut le travail de jeunes talents comme d'artistes établis, mais qui ont rarement, voire jamais, exposé en Grande-Bretagne.
Duke of York's HQ, King's Road SW3 M° Sloane Square 📱 020 7823 2363 www.saatchigallery. com 🕐 Tlj. 10h-18h

Saatchi Gallery

Un jardin botanique et historique
Chelsea Physic Garden ⚑ (plan 8, C3)

Le plus vieux jardin botanique d'Angleterre (1673), après celui d'Oxford, s'étend sur 1,6ha au bord de la Tamise et recèle plus de 5 000 spécimens végétaux originaires des cinq continents. C'est là notamment que furent élevés les premiers plants de coton provenant des mers du Sud, qui partirent pour la Georgie en 1732. Dans ses allées et ses serres, qui lit couramment l'anglais pourra s'initier aux vertus curatives de la coriandre, stimulantes du qat, dépuratives du frangipanier... Le plus ? Un café où marquer une douce pause, cf. Tangerine Dream Café (p.220).

66 Royal Hospital Road M° Sloane Square ☎ 020 7352 5646 www.chelseaphysicgarden.co.uk 🕐 Avr.-oct. : mar.-ven. et dim. 11h-18h ; nov.-mars : lun.-ven. 11h-17h tlj. lors du Chelsea Flower Show € 10,50£

COULEUR LOCALE

Vivienne Westwood, celle qui osa dire aux Sex Pistols d'aller se rhabiller – à la mode qu'elle venait d'inventer *of course* – a toujours sa boutique historique, World's End, sur King's Road... Quand on est fan, ce n'est pas le bout du monde !

Une belle rue pour *beautiful people*
Cheyne Walk ⚑ (plan 8, B4-C4)

Cette promenade ombragée qui longe la Tamise passe pour l'une des plus belles rues de Londres. Ses demeures les plus remarquables sont assurément les réalisations georgiennes des numéros 3-6, 15 et 16 (vers 1720), la *terrace* des 19-26 (vers 1760), et les numéros 7-12, bâtis dans les années 1880. À voir également, les numéros 38 et 39, de style Arts & Crafts (1904), et Lindsey House aux 95-100 – une maison de maître du 17e s. Keith Richards a habité au n°3 et Mick Jagger au n°48.

Cheyne Walk M° Sloane Square

Temps suspendu
Cheyne Row ⚑ (plan 8, B3)

Les numéros 26 et 34 de Cheyne Row n'ont guère changé depuis le début du 18e s. L'essayiste et historien écossais Thomas Carlyle (1795-1881) vécut de 1834 à sa mort au n°24, et sa maison laissée en l'état est devenue un **musée**.

Cheyne Row M° Sloane Square

● BATTERSEA

En face de Chelsea, de l'autre côté de la Tamise, à Battersea, Londres entame depuis 2008 le plus grand chantier urbain de son histoire (195ha) et l'un des plus importants d'Europe. Il s'articule autour de la réhabilitation de l'iconique Battersea Power Station, la centrale électrique illustrant la pochette de l'album *Animals* des Pink Floyd. Le plus grand bâtiment en brique d'Europe, conçu par Giles Gilbert Scott, déjà auteur de la Tate Modern, mêlera bureaux, commerces,

Hyde Park

cinémas et appartements, dont de luxueux *penthouses* avec vue sur l'eau. Des "starchitectes", tels Frank Gehry et Norman Foster, ont été mis à contribution pour encadrer le site de plusieurs tours avec en point d'orgue, reliant deux gratte-ciel, la première piscine suspendue du monde !

À FAIRE

Profitez de la nature au cœur de Londres
Hyde Park ★ ⚑ (plan 8, C1)

Le plus vaste (142ha) et le plus populaire des parcs londoniens. Le secret de son succès ? Une situation centrale, plus de 4 000 arbres, des pelouses et un lac immenses, un parcours d'équitation et diverses installations sportives, pas moins de trois cafés et plusieurs buvettes... Dès que le soleil pointe, tout le monde s'y presse – familles, joggeurs, boulistes, amateurs de foot ou de

> **BON À SAVOIR**
> Aux beaux jours, dans Hyde Park, le Serpentine Lido fait la joie des baigneurs avec sa jolie *pool house*, ses cabines et son solarium. C'est ici qu'a lieu le fameux bain glacé de Noël !
> (plan 8, B1) 📱 020 7706 3422 www.serpentinelido.com 🕐 Mai : w.-e. 10h-18h ; juin-août : tlj. 10h-18h

pique-nique –, on déplie les transats... Pour les marcheurs, la promenade de St. James's Park à Kensington Gardens est un must : 4km au vert en plein cœur de Londres !

Visite et activités Ouvert au public en 1637, le parc est doté dès 1690 de la première voie publique éclairée du royaume : la longue avenue cavalière appelée aujourd'hui Rotten Row. Au 19e s., il accueille les grandes célébrations nationales et la première Exposition universelle en 1851. Le 6 juillet 2004, la reine inaugure, dans le sud-ouest, la Diana, Princess of Wales Memorial Fountain, un vaste anneau de granit imaginé par Gustafson Porter et dans lequel une eau pure cascade et chante comme une rivière. Serpentine Road, la large allée qui traverse le parc d'est en ouest, mène au lac **Serpentine** en passant devant le hangar où l'on peut louer barques et pédalos aux beaux jours. De l'autre côté du plan d'eau, le **Lido** accueille les baigneurs l'été mais aussi à Noël (p.219) ! Les autres installations sportives sont regroupées dans le sud du parc, à proximité de Rotten Row, où l'on a des chances de croiser les Horses Guards le matin. Il vous faudra traverser tout Hyde Park pour rejoindre le **Speakers' Corner**, son site le plus célèbre. Pour **réserver un transat**, cf. (p.210).

M° Hyde Park Corner, Knightsbridge, Lancaster Gate ou Marble Arch ☎ 030 0061 2000 www. royalparks.org.uk ⏱ Tlj. 5h-0h

NOS ADRESSES

 PAUSES

Douceurs glacées
Oddono's

Pour d'incomparables *gelati* maison aux parfums sélectionnés avec grand soin : pistaches de Sicile, noisettes du Piémont, vanille de Madagascar, etc.

SOUTH KENSINGTON (plan 8, B2 n°1) 14 Bute St ☎ 020 7052 0732 www.oddonos.com ⏱ Dim.-jeu. 9h30-23h, ven.-sam. 9h30-0h

Pause fleurie
Tangerine Dream Café

Profitez de votre entrée au Chelsea Physic Garden pour savourer, après une balade dans ses allées fleuries, des scones à la lavande. Buffet chaud et froid, cakes... Plat 13,50£.

CHELSEA (plan 8, C3 n°2) 66 Royal Hospital Road ☎ 020 7349 6464 tangerinedream. uk.com ⏱ Avr.-oct. : dim.-ven. 11h-18h

Néorustique
The Orange Public House & Hotel

Rénové dans des tons de beige, lumineux, spacieux, ce *gastropub*

Tangerine Dream Café

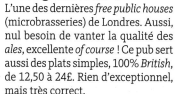
néorustique tout en bois clair est l'une des meilleures adresses de Chelsea (et des plus décontractées) pour boire une *real ale* (3,90£) en terrasse ou se restaurer de poulet rôti (nourri au maïs), ou encore d'un ragoût de porc élevé en plein air (plats à partir de 10£).

CHELSEA (plan 8, C3 n°3) 37 Pimlico Road, M° Sloane Square ou Victoria ☎020 7881 9844 http://theorange.co.uk ⏲ Lun.-jeu. 8h-23h30, ven.-sam. 8h-0h, dim. 8h-22h30 Petit déj. 8h-11h, repas 12h-22h30 sans interruption (jusqu'à 21h30 dim.)

Microbrasserie
The Anglesea Arms ♥

L'une des dernières *free public houses* (microbrasseries) de Londres. Aussi, nul besoin de vanter la qualité des *ales*, excellente *of course* ! Ce pub sert aussi des plats simples, 100% *British*, de 12,50 à 24£. Rien d'exceptionnel, mais très correct.

SOUTH KENSINGTON (plan 8, B3 n°4) 15 Selwood Terrace M° South Kensington ☎020 7373 7960 www.angleseaarms.com ⏲ Service lun.-ven. 12h-15h et 18h-22h, sam. 12h-22h et dim. 12h-21h30

 RESTAURANTS

Difficile de dîner bon marché dans les quartiers mondains. À midi, néanmoins, les *set lunch menus* adoucissent la note.

Quatre en un
Fifth Floor ££

Après avoir écumé les rayons parfumerie et mode de Harvey Nichols, les *shopping addicts* reprennent des forces au café-brasserie au **Café and Terrace**, avec panorama sur les toits du quartier, ou dans l'un des trois restaurants du 5e étage : le japonais **Yo ! Shushi**, le très design **Wallpaper* Bar+Kitchen** pour un snack ou le très branché **Burger & Lobster**. La première option n'est pas la moins intéressante, tant au niveau des prix (plat 17-26£) que du choix : cabillaud grillé, linguine au saumon, poulet rôti... Quant au Burger & Lobster, il démocratise le homard (20£). Coordonnées des restaurants sur le site Internet.

KNIGHTSBRIDGE (plan 8, C1 n°10) 109-125 Knightsbridge M° Knightsbridge ☎020 7823 1839 www.harveynichols.com ⏲ Café Ouvert lun.-sam. 8h-23h, dim. 11h-18h **Restaurants** Horaires variables

Cuisine anglaise soignée
Pig's Ear ♥££

L'archétype du *gastropub* de quartier, convivial et bruyant. Commandez au bar pour ne rien perdre de l'ambiance souvent festive ou montez au restaurant à l'étage pour plus de calme. Les plats changent quotidiennement, mais sont toujours bien ficelés, avec une inclination pour la cuisine traditionnelle anglaise : *sheperd's pie*, haddock poché, et pour les plus hardis, oreilles de porc grillées – l'enseigne de la maison. Plat 13,50-24£.

CHELSEA (plan 8, B3 n°11) 35 Old Church St M° Sloane Square Bus 11, 22, 45, 319, 345 ☎020 7352 2908 www.thepigsear.info ⏲ Lun.-ven. 12h-15h et 17h-22h, sam. 12h-22h, dim. 12h-21h Bar Tlj. 12h-23h (22h30 dim.)

Délices indiens
Amaya ♥£££

L'un des meilleurs restaurants indiens de Londres... et sans doute le plus glamour. Grande salle sous verrière, chaises en cuir, tables en bois de rose, statuettes en terre cuite et bar éclairé à la bougie... Le concept repose sur des grillades marinées que l'on peut picorer à plusieurs et faire suivre d'un *biryani* (plat de riz garni). Menus (poisson, *lunch*, découverte, végétarien) entre 22,50£ (déjeuner) et 80£, plat 15-43£. Rés. conseillée.

KNIGHTSBRIDGE (plan 8, C2 n°12) 15 Halkin Arcade, Motcomb St M° Knightsbridge ☎020 7823 1166 www.amaya.biz ⏲Lun.-sam. 12h30-14h15 et 18h30-23h30, dim. 12h45-14h45 et 18h30-22h30

Cadre Art déco
Bibendum Restaurant et Oyster Bar ♥£££

L'ancien siège londonien de Michelin, un détonnant bâtiment Art déco (1905-1911) réhabilité avec talent par le designer Terence Conran dans les années 1980. À l'étage, le restaurant propose une cuisine française de qualité avec des influences britanniques. Comptez 18-36£ le plat (menu à 33,50£ pour 3 plats le dim.). Réservation indispensable. Au rez-de-chaussée, l'Oyster Bar est une option plus décontractée pour un repas léger : huîtres, fruits de mer, terrines et salades.

SOUTH KENSINGTON (plan 8, C2 n°13) 81 Fulham Road M° South Kensington ☎020 7581 5817 (rest.) ou 020 7589 1480 (Oyster Bar) www.bibendum.co.uk ⏲Lun.-sam. 11h30-22h, dim. 12h-22h

Italien contemporain
Daphne's ♥£££

Pour sa délicieuse cuisine, ses produits de saison, son cadre évocateur avec murs ocre-rose et oliviers en pot. Que ce soit dans la première pièce, souvent bondée et bruyante, ou sous la verrière de l'arrière-salle plus paisible, vous vous régalerez d'un risotto aux morilles ou d'une côtelette de veau à la milanaise. Formules à midi en sem. 21-25£, à la carte, comptez 25-40£.

Harrods

(plan 8, C2 n°14) 112 Draycott Ave M° Sloane Square ☎ 020 7589 4257 www.daphnes-restaurant.co.uk ⏰ Lun.-sam. 12h-23h30, dim. 12h-22h30

L'Inde revisitée
Vineet Bhatia London £££

Seule une enseigne discrète indique que la maison est l'un des restaurants indiens les plus recommandés du royaume. Vineet Bhatia, l'un des chefs les plus distingués de Londres, a su revisiter la tradition avec brio.

Le cadre est élégant et intime, et la carte souvent renouvelée et inventive : saumon fumé façon tandoori, homard grillé au gingembre et au piment, coquilles Saint-Jacques, samoussa au marbré de chocolat… 5 menus (de 24 à 66£) selon l'heure. Rés. recommandée.

CHELSEA (plan 8, C3 n°15) 10 Lincoln St M° Sloane Square ☎ 020 7225 1881 www.vineetbhatia.london ⏰ Lun.-ven. 12h-14h30 et 18h-23h, sam. 18h-23h, dim. 12h-14h30 et 18h-22h

 # SHOPPING

Le chic et le haut de gamme donnent le la avec en points d'orgue la très exclusive Beauchamp Place et l'ultratouristique Harrods. Chelsea, quartier d'artistes à la fois snob et avant-gardiste reste une destination agréable pour tous les budgets. Jouets, déco, concept-stores, beauté, chacun peut y trouver son bonheur.

Orgie de luxe
Harrods

Personnel en livrée chargé de faire respecter un certain folklore (tenue correcte exigée, sac à dos devant être porté à la main…), décor outrageusement clinquant, touristes en cohortes… Jamais un grand magasin n'aura atteint une telle renommée mondiale au point de devenir monument ! L'apothéose de la visite reste l'extravagant Food Hall, pour son orgie de mets présentés dans un cadre baroque. Ferez-vous partie de ses 40 000 visiteurs quotidiens ?

KNIGHTSBRIDGE (plan 8, C2 n°20) 87-135 Brompton Road M° Knightsbridge ☎ 020 7730 1234 www.harrods.com ⏰ Lun.-sam. 10h-21h, dim. 11h30-18h

Un classique depuis 1880
Harvey Nichols

Tout en restant très sage, "Harvey Nicks" se veut plus jeune et plus tendance que son opulent voisin Harrods. Sur sept niveaux, cet établissement haut de gamme fait rimer style et élégance avec les grands noms de la mode internationale et autres créateurs établis ou en devenir. Mention spéciale à l'affriolante épicerie fine du 5e étage.

KNIGHTSBRIDGE (plan 8, C1 n°21) 109-125 Knightsbridge M° Knightsbridge ☎ 020 7235 5000 www.harveynichols.com ⏰ Lun.-sam. 10h-20h, dim. 11h30-18h

Le temple absolu du jean
Donna Ida ♥

On y trouve toutes les coupes, toutes les teintes, toutes les tailles et un choix pléthorique de marques, notamment Current/Elliott, J Brand, la londonienne Frame Denim… Vous pouvez venir avec votre pièce préférée pour lui donner une seconde jeunesse ou faire retoucher à votre nouvel achat (rendez-vous sur Internet). Autre excellente idée : la *Maternity Tailoring*, pour que votre seconde peau reste fidèle même le temps d'une grossesse.

CHELSEA (plan 8, C2 n°22) 106 Draycott Ave M° South Kensington ☎ 020 7225 3816 www. donnaida.com ⏱ Lun.-sam. 10h-19h, dim. 12h-18h

Best of de l'art de vivre
Conran Shop

Un très beau bâtiment Art déco, l'ancien siège londonien de la société Michelin, voilà le lieu atypique qu'a choisi Terence Conran en 1987 pour installer son vaisseau amiral. Derrière la façade carrelée dominée par le célèbre Bibendum, un café et un bar à huîtres, cf. Bibendum Restaurant et Oyster Bar (p.222), cachent l'entrée du vaste magasin consacré à la maison. On y retrouve tout l'univers du maître, ses créations et celles d'autres designers, meubles et petits objets.

CHELSEA (plan 8, C2 n°23) Michelin House 81 Fulham Road M° South Kensington ☎ 020 7589 7401 www.conranshop.co.uk ⏱ Lun.-mar. et ven. 10h-18h, mer.-jeu. 10h-19h, sam. 10h-18h30, dim. 12h-18h

Conran Shop

Bohème chic
Anthropologie ♥

Un immense entrepôt transformé en un *concept store* lumineux et chaleureux où l'on aime flâner comme à la maison, en oubliant l'heure et l'agitation de King's Road. Ici pas de rayons, mais de grandes tables en bois, des armoires, des tiroirs d'apothicaire et même des lits qui mettent en valeur une jolie sélection mode et accessoires, ainsi que des articles pour la maison.

CHELSEA (plan 8, C3 n°24) 131-141 King's Road M° South Kensington ou Sloane Square ☎ 020 7349 3110 www.anthropologie.com ⏱ Lun.-sam. 10h-19h, dim. 11h30-18h

Laboratoire de tendances
The Shop at Bluebird

Dans l'ancien garage automobile Bluebird, un loft carrelé de blanc, dont la déco ultradesign change au fil des saisons. Vêtements, bijoux et accessoires de créateurs pointus pour hommes, femmes et enfants, et même du mobilier.

CHELSEA (plan 8, B3 n°25) 350 King's Road M° Sloane Square ☎ 020 7351 3873 www. theshopatbluebird.com ⏱ Lun.-sam. 10h-19h, dim. 12h-17h

Fleurs, étoiles, fraises ou pois
Cath Kidston

Imprimés acidulés rétro sur une multitude de matières (tissu, papier peint, toile cirée) et d'objets (vaisselle, accessoires, vêtements…). Bavoir bleu semé de roses (7£), mug à fleurs multicolores (8£), sac en toile cirée vert constellé d'étoiles (22£), parapluie (26£-42£), ou panier à pique-nique avec ses accessoires.

CHELSEA (plan 8, C3 n°26) 27 King's Road M° Sloane Square ☎ 020 7259 9847 www. cathkidston.com ⏱ Lun.-sam. 10h-19h, dim. 11h-17h

The Shop at Bluebird

Cachemire et couleurs
Brora ♥

"Une grande histoire de couleurs", explique Victoria Stapleton, la fondatrice de cette marque de cachemire écossais qui a déclaré la guerre au noir et au classicisme. Royal ! Cardigans courts à boutons de nacre : 195£.

CHELSEA (plan 8, B3 n°27) 344 King's Road M° Sloane Square ☎020 7352 3697 www. brora.co.uk ⏰Lun.-sam. 10h-18h, dim. 12h-17h

 SORTIES

Langueur coloniale
Bar 190

Ce bar du très distingué hôtel Gore a de faux airs de vieux manoir : panneaux de bois sombre, plafond ouvragé, chandeliers sur les tables et gros canapé en cuir. Pittoresque et rassurant. Le préposé aux cocktails, barricadé derrière son immense bar en acajou, connaît son affaire (y compris dans les recettes sans alcool). Un peu de musique lounge sur tout ça, et vous voilà relaxé en un rien de temps. Cocktail à partir de 10,50£.

SOUTH KENSINGTON (plan 8, B2 n°31) Gore Hotel, 190 Queen's Gate M° South Kensington ☎020 7584 6601 www.gorehotel.com ⏰Tlj. 12h-1h, dim. 12h-22h30

Concerts, opéras
Royal Albert Hall

À l'intérieur de cette monumentale rotonde, l'immense amphithéâtre à l'italienne accueille tous les ans les célèbres Proms (Promenade-Concerts) de la BBC. Concerts, opéras et autres spectacles de grande envergure y sont produits. Places de 17 à 95£.

SOUTH KENSINGTON (plan 8, B2 n°30) Kensington Gore M° South Kensington Bus 9, 10, 52, 70 ☎020 7589 8212 (Box Office) www. royalalberthall.com ⏰Billets vendus sur place tlj. 9h-21h (sans majoration) et sur le site (avec majoration de 3,75£)

KENSINGTON-NOTTING HILL

Entre les pentes douces de Holland Park, l'un des plus plaisants de tous, et celles de South Kensington, Kensington a tout d'un village opulent, avec ses sublimes maisons bourgeoises, parfois extravagantes, du 19ᵉ s. Quant aux villas restaurées et aux jardins de Ladbroke Estate qu'occupent politiciens, artistes et stars des médias, ils ont fait de Notting Hill l'un des quartiers les plus *fashionable* de la capitale.

ACCÈS

• Stations High Street Kensington pour Kensington High Street, et Notting Hill pour Portobello Road

● KENSINGTON

Somptueux appartements
Kensington Palace (plan 8, A1)

Souhaitant s'éloigner de la Tamise pour soulager son asthme, Guillaume III achète Nottingham House en 1689. Si St. James's Palace est le siège officiel de la monarchie, Kensington reste la demeure favorite des Hanovre jusqu'à l'installation de George III au palais de Buckingham en 1760. Kensington House devient alors la résidence des princes sous le nom de Kensington Palace. Victoria y habite de sa naissance à son accession au trône (1819-1839) et Diana, princesse de Galles, de son mariage à sa mort (1981-1997). Plusieurs membres de la famille royale y ont leurs logements et bureaux.

Kensington Gardens M° High Street Kensington, Queensway ou Lancaster Gate Kensington Gardens ☎ 084 4482 7777 www.hrp.org.uk/kensingtonpalace ⏰ Mars-oct. : tlj. 10h-18h ; nov.-fév. : tlj. 10h-17h (dernière entrée 1h avant la fermeture) € Entrée 16,50£

Rien n'y manque
Linley Sambourne House (18 Stafford Terrace) (plan 8, A2)

Inchangée depuis le début du 20ᵉ s., la maison habitée par le caricaturiste Edward Linley Sambourne (1844-1910) et les siens à partir de 1874 offre un instantané d'intérieur bourgeois *in* de la fin de l'ère victorienne… Dans les pièces surchargées, rien ne manque, ni les papiers peints par William Morris, ni les meubles et bibelots chinois ou japonais, ni les vitraux, dessinés par Sambourne pour certains, ni les souvenirs de famille… A priori, on pouvait craindre la visite guidée en costume d'époque du samedi, mais l'humour *British* fait le nécessaire ! Voir aussi (p.212).

18 Stafford Terrace M° High Street Kensington ☎ 020 7938 1295 www.rbkc.gov.uk/linleysambournehouse ⏰ Mi-sept.-mi-juin : mer. et sam.-dim. 11h (visite guidée de 1h15), 14h-17h30 (visite libre) € 7£

Un siècle de design
The Design Museum (plan 8, A2)

Vitrine du design contemporain et de l'architecture, le musée occupe le bâtiment moderniste de l'ancien Commonwealth Institute depuis 2016. À

À NE PAS MANQUER

- Kensington Palace
- Linley Sambourne House (18 Stafford Terrace)
- Notting Hill
- Portobello Road
- Kensington Gardens
- Holland Park

Portobello Road, Notting Hill

découvrir au fil de ses 10 000 m² : un fonds de quelque 3 000 objets, des ustensiles domestiques au mobilier urbain, en passant par la mode et le graphisme, des années 1900 aux dernières tendances, au gré d'une exposition permanente et d'autres temporaires. Un auditorium, un café, un restaurant et deux boutiques compléteront la visite.

224-238 Kensington High St M° High Street Kensington 📱 020 3862 5900 https:// designmuseum.org ⏱ Tlj. 10h-18h € 14£ env.

⬤ NOTTING HILL ★ 👍

Devenu un repaire huppé, Notting Hill a su garder une âme fantaisiste autour de Portobello Road, dans ses petites rues animées et pleines de charme et foisonnant de devantures prometteuses. Une atmosphère idéale pour flâner.

Villas pastel
Portobello Road 👍 (plan 9, A2-A3)

Cette rue possède les boutiques et les restaurants les plus branchés de Notting Hill. Passé Notting Hill Gate, vous pénétrez dans un univers bigarré et bobo, dans ce Londres décalé si souvent fantasmé : bouquiniste écoutant de la musique punk à plein volume, vendeur de fripes hors de prix et pâtisseries présentées dans une Austin Mini transformée en vitrine réfrigérée... C'est un fait, sur Portobello Road, l'ambiance est légère ! Et ses villas pastel (George Orwell vécut au n°22) ajoutent à sa poésie. *Last but not least*, le week-end, la rue accueille l'un des **marchés aux puces** les plus fameux de la capitale (p.233).

Portobello Road M° Ladbroke Grove

COUPS DE FOLIE À NOTTING HILL

Une déferlante de plumes chatoyantes, une débauche de sequins étincelants, une fièvre digne de Rio, et le rythme de sambas endiablées et de socas chaloupées... Ainsi va le carnaval de Notting Hill, qui se tient chaque année durant trois jours fin août (du samedi au dernier lundi du mois, jour férié en Grande-Bretagne), et attire quelque 2 millions de curieux. La parade finale en constitue le temps fort, où toute la foule tressaute à l'unisson de *sound systems* assourdissants. La manifestation, créée en 1965 par l'importante communauté afro-antillaise du quartier, est aujourd'hui devenue une fête pour toute la ville qui troque alors, une fois n'est pas coutume, la bière pour le rhum ! Attention, les hôtels sont pris d'assaut...

Carnaval de Notting Hill

À FAIRE

Emmenez les petits au jardin de Peter Pan
Kensington Gardens ☙ (plan 8, A1-B1)

Dans le prolongement occidental de Hyde Park (p.219), ce parc (111ha) était destiné aux jeunes reines jardinières. Inspirée du thème de *Peter Pan*, dont la statue (1912) s'élève à proximité de la Long Water, voilà une merveilleuse aire de jeux, dédiée à Lady Diana. **Diana, Princess of Wales' Memorial Playground** attend les moins de 12 ans qui viennent se lancer à l'abordage de son bateau pirate, camper dans son tipi, se balancer dans un panier, escalader un totem... La **Serpentine Gallery** accueille d'excellentes expositions d'art contemporain.

☎ 030 0061 2172 (Gardens) www.royalparks.org.uk/parks/kensington-gardens ⏲ Gardens Ouvert tlj. 6h-coucher du soleil Palais Mars-oct. : tlj. 10h-18h ; nov.-fév. : tlj. 10h-16h Jardin Tlj. 6h-coucher du soleil

Offrez-vous un coup de foudre
Holland Park ☙ (plan 8, A1-A2)

Le plus romantique des parcs londoniens. Vallonné et très fleuri, il abrite des jardins créatifs, des mares à canards, de vastes pelouses, une roseraie et de petits bosquets peuplés de paons, d'émeus d'Australie et d'écureuils. En son cœur se dressent les ruines d'un manoir, Holland House (1607), dévasté par les bombes en 1941. De juin à août, la première cour accueille un festival d'opéra. Les parties ouest et sud prêtent leur cadre à des aires de jeux et des infrastructures sportives (courts de tennis, terrains de football et de cricket).

M° Holland Park Bus 9, 10, 27, 28, 31, 49 et C1 (arrêt Commonwealth Institute) ☎ 020 7602 2226 ⏲ Tlj. 7h30-coucher du soleil

NOS ADRESSES

 PAUSES

Goûter de princesse
Kensington Palace Orangery

Jouez les princes et les princesses dans la lumineuse orangerie (1704) du palais de Kensington construite pour la reine Anne, et profitez de ce cadre parfait pour un thé, une pâtisserie ou un *lunch* entre 12h et 14h (20-23£ env.). *Afternoon tea* servi entre 12h et 18h, 27,50£ (avec une coupe de champagne 37,50£). Belle terrasse en été.

(plan 9, B4 n°2) Kensington Palace, Kensington Gardens M° High Street Kensington ou Bayswater ☎ 020 3166 6113 www.orangerykensingtonpalace.co.uk ⏲ Mars-oct. : tlj. 10h-18h ; nov.-fév. : tlj. 10h-17h

Douceurs méditerranéennes
Ottolenghi

Une excellente pâtisserie-café. Macarons, croissants, meringues, tartes au citron, brownies et autres délices concoctés dans les règles de l'art, mais aussi des soupes, salades

Ottolenghi

et petits plats d'inspiration méditerranéenne, tous d'une exquise fraîcheur. *Lunch menus* 11,50-21,75£.

(plan 9, A2 n°1) 63 Ledbury Road M° Westbourne Park ☎020 7727 1121 www. ottolenghi.co.uk ⏱Lun.-ven. 8h-20h, sam. 8h-19h, 8h30-18h

Friandises colorées
Hummingbird Bakery

Pour des gâteaux aux *toppings* arc-en-ciel et des cupcakes colorés !

(plan 9, A3 n°3) 133 Portobello Road ☎020 7851 1795 https://hummingbirdbakery. com ⏱Lun.-ven. 10h-18h, sam. 9h-18h30, dim. 11h-17h30

Cheminée ou tonnelle fleurie ?
Windsor Castle ♥

Tout est beau dans ce pub. Même le trajet par la jolie Peel Street. L'extérieur dévoré par le lierre donne envie d'y entrer et l'intérieur cloisonné façon frégate tout en chêne massif, envie d'y rester. Si la cheminée fait regretter les jours de grand froid, le jardin, avec son immense platane et sa tonnelle fleurie, appelle le retour rapide du printemps. Un lieu select, que fréquentent des quadras très comme il faut, mais où la bière n'est pas chère. L'inconvénient ? Ça ferme trop tôt.

(plan 9, B4 n°4) 114 Camden Hill Road M° Notting Hill Gate ☎020 7243 8797 www. thewindsorcastlekensington.co.uk ⏱Lun.-sam. 12h-23h, dim. 12h-22h30

Pour sa superbe terrasse
The Cow

Ce *gastropub* détenu par le fils de Terence Conran vaut le coup pour sa superbe terrasse donnant sur une rue calme et la possibilité d'accompagner sa pinte de Guinness d'une demi-douzaine d'huîtres anglaises. Bémols : un personnel pas toujours très aimable et une faune très m'as-tu-vu.

(plan 9, B2 n°5) 89 Westbourne Park Road M° Westbourne Park ☎020 7221 0021 www. thecowlondon.co.uk ⏱Bar Ouvert lun.-jeu. 12h-23h, ven.-sam. 12h-0h, dim. 12h-22h30

 # RESTAURANTS

Les restaurants de Kensington attirent une foule de *business people* aisés, de *shopping addicts* et, proximité des grands musées oblige (V&A...), beaucoup de touristes. Du côté de Notting Hill, les établissements les plus attrayants se trouvent au nord de Notting Hill Gate.

Cuisine thaïe au pub
Churchill Arms Thai Kitchen ♥£

Aussi insolite qu'irrésistible, cette "cuisine thaïe" se cache au fond d'un authentique pub qui croule sous la végétation. Le soir, difficile d'y trouver une table mais on patiente (15-20min) le temps d'une *ale* dans une ambiance franchement sympathique, tout en choisissant son repas parmi les currys plus ou moins épicés et les copieux plats de riz ou de nouilles. Rien de très élaboré et pas de quoi se ruiner : tout est à 8,50£.

KENSINGTON (plan 9, B4 n°10) 119 Kensington Church St M° Notting Hill Gate ou High Street Kensington 📞020 7792 1246 www.churchillarmskensington.co.uk ⏰Lun.-mer. 11h-23h, jeu.-sam. 11h-0h, dim. 12h-22h30 Service tlj. 12h-22h (21h30 le dim.)

Diner branché
Electric Diner ££

La brasserie branchée de l'Electric Cinema sur Portobello Road. Clientèle aussi cosmopolite que le quartier : quinquas dans le vent, jeunes bobos et Jamaïcains du coin. L'endroit ne désemplit pas, le service file et le volume des conversations rivalise avec celui de la sono ! Préférez le bar au restaurant et ses plats simples (sandwichs, steak frites, 7-22£ le plat). Réservation conseillée.

NOTTING HILL (plan 9, A2 n°11) 191 Portobello Road M° Ladbroke Grove 📞020 7908 9696 www.electricdiner.com ⏰Lun.-mer. 8h-0h, jeu.-sam. 8h-1h, dim. 8h-23h

Produits de la ferme
Daylesford Organic Café ££

Une épicerie de produits (bio) de la ferme où l'on peut s'attabler pour une restauration légère : soupes, salades, pain frais, cheddar, puddings... Belle terrasse où profiter du soleil aux beaux jours.

NOTTING HILL (plan 9, A3 n°12) 208-212 Westbourne Grove 📞020 7313 8050 http://daylesford.com/locations/notting-hill ⏰Lun. 8h-19h, mar.-sam. 8h-21h30, dim. 10h-16h

 # SHOPPING

Fripes de luxe
Rellik

La friperie la plus fashion de Londres, fondée par trois anciens du marché de Portobello Road (p.212). Vêtements et accessoires de griffes britanniques (Ossie Clark, Jean Muir et surtout Vivienne Westwood) et étrangères (Alaïa, Dior, Saint Laurent), toujours en excellent état. Attention, petit détour nécessaire, la boutique est excentrée et il faut sonner pour entrer, mais avec la garantie de tomber sur des trésors des années

UN TOUR AU MARCHÉ
Profitez-en : Notting Hill Farmers' Market est l'un des plus grands marchés de producteurs de la capitale. Fruits et légumes de saison, laitages, œufs, viande, pain, pâtisseries, miel, confitures... de qualité !
NOTTING HILL (plan 9, B4 n°20) Kensington Church St (sur le parking derrière le magasin Waterstones, accès par Kensington Church St puis Kensington Pl.) M° Notting Hill Gate
🕐 Sam. 9h-13h

1920 à 1980. Des pièces rares de 30 à 3 000£.

NOTTING HILL (plan 9, A1 n°22) 8 Golborne Road (1ʳᵉ à droite sur Ladbroke Grove, après Oxford Gardens) M° Westbourne Park
☎ 020 8962 0089 http://relliklondon.co.uk
🕐 Mar.-sam. 10h-18h

Simplement culte
Rough Trade ♥
Disquaire le plus mythique de Londres depuis sa création en 1976, Rough Trade a obtenu ses lettres de noblesse en se spécialisant dans le punk et la new wave. Immanquable pour tout fan de musique indé (rock, pop, hard-core, post-rock...), la boutique au célèbre logo noir et blanc reste une référence et un passage obligé, même si l'enseigne a

Rough Trade

désormais son *flagship* dans l'East End (p.166)... Culte, simplement.

NOTTING HILL (plan 9, A2 n°21) 130 Talbot Road M° Ladbroke Grove ou Westbourne Park ☎ 020 7229 8541 www.roughtrade.com
🕐 Lun.-sam. 10h-18h30, dim. 11h-17h

La passion du groove
Honest Jon's
En 2002, Damon Albarn, leader de Blur et de Gorillaz, s'est associé à ce disquaire spécialisé depuis 1974 dans les musiques noires pour créer le label éponyme. On y trouve donc toutes les collaborations maisons "Honest Jon's" (Mali Music, Candi Staton, Tony Allen...). On y vient aussi pour la sélection reggae, dub, ska, soul, funk, R'n'B, hip-hop, jazz, world et folk, le tout à apprécier dans un cadre coloré à deux pas de Portobello Green.

NOTTING HILL (plan 9, A2 n°23) 278 Portobello Road M° Ladbroke Grove
☎ 020 8969 9822 http://honestjons.com
🕐 Lun.-sam. 10h-18h, dim. 11h-17h

Mode homme
Paul Smith ♥
L'élégance *British* teintée de fantaisie. Impossible d'aller à Londres sans découvrir l'empire chic du facétieux Sir Paul Smith, qui a su décliner sa créativité dans dix boutiques à la déco toujours étonnante. Son ancien *flagship* (le nouveau se trouve à Mayfair) occupe une demeure victorienne cossue entourée d'un jardin,

qui se visite comme un musée. Paire de richelieux env. 255£, chaussettes rayées 17£.

NOTTING HILL (plan 9, A3 n°24) Westbourne House, 122 Kensington Park Road M° Notting Hill Gate 📱020 7229 8982 www.paulsmith. co.uk ⏰ Lun.-ven. 10h-18h, sam. 10h-18h30, dim. 12h-17h

THE puces !
Portobello Road Market
Meubles, argenterie et bibelots anciens et modernes, timbres, vêtements vintage ou neufs à petits prix, bijoux, montres… le marché le plus célèbre de Londres est la principale attraction touristique de Notting Hill. En partant du haut de la rue à l'angle de Clepton Villa, on voit se succéder, comme les panneaux l'indiquent et dans un ordre immuable : *antiques, new goods, fruits & vegs* et *flea market*. S'il y a du monde en permanence, la foule des visiteurs double, voire triple le week-end. Préférez tout de même le matin, un peu moins bondé,

cf. (p.210). La rue vit également au rythme des antiquaires et brocanteurs qui la bordent. À découvrir au n°84 la charmante boutique de **Chloé Alberry**, spécialiste des poignées de porte, boutons de placard et miroirs.

NOTTING HILL (plan 9, A3 n°25) Portobello Road / Golborne Road M° Ladbroke Grove, Nothing Hill Gate ou Westbourne Park 📱portobelloroad.co.uk ⏰ Lun.-mer. 9h-18h, jeu. 9h-13h, ven.-sam. 9h-19h

Jeunes créateurs
Portobello Green
Le vendredi et le samedi, de jeunes créateurs de vêtements et d'accessoires s'installent sous le Westway et se mêlent aux vendeurs de fripes et de babioles. La balade promet de bonnes affaires. **Portobello Arcade**, un passage couvert garni d'une enfilade d'échoppes, mérite qu'on s'y attarde.

NOTTING HILL (plan 9, A2 n°26) 281 Portobello Road (sous la rocade) M° Ladbroke Grove ou Westbourne Park

---

🍸 SORTIES

Coup de foudre à l'Electric
Electric Cinema
Le cinéma mythique de Notting Hill occupe un vieux théâtre (1901). Au programme, surtout des films d'art et essai et, pour mieux les apprécier, de grands fauteuils en cuir avec repose-pieds individuels et tables basses où poser le cocktail, la flûte de champagne ou la bière et les amuse-gueules achetés au bar avant la séance. Pour réserver les sofas du fond (gigantesques, moelleux, totalement décadents), appeler le vendredi pour les deux semaines suivantes. Tickets 15,50-18£.

NOTTING HILL (plan 9, A3 n°30) 191 Portobello Road M° Ladbroke Grove 📱020 7908 9696 www.electriccinema.co.uk ⏰ Tlj.

Décontracté
Portobello Star
Ancien rendez-vous d'ouvriers, ce pub s'est embourgeoisé, comme le reste de Notting Hill, pour devenir une adresse à la fois jeune et conviviale. Grand choix de bières ainsi que de cocktails et ambiance décontractée.

NOTTING HILL (plan 9, A3 n°31) 171 Portobello Road M° Westbourne Park ou Notting Hill 📱020 3588 7800 http://portobellostarbar. co.uk ⏰ Dim.-jeu. 11h-23h30, ven.-sam. 11h-0h30

Moscow

Dublin 6° 15' W

Berlin 13°
Amsterdam
Greenwich 00°00' W
Greenwich
Paris 2° 20'

eal 73° 34' W
a 75° 43' W

87° 45' W
Rome 12° 30' E
Istanbul 28° 57
3° 50' W

° 43' W
Beijing 116° 25'
00' W

08' W
Athens 23° 44' E
Seoul 127° 00' E
Tokyo 139° 45' E
W
Tehran 51° 26' E

Des hauteurs bucoliques de Hampstead aux jardins botaniques de Kew, des anciennes zones portuaires des Docklands au décor parfait de Greenwich en poussant jusqu'aux châteaux royaux de Hampton Court et de Windsor, franchissez les limites du Grand Londres... puis transportez-vous d'un coup de baguette magique aux studios de Harry Potter !

Le Grand Londres

236 **Plan 10**
238 **Les incontournables**
240 **Nos conseils**
242 **Rendez-vous avec...**
244 **Le Grand Londres**

Ligne de passage du GMT à l'Old Royal Observatory de Greenwich

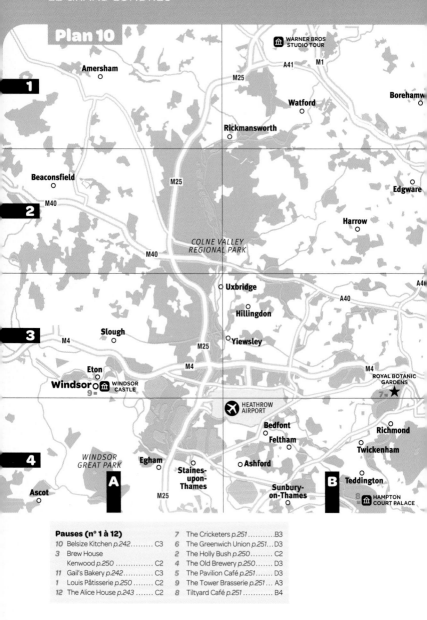

Plan 10

WARNER BROS
STUDIO TOUR

A41
M1
M25

Amersham

Borehamw

Watford

Rickmansworth

Beaconsfield

M25

Edgware

M40

COLNE VALLEY
REGIONAL PARK

Harrow

M40

Uxbridge
A4

A40

Hillingdon

Slough

Yiewsley

M4

M25

M4

Eton

M4

Windsor
WINDSOR
CASTLE

ROYAL BOTANIC
GARDENS

HEATHROW
AIRPORT

Bedfont
Richmond

Feltham

Twickenham

WINDSOR
GREAT PARK

Egham

Ashford

A

Staines-
upon-
Thames

B

Teddington

Ascot

M25

Sunbury-
on-Thames

HAMPTON
COURT PALACE

Pauses (n° 1 à 12)

10	Belsize Kitchen *p.242*	C3
3	Brew House Kenwood *p.250*	C2
11	Gail's Bakery *p.242*	C3
1	Louis Pâtisserie *p.250*	C2
12	The Alice House *p.243*	C2
7	The Cricketers *p.251*	B3
6	The Greenwich Union *p.251*	D3
2	The Holly Bush *p.250*	C2
4	The Old Brewery *p.250*	D3
5	The Pavilion Café *p.251*	D3
9	The Tower Brasserie *p.251*	A3
8	Tiltyard Café *p.251*	B4

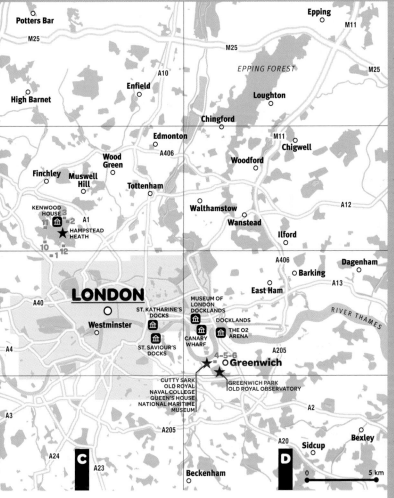

Potters Bar

M25

High Barnet

Enfield

Epping

M11

M25

EPPING FOREST

M25

A10

Loughton

Chingford

Edmonton

M11

Chigwell

Finchley

Wood Green

Muswell Hill

Tottenham

Woodford

KENWOOD HOUSE

A1

HAMPSTEAD HEATH

Walthamstow

Wanstead

Ilford

A12

A406

Dagenham

Barking

East Ham

A13

LONDON

A40

Westminster

MUSEUM OF LONDON DOCKLANDS

ST. KATHARINE'S DOCKS

DOCKLANDS

CANARY WHARF

THE O2 ARENA

RIVER THAMES

A4

ST. SAVIOUR'S DOCKS

A205

Greenwich

A3

CUTTY SARK
OLD ROYAL
NAVAL COLLEGE
QUEEN'S HOUSE
NATIONAL MARITIME
MUSEUM

GREENWICH PARK
OLD ROYAL OBSERVATORY

A2

A205

A20

Bexley

Sidcup

A24

A23

Beckenham

C

D

0   5 km

LES INCONTOURNABLES

★ **NATIONAL MARITIME MUSEUM** (p.247)
pour découvrir un prestigieux passé maritime.

★ **HAMPSTEAD HEATH** (p.244) pour sa lande sauvage et ses étangs.

★ **ROYAL BOTANIC GARDENS** (p.248) pour chaque saison.

★ **OLD ROYAL OBSERVATORY** (p.248) pour profiter du GMT qui passe.

NOS CONSEILS

Des suggestions pratiques et des petites astuces pour découvrir le Grand Londres sans fausse note.

Ralliez Greenwich en bateau

Rien de tel que de gagner en bateau un site dédié à la marine, en profitant d'une superbe traversée de la capitale au départ de Westminster ! Arrêts à Embankment, Waterloo, Bankside et Tower Pier, 30min de trajet, env. 14£ l'AR par les compagnies City Cruises (www.citycruises.com) et Thames River Services (www.thamesriver-services.co.uk).

Prenez le large

Pour de vraies sensations d'échappée belle, d'avril à octobre, les bateaux de la Thames River Boats font la navette entre Westminster, Kew, Richmond et Hampton Court (1 à 3 départs/j. en moyenne). Embarcadère à côté de Westminster Bridge, sur le quai opposé au palais. Le trajet dure environ 3h30, et 1h30 pour Kew (durées variables selon les marées). Env. 20-25£ l'AR.

📞 020 7930 2062 www.wpsa.co.uk

Survolez les Docklands en train aérien...

Idéale pour appréhender l'immense étendue des Docklands, la Docklands Light Railway (DLR) est une ligne ferroviaire aérienne entièrement automatisée, qui ménage de beaux points de vue sur les paysages de briques de Shadwell et de Limehouse avant d'atteindre Isle of Dogs, où les gratte-ciel de Canary Wharf font une apparition saisissante. À la place du conducteur, on a l'impression de traverser une ville miniature. Une bonne idée d'excursion en famille, cf. Transports en commun (p.281) !

🚇 tfl.gov.uk 🕐 Lun.-sam. 5h30-0h30, dim. 7h-23h30

... et la Tamise à bord d'une télécabine

Autre façon de survoler l'Est londonien et d'en admirer les docks, les télécabines de l'Emirates Air Line qui enjambent la Tamise de Greenwich aux Royal Docks, à 90m de hauteur. Mettez toutes les chances de votre côté et guettez un coucher du soleil par temps clair : dix minutes de bonheur vous attendent ! AS 4,40£ ; AR 10£.

North Greenwich 🚇 www.emiratesairline. co.uk 🕐 Avr.-sept. : tlj. 7h (8h sam., 9h dim.)-21h ; oct.-mars : tlj. 7h (8h sam., 9h dim.)-20h

Greenwich Foot Tunnel

DLR, la ligne aérienne des Docklands

☀ Ou marchez sous l'eau !

On peut aussi marcher sous l'eau pour franchir la Tamise entre les Docklands et Greenwich. Deux rotondes signalent les entrées du Greenwich Foot Tunnel, à Isle of Dogs et à Greenwich Pier. On s'enfonce sous terre par l'escalier ou l'ascenseur avant de parcourir le tunnel de 371m.

🕐 Tlj. 24h/24 Ouvert 24h/24 Ascenseurs lun.-sam. 7h-19h, dim. 10h-17h30 (en dehors de ces horaires, il vous faudra gravir ou descendre une centaine de marches à chaque extrémité)

☀ Profitez des Kew Gardens en famille

Avec ses 121ha de jardins à l'anglaise, de pelouses, de lacs et de perspectives pittoresques, Kew Gardens, cf. Royal Botanic Gardens (p.248), est une inépuisable encyclopédie de la nature. Un demi-hectare de serres reparti en dix régions climatiques possédant chacune leur faune et leur flore spécifiques, soit 30 000 variétés de plantes ! Emmenez les enfants voir l'enclos aux wallabies, l'aire de jeux éducatifs et les passerelles perchées dans les cimes des arbres. Une belle après-midi en famille en perspective...

☀ Louez un Boris Bike

Qu'il s'agisse de rouler doux au fil de la Tamise ou de se muscler le mollet en grimpant vers les hauteurs de Hampstead, le Grand Londres se prête à de belles échappées à bicyclette. Pour faire de la petite reine un autre moyen de découverte la capitale royale profitez des vélos en libre-service Santander (p.284), surnommés "Boris Bikes" en référence à Boris Johnson, maire de Londres à l'époque de leur apparition (en 2010). Transport urbain oblige, le port du casque est recommandé. *https://tfl.gov.uk/modes/cycling/santander-cycles*

RENDEZ-VOUS AVEC...

Journaliste, spécialiste de voyages et auteur de guides, Lauren Stevenson a été à l'origine du blog *The New Hampstonian* sur l'actualité de Hampstead, ce bucolique village du nord de Londres. Autant dire qu'elle connaît chaque recoin du quartier ! Elle vous en livre ses lieux préférés.

Mon brunch dominical

Belsize Kitchen

Ma cantine pour les brunchs du dimanche. Une jolie salle claire et cosy, une ambiance comme à la maison avec des grandes tables, un chef néo-zélandais charmant et surtout, une assiette d'œufs Bénédicte extraordinaire. Et des pancakes aériens ! En plus, mes amis végétariens ne tarissent pas d'éloges sur le *veggie brunch* (attention, il y a un œuf dedans).

(plan 10, C3 n°10) 68 Belsize Lane M° Belsize Park 📞 **020 7794 6957 www.belsizekitchen. co.uk**

Ma boulangerie

Gail's Bakery

J'ai comparé, et je peux le dire : les viennoiseries de chez Gail valent celles que vous avez en France. Oui ! Même leurs croissants ! Bien sûr, pour plus de dépaysement, venez au *tea time* goûter les spécialités plus locales comme le *lemon tin cake*, ultrafondant, ou la brioche à la vanille. Notez aussi une belle variété de pains au levain (*sourdough*) agrémentés d'ail, d'olive ou de noix, parfaits pour l'apéritif.

(plan 10, C3 n°11) 64 Hampstead High St 📞 **020 7794 5700 www.gailsbread.co.uk** 🕐 **Lun.-ven. 7h-20h, sam.-dim. 7h30-20h**

Mon pub

Magdala Pub

La fermeture brutale du Magy, pub mythique, en 2016, a causé une vive émotion dans le quartier. On attend que de nouveaux propriétaires veuillent bien le rouvrir en préservant la spécificité du lieu : les impacts des balles tirées par Ruth

---

ℹ ADRESSES

- **A** Belsize Kitchen
- **B** Gail's Bakery
- **C** Magdala Pub
- **D** The Holly Bush
- **E** Alice House

SI HAMPSTEAD ÉTAIT...

Une couleur Ce serait le vert, bien sûr, tant cet ancien village déborde de parcs et de jardins : Pergola and Hill Gardens, Hampstead Heath, Kenwood House... Une vraie cure de chlorophylle !

Hamstead Heath Ponds

Ellis contre son amant en 1955 ! La meurtrière fut la dernière femme pendue du pays. À ta santé, Ruth !
2A S Hill Park

Mon feu de cheminée
The Holly Bush

Le plus discret des pubs de Hampstead (p.250) niché sur un minuscule chemin de traverse du village. Peu de touristes s'aventurent à escalader les marches qui mènent à Holly Mount... Il fait pourtant bon y prendre un verre au calme, dans ce pub tout en bois au milieu de *Hampstonians* pur jus. La salle avec la cheminée s'avère vraiment idéale pour les soirs d'hiver.
(plan 10, C2 n°2) 22 Hollymount M° Hampstead ☎ 020 7435 2892 www. hollybushhampstead.co.uk ⏱ Lun.-sam. 12h-23h, dim. 12h-22h30

Mon bar à cocktails
The Alice House

Après une virée shopping sur West End Lane, je m'offre un cocktail chez Alice. Le Hip Lady au gin et à la pêche se montre traîtreusement rafraîchissant... À la terrasse un peu bruyante, je préfère l'intérieur plus tranquille et joliment décoré de briques nues et d'ampoules à filament. Il faut préciser que West Hampstead, contrairement à ce que laisse supposer son nom, constitue un quartier à part de Hampstead, son voisin plus chic.
(plan 10, C2 n°12) 283-285 West End Lane ☎ 020 7431 8818 www.thealicehouse.co.uk ⏱ Lun.-jeu. 9h30-23h30, ven.-sam. 9h30-1h, dim. 9h30-23h

---

ENVIE DE FLÂNER ?

Promenez-vous dans la partie nord de la "lande" de Hampstead Heath, bien plus sauvage et moins fréquentée. Vous trouverez tout pour votre pique-nique chez Hampstead Butcher & Providore.

Hampstead Butcher & Providore
56 Rosslyn Hill ☎ 020 7794 9210 www. hampsteadbutcher.com

LE GRAND LONDRES

La lande presque sauvage de Hampstead, le somptueux jardin botanique de Kew Gardens, les palais royaux de Hampton Court et de Windsor, les studios de Harry Potter... aisément accessibles à partir du centre de Londres, quelques buts d'excursion où conjuguer découverte culturelle et bain de verdure. Un plus : situés sur la rive sud de la Tamise, en amont de la capitale, Kew Gardens et Hampton Court peuvent faire l'objet d'une escapade d'une journée au fil de l'eau.

À VOIR

● HAMPSTEAD

🛈 ACCÈS ET INFOS

- Métro pour les Royal Botanic Gardens (station Kew Gardens) ; train pour Hampton Court Palace (à 35min de Waterloo Station) ; train pour le château de Windsor (à 35min de Waterloo Station)

Perché sur les hauteurs du nord de Londres, Hampstead a su résister aux attaques des promoteurs immobiliers et conserver le charme villageois et le bon air qui ne démentent pas sa réputation depuis le 17ᵉ s. Son calme, ses abords boisés, ses maisons victoriennes et ses cottages amoureusement entretenus séduisent les politiciens, artistes et intellectuels aisés. Pour les visiteurs de passage, Hampstead dispose d'autres attraits, à commencer par son magnifique parc, Hampstead Heath, où l'on peut même se baigner.

Petit paradis

Hampstead Heath ★ ▐ (plan 10, C2)

Ce parc (320ha) possède par endroits la profondeur d'une forêt. West Heath, sa portion la plus sauvage, s'étend de Golders Green à Spaniards Road, et East Heath, sa partie plus étendue, jusqu'à Highgate. Terrains de sports, pistes cyclables, sentiers équestres, étangs de pêche, trois étangs ainsi qu'une piscine découverte... Ce paradis a décidément quelque chose à offrir à chacun. Sans oublier ses allées ombragées et ses futaies, qui font le bonheur des promeneurs, ses vastes pelouses où l'on peut se prélasser ou pique-niquer... Au sud-est du parc, **Parliament Hill** (98m, le point culminant) offre un beau panorama sur Londres.

Hampstead Heath ou Gospel Oak overground M° Golders Green ou Hampstead Heath Bus 24, 46, 168, 214, C2 et C11 ▐ www.hampsteadheath.net

Piquez une tête

Hampstead Heath Ponds ▐ (plan 10, C2)

Piquer une tête en pleine nature à 15min en métro du centre-ville, c'est possible ! Et délicieux quand il fait chaud. East Heath abrite trois plans d'eau destinés à la baignade : un mixte (dans le sud du parc), un autre, le plus grand, réservé aux hommes et un troisième aux femmes (à l'est du parc).

Hampstead Heath Ponds

M° Hampstead Heath 📱020 7332 3773 €2£ la journée Men's & Ladies' Ponds tlj. 7h-coucher du soleil ; Mixed pond mai-mi-sept. tlj. 7h-18h45, reste de l'année 7h-12h

Parliament Hill Lido (plan 10, C2)

Aux étangs de Hampstead Heath s'ajoute une piscine découverte près de Gordon House Road.

Gordon House Road M° Overground Gospel Oak 📱020 7485 3873 🕐 Mai-mi-sept. : tlj. 7h-9h et 10h-18h (jusqu'à 20h30 les lun., jeu. et ven.) ; mi-sept.-avr. : tlj. 7h-12h

Magnifique manoir

Kenwood House (plan 10, C2)

Au nord de Hampstead Heath, ce manoir du 17ᵉ s., embelli dans les années 1760 par Robert Adam, ouvre ses intérieurs élégants et ses collections de peintures au public. Outre un autoportrait peint par Rembrandt en 1665, on y admire des œuvres de maîtres tels Van Dyck, Vermeer, Boucher, Gainsborough, Reynolds, Constable, Turner... Jetez un coup d'œil à la Adam Library. Cette bibliothèque est un étonnant mélange de faste et de kitsch avec ses colonnes cannelées, son plafond stuqué, ses dorures et ses miroirs. En saison, la terrasse de sa Brew House (p.250) est idéale pour une pause parmi les fleurs.

Hampstead Lane M° Golders Green (puis bus 210) ou Hampstead (puis 1km à pied à travers le parc) 📱020 8348 1286 www.english-heritage.org.uk/visit/places/kenwood 🕐 Avr.-oct. : tlj. 10h-17h ; nov.-mars : tlj. 10h-16h

⭘ LES DOCKLANDS

Ses 15km² symbolisèrent le triomphe commercial et industriel de la Grande-Bretagne et de son Empire. Avec la restructuration de l'ancien port de Londres, le plus grand du monde au 19ᵉ s., ont disparu 150 ans d'histoire dont seuls quelques vestiges demeurent, intégrés dans un paysage désormais hérissé de tours contemporaines.

Paysage fluvial
Docklands (plan 10, D3)

Les Docklands ne gagnent pas à être parcourus à pied dans leur totalité. À l'entour du Tower Bridge, les **St. Katharine's Docks** transformés en marina constituent une oasis de luxe rattachée à la City. Sur la rive sud, le pittoresque **St. Saviour's Dock**, aux entrepôts parfaitement restaurés, se découvre le plus simplement au fil de la balade sur Queen's Walk (p.189). À 10km à l'est, le quartier d'affaires de **Canary Wharf**, sur Isle of Dogs, forme le nouveau cœur des Docklands encore fortement marqués par leur désaffectation.

Il était un port...
Museum of London Docklands (plan 10, D3)

Toute l'histoire de Londres à travers ce qui a fait sa fortune : le commerce maritime et les activités portuaires. L'exposition revient sur la création des Docklands, l'âge d'or du commerce colonial, les premières grèves des dockers, la désindustrialisation... Mention spéciale à la Sailortown Gallery, reconstitution de ruelles étroites et sombres du 19e s. : même l'odeur y est !

N°1 Warehouse, West India Quay M° West India Quay ou Canary Wharf 📱 020 7001 9844 www. museumoflondon.org.uk/Docklands ⏱ Tlj. 10h-18h € Entrée libre

Drôle de dôme
The O$_2$ Arena (plan 10, D3)

Au creux d'une boucle de la Tamise, l'O$_2$ Arena fut inauguré en 2000 sous le nom de Millennium Dome. Délaissé pendant plusieurs années, le complexe accueille désormais une mégaboîte de nuit, le Building Six, une salle de concert, un cinéma, un bar, des restaurants et des expositions. Gageure architecturale due à Richard Rogers, il peut être admiré de l'est de l'Isle of Dogs. Son dôme en fibre de verre, suspendu à douze mâts d'acier, atteint 1km de circonfé-

rence, un record mondial, et on vous invite même à grimper dessus pour une vue à 360° (escalade accompagnée, toutes les 15min, durée 90min, 28£, équipement fourni, juil.-sept. tlj. 10h-20h30).

Peninsula Sq. 📱 084 4856 0202 (rés.) www. theo2.co.uk O$_2$ Arena, Drawdock Road tél. 020 8463 2000

⭕ GREENWICH
Un des derniers clippers
Cutty Sark (plan 10, D3)

Avec ses 10 000m^2 de voiles déployées, le *Cutty Sark* était le plus grand et le plus rapide des clippers destinés au transport du thé frais de Chine. Il pouvait relier l'Angleterre

Le *Cutty Sark*

à l'Australie en moins de 70 jours... Aujourd'hui, le navire a été hissé 3m au-dessus de la cale et l'aménagement d'un espace d'exposition sous la coque permet d'en admirer la forme profilée.

King William Walk Cutty Sark Gardens 🖺 020 8858 2698 www.rmg.co.uk/cuttysark ⏱ Tlj. 10h-17h (dernière admission 16h15) 🎫 13,50£

Des fresques grandioses
Old Royal Naval College ⓘ♿ (plan 10, D3)

Les colonnes, frontons et dômes des quatre pavillons de l'ancien collège naval se répondent dans une parfaite symétrie, dominant majestueusement la Tamise. Dans l'aile ouest loge l'élément le plus remarquable de l'ensemble, le Painted Hall, ancien réfectoire des élèves et des cadres de l'école. Un environnement grandiose, où la peinture se fait architecture. Du sol au plafond, l'ensemble est tapissé de fresques dues à James Thornhill – elles lui coûtèrent 19 années de travail ! Elles exaltent les hauts faits des règnes de Guillaume et de Marie, commanditaires du bâtiment... un chef-d'œuvre de propagande (brochures explicatives en français disponibles à l'entrée).

King William Walk 2 Cutty Sark Gardens 🖺 020 8269 4747 www.ornc.org ⏱ Tlj. 10h-17h 🎫 Entrée libre

Et le classicisme fut
Queen's House ⓘ♿ (plan 10, D3)

Imaginée par Inigo Jones qui signa là son premier chef-d'œuvre, cette blanche demeure créa une véritable révolution dans le paysage anglais ! À l'opposé du style Tudor et de ses robustes palais de brique dotés de tours et de créneaux, l'architecte imposa une forme nouvelle, influencée par l'idéal classique cher à l'Italien Palladio. À voir à l'intérieur, le superbe dallage de marbre du Great Hall, les portraits de personnalités attachées aux lieux (réalisés, pour certains, dans l'atelier de Van Dyck ou inspirées de Holbein le Jeune) ainsi qu'un grand nombre de marines, notamment *Greenwich vu de la rive nord de la Tamise* de Canaletto et l'impressionnante *Bataille de Trafalgar* de Turner.

Greenwich Park Park Row (accès côté nord) Romney Road Entrée côté nord Park Row Mᵒ **Cutty Sark (DLR)** 🖺 020 8858 4422 www.rmg.co.uk/queens-house ⏱ Tlj. 10h-17h 🎫 Entrée libre

Dans le sillage des plus grands marins
National Maritime Museum ★ ⓘ♿ (plan 10, D3)

C'est un peu l'hommage du pays à la marine qui fit sa fortune. La collection permanente relate l'histoire de la navigation : les Grandes Découvertes, le commerce colonial, les voyages transatlantiques et les expéditions polaires du 20ᵉ s. naissant. Mention spéciale aux innombrables maquettes de trois-mâts, navires de guerre, paquebots... et aux souvenirs retraçant l'épopée de héros comme le capitaine Cook ou l'amiral Nelson (dont on peut voir la veste trouée par la balle qui le tua à Trafalgar).

Greenwich Park, Park Row Mᵒ **Cutty Sark ou Greenwich (DLR)** 🖺 020 8858 4422 www.rmg. co.uk/national-maritime-museum ⏱ Tlj. 10h-17h

Longitude 0° 0′ 0″

Old Royal Observatory ★ I (plan 10, D3)

Juste derrière le portail, le rail métallique qui traverse la cour matérialise le passage du méridien astronomique de Greenwich, secondé la nuit par un puissant rayon laser vert dans le ciel. En le franchissant, on passe de l'hémisphère oriental à l'hémisphère occidental ! Le plus ancien des bâtiments de l'Observatoire (1676) se repère à ses clochetons, dont l'un est surmonté depuis 1833 d'une grosse boule rouge : se hissant peu à peu sur son mât, avant de retomber d'un coup tous les jours à 13h, elle aidait autrefois les marins à régler l'heure. À découvrir, de bâtiment en bâtiment, des lunettes astronomiques, un télescope géant de 1893 et des jeux de rayons laser sur la vie des étoiles.

Greenwich Park, Blackheath Ave M° Cutty Sark ou Greenwich (DLR) 📞 020 8858 4422 www.rmg.co.uk/royal-observatory ⏰ Tlj. 10h-17h

● KEW GARDENS

Merveilles sous canopée

Royal Botanic Gardens ★ I (plan 10, B3)

À 10km au sud-ouest de Londres, au bord de la Tamise, le jardin botanique royal de Kew compte parmi les plus célèbres du monde. L'Unesco l'a d'ailleurs inscrit au patrimoine mondial en 2003. Sans cesse enrichie depuis le 17e s., sa collection végétale est unique et invite à un véritable tour de la planète... Le site, idéal pour une sortie en famille (p.241), est particulièrement enchanteur au printemps, quand ses roseraies, ses jardins d'azalées et de rhododendrons, ses parterres d'iris ou de coquelicots et ses bosquets de conifères s'emplissent de parfums entêtants ! Ne manquez pas la balade sur la cime des arbres. Unique bémol, presque tragique, le flux continu des avions le survolant...

M° Kew Gardens 📞 020 8332 5655 www.kew.org ⏰ Fév.-mars : tlj. 9h30-17h30 ; avr.-août : lun.-ven. 10h-18h30, w.-e. 10h-19h30 ; sept.-oct. : 10h-18h ; nov.-jan. : 9h30-16h15

● AUX ENVIRONS DE LONDRES

1 200 bouches à nourrir

Hampton Court Palace (plan 10, B4)

Délaissé à partir de 1737, il fut malgré tout le grand favori des souverains. Racheté en 1514, le château médiéval connut maints remaniements, ce qui lui vaut une architecture composite : à l'ouest, une façade en brique rouge de style Tudor ; à l'est, une imposante façade baroque. À l'intérieur, un faste ostentatoire s'affiche dans les pièces d'apparat et dans la grande chambre à coucher, l'une des plus éblouissantes : meubles dorés, miroirs raffinés, plafond peint par Verrio et frise rehaussée de sculptures par Gibbons. Dernière des pièces d'époque Tudor, la chapelle royale est également somptueuse. Ne manquez pas les cuisines Tudor, complexe de 3 350m^2 qui nourrissait la maison du roi et la cour, soit quelque 1 200 bouches, et employait plus de 200 personnes. Les lieux sont mis en scène comme si l'on y préparait un banquet.

Hampton Hampton Court À 35min en train de Waterloo Station (arrêt Hampton Court) 📞 0844 482 7777 www.hrp.org.uk/hampton-court-palace ⏰ Avr.-oct. : tlj. 10h-18h ; nov.-mars : tlj. 10h-16h30 💶 19£

Hampton Court Palace

Le plus vieux château habité
Windsor Castle (plan 10, A3)

La reine d'Angleterre passe souvent le week-end au château de Windsor, 20km à l'ouest de Londres, où il lui arrive de recevoir des chefs d'État étrangers en visite officielle. Symbole de la monarchie britannique au même titre que Buckingham Palace – fondé en 1070 par Guillaume le Conquérant, c'est le plus ancien château royal ! – ce palais juché sur une colline dominant la vallée de la Tamise a toujours ébloui ses visiteurs.

Visite La majesté du grand escalier desservant les State Apartments donne le ton. Si la décoration et le mobilier de ces appartements sont éblouissants, la richesse des collections de peintures l'est plus encore. Les œuvres de Rubens, Canaletto, Holbein, Bruegel l'Ancien, Rembrandt ou Van Dyck, l'artiste le mieux représenté à Windsor, ornent les murs de chacune des pièces. Parmi ces trésors figure un jouet inouï, la Queen Mary's Dolls' House. Cette maison de poupée réalisée par Edwin Luytens et offerte à la reine Marie en 1924 est une ravissante reconstitution du palais à l'échelle 1/12ᵉ. Tout ce que l'on y voit fonctionne : l'eau courante, l'éclairage, l'ascenseur, le phonographe... jusqu'à la cave à vins composée de grands crus ! Quant au mobilier, il a été confectionné par les meilleurs artisans de l'époque.

Windsor, Berkshire 📱 020 7766 7304 ou 0303 123 7306 www.royalcollection.org.uk ⏰ Mars-oct. : tlj. 9h45-17h15 ; nov.-fév. : tlj. 9h45-16h15 💳 20£

Pour les moldus mordus
Warner Bros Studio Tour (plan 10, B1)

L'univers fabuleux de Harry Potter ! Il suffit de pousser la porte de ces studios de cinéma pour arpenter Diagon Alley, l'école de sorcellerie avec le réfectoire, la salle des potions... et découvrir les mystères des effets spéciaux ou d'engins tels que le *Nimbus 2000* de Harry ou la moto de Hagrid ! Magique !

Studios Leavesden, Watford À 20 min en train de Euston Station 📱 08450 840 900 origin. wbstudiotour.co.uk ⏰ Visites guidées Ouvert tlj. 10h-18h30 Durée 3h

NOS ADRESSES

 PAUSES

À l'heure du thé
Louis Pâtisserie

Un classique de Hampstead, à deux pas du métro, fameux pour ses pâtisseries hongroises et ses *afternoon teas*. Également, des sandwichs.

HAMPSTEAD (plan 10, C2 n°1) 32 Heath St M° Hampstead 020 7435 9908 Tlj. 9h-18h

Pimpante maisonnette
The Holly Bush ♥

Chut... c'est un secret ! À la lisière de la ville, caché derrière un mur de lierre, dans l'un des quartiers les plus verdoyants de Londres, le Holly Bush – voir aussi (p.243) – ressemble à un décor de cinéma tant il est parfait. Difficile d'expliquer pourquoi cet archétype de pub procure un tel

The Holly Bush

sentiment d'intimité et de sérénité. Les habitués poivre et sel qui lisent leurs journaux ? L'intérieur tout en bois ? Les jeunes qui s'embrassent dans un coin ? Un peu tout ça sans doute...

HAMPSTEAD (plan 10, C2 n°2) 22 Hollymount M° Hampstead 020 7435 2892 www. hollybushhampstead.co.uk Lun.-sam. 12h-23h, dim. 12h-22h30

Entre rosiers et lavande
Brew House Kenwood

Dans une aile de Kenwood House, l'adresse rêvée pour un petit déjeuner ou un déjeuner léger à Hampstead Heath. Des sandwichs inventifs, des plats du jour (de 9 à 11£) et d'excellentes pâtisseries maison à déguster, si le temps le permet, sur la ravissante terrasse, entre rosiers et lavande. D'août à octobre, grillades au barbecue les sam. et dim.

HAMPSTEAD (plan 10, C2 n°3) Kenwood House Hampstead Lane M° Golders Green puis bus 210 ou M° Hampstead puis à pied à travers le parc 020 8348 4073 www. searcyskenwoodhouse.co.uk Jan., déc. : tlj. 9h-16h ; fév.-mars, oct.-nov. : tlj. 9h-17h ; avr.-sept. : tlj. 9h-18h

Beer garden
The Old Brewery

Ah ! le *beer garden* noyé dans la verdure, un régal... Les jours moins cléments, on se réfugie dans l'une des deux salles totalement contrastées. Aux traditionnels murs de brique de la première succèdent les tons mauves et jaunes de la seconde, baignée de lumière et décorée d'un étonnant plafond de bouteilles. Les cuves de cuivre surtout rappellent qu'on est dans une microbrasserie. Et c'est ainsi depuis trois siècles. Petite restauration.

GREENWICH (plan 10, D3 n°4) The Pepys Building The Old Royal Naval College M° Cutty Sark (DLR) 020 3327 1280 www.oldbrewerygreenwich.com Bar Ouvert lun.-sam. 11h-23h, dim. 12h-22h30

Salon d'été et jardin d'hiver
The Pavilion Café
Sur les hauteurs du parc, près de l'Observatoire, une rotonde blanche au toit en encorbellement. On peut y voir un salon d'été ou un jardin d'hiver, mais les beaux jours mettent tout le monde d'accord, car sur la grande pelouse attenante se déploie alors une myriade de tables accueillantes... Pour un thé, une boisson fraîche, un sandwich à l'œuf poché ou des gâteaux grand-mère. Plat 9,50£

GREENWICH (plan 10, D3 n°5) Greenwich Park, Blackheath Ave M° Cutty Sark, Greenwich (DLR) 020 8853 4777 www.royalparks.org.uk/parks/greenwich-park/food-and-drink/the-pavilion-cafe Avr., oct. : tlj. 9h-17h ; mai-sept. : tlj. 9h-18h ; nov.-mars : tlj. 9h-16h

Pub de village
The Greenwich Union
Au cœur de Greenwich, un vrai pub dont la façade de brique ne dépareillerait pas les quais d'un petit port gallois ! Derrière de basses fenêtres noires aux carreaux en cul de bouteille, une salle avec bancs de bois et murs en pierre et une longue arrière-salle lumineuse donnant sur un jardinet ombragé. Les "villageois" en ont fait leur repaire et y descendent des pintes d'une *ale* "maison". Plats de 10 à 18,50£ (*pie* au bœuf d'Écosse, filet de cabillaud).

GREENWICH (plan 10, D3 n°6) 56 Royal Hill Greenwich M° Cutty Sark ou Greenwich 020 8692 6258 www.greenwichunion.com Restauration lun.-ven. 12h-16h et 17h30-22h, sam. 11h-22h, dim. 12h-21h

Plus anglais que chez la reine !
The Cricketers
Pour la vue qu'il offre sur le terrain depuis sa petite terrasse, rendez-vous dans ce temple du cricket, où les joueurs viennent marquer une pause après leur partie. Pour trouver atmosphère plus anglaise, il va falloir se faire inviter chez la reine pour le thé !

KEW GARDENS (plan 10, B3 n°7) Maids of Honour Row 79 Kew Green M° Richmond 020 8940 2078 http://thecricketers-kewgreen.co.uk Lun.-sam. 12h-23h, dim. 12h-22h30

Pour un pique-nique
Tiltyard Café
Dans les jardins de Hampton Court Palace, un self lumineux où faire provision de sandwichs avant d'aller pique-niquer... Plat 5-12£.

HAMPTON COURT (plan 10, B4 n°8) Hampton Court Road, East Molesey Dans les jardins 020 3166 6971 Avr.-oct. : tlj. 10h-18h ; nov.-mars : tlj. 10h-17h

Brasserie fine
The Tower Brasserie
Au pied du château de Windsor, pour se restaurer de *British cooking* : goujons frits, curry, gibier, et *high tea* ! Plat 13£.

WINDSOR (plan 10, A3 n°9) The Harte and Garter Hotel & Spa 31 High St, Windsor 0330 390 0494 www.harteandgarterhotel.com/tower-brasserie Lun.-ven. 11h-22h30, w.-e. 8h-23h

Com-
prendre

254 **Histoire**

260 **Population**

262 **Architecture**

265 **Arts et design**

267 **Mode et shopping**

270 **Gastronomie**

271 **Musique**

273 **Théâtre et musical**

Boutique de la Queen's Gallery

COMPRENDRE

HISTOIRE

Ville-monde, ultracosmopolite, suractive, protéiforme, historique et high-tech, Londres est en perpétuelle mutation... Des invasions saxonnes aux ravages du Blitz et aux programmes urbains titanesques qui bouleversent encore son visage, la capitale britannique n'a de cesse de se réécrire, sinon d'écrire l'histoire du monde en dominant les mers, en forgeant le capitalisme moderne, en inventant la société industrielle et marchande... voire postindustrielle.

Sur les routes du bronze et du fer

Difficile d'imaginer le site primitif de la City, aujourd'hui quartier d'affaires hérissé de tours futuristes, et pourtant noyau historique de la ville... Au peuple de chasseurs, pêcheurs et cueilleurs qui prospère dans la région à l'âge de la pierre, ses collines offrent un refuge défensif et des terres généreusement arrosées. Dès l'âge du fer (vers 1000 av. J.-C.), l'île britannique s'intègre aux voies du commerce protohistorique : ses importantes ressources en étain et en fer trouvent leur débouché dans l'estuaire de la Tamise, port naturel qui attire jusqu'aux navigateurs phéniciens et grecs. Les Celtes venus d'Europe centrale traversent la Manche au 5ᵉ s. av. J.-C. ; s'assimilant aux populations locales, ils consolident, en experts de l'artisanat du métal, cette vocation commerciale. C'est l'occupation romaine (55 av. J.-C.) qui marque la véritable fondation de la ville, à l'image d'une cité latine. Londinium se révèle prospère. Tacite écrit déjà, vers 50 ap. J.-C., qu'elle regorge de *negotiatores* ! Mais alors que les peuples germaniques intensifient leurs intrusions en Gaule, en 410, Rome doit abandonner l'île, dont Angles et Saxons prennent possession.

> **LONDINIUM**
> Le nom de Londres, London en anglais, est directement issu de Londinium, ainsi que les Romains nommèrent la cité qu'ils établirent au Iᵉʳ s. ap. J.-C. Mais pourquoi Londinium ? Le mot pourrait venir du celte *ilyndon*, signifiant "fort près d'un cours d'eau", ou *laindon*, "longue colline".

La conquête normande

À partir de 793, les raids des Vikings venus d'Europe du Nord sèment la terreur le long des côtes britanniques. Mettant Londres à feu et à sang en 851, ils soumettent définitivement la ville en 1013 et, trois ans plus tard, l'Angleterre, tout en fondant sur le continent un florissant royaume "normand" (de l'anglais *North Man*, "homme du Nord"). Si en 1042, la lignée saxonne est restaurée sur l'île en la personne d'Édouard le Confesseur, celui-ci meurt sans descendance en 1066. Son cousin, Guillaume le Bâtard, duc de Normandie, entreprend un audacieux débarquement afin de revendiquer la couronne et triomphe à la bataille de Hastings le 14 octobre 1066. Le jour de Noël, il se fait couronner roi d'Angleterre dans l'abbaye de Westminster, instituant ce cérémonial pour tous les souverains à venir. Londres s'impose alors comme la capitale d'un royaume unifié.

Un royaume pour les marchands

S'étendant de Normandie jusqu'en Aquitaine, les possessions continentales de l'Angleterre marquent sa prépondérance en Europe au 13e s. Londres tire des revenus substantiels des droits de passage des marchandises (soieries, draps flamands, tapisseries, joaillerie, orfèvrerie, métaux, etc.). Le long de la Tamise encombrée de navires, les ruelles de la City, bordées d'étroites maisons à pans de bois couvertes de chaume, fourmillent de boutiques, d'ateliers, de portefaix, etc. D'emblée le pouvoir marchand se heurte à l'institution royale qui tente de mettre en place une administration efficace, et collecte des taxes et impôts durement ressentis. Les Londoniens se soulèvent contre Jean sans Terre en 1196 ; le roi est contraint de signer la *Magna Carta* (Grande Charte). Elle institue un "Conseil commun du royaume" que le souverain a l'obligation de consulter, en particulier s'agissant des impôts. Le premier parlement de l'histoire anglaise se tient à Westminster en 1265.

Le creuset d'un nouveau monde

Malgré les ravages de la peste au 14e s. et la guerre de Cent Ans (1337-1453) perdue contre la France, Londres devient le grand port de la fin du Moyen Âge. Soucieux de maîtriser leurs circuits commerciaux, jusqu'alors dominés par les navires hollandais, vénitiens et génois, les Anglais atteignent à

Reproduction du grand incendie de Londres au cours du London Burning Festival

la suprématie maritime à la fin du 15e s., ouvrant de nouveaux marchés en Italie et au Levant. Alors que la Réforme prônée par Luther enflamme l'Europe à partir de 1517, le protestantisme rencontre un vif succès sur l'île et auprès des bourgeois londoniens car la nouvelle foi promeut la réussite matérielle. Henri VIII précipite la rupture avec le Saint-Siège en 1531, s'instituant "chef suprême de l'Église anglaise" aux dépens du pape, situation unique dans la chrétienté. Le règne d'Élisabeth Ire (1558-1603), période éminemment florissante, assoit définitivement la religion anglicane ; en 1588, Francis Drake envoie par le fond l'Invincible Armada dépêchée par le roi d'Espagne Philippe II afin de rétablir le catholicisme dans l'île. Dès lors, *Britannia rules the waves* ! La découverte de l'Amérique fait basculer les grands axes économiques de la Méditerranée vers l'Atlantique et l'esprit mercantile des Anglais peut façonner un nouveau monde...

Le Londres de Shakespeare

Le célèbre poète et dramaturge arrive dans la ville vers 1587. Au cœur de l'âge d'or élisabéthain, la cité connaît une prospérité sans pareille. Sa population passe de 85 000 à 155 000 habitants entre 1565 et 1605. Les maisons prennent de la hauteur, le tissu urbain se densifie. Contre la surpopulation, la reine publie un édit qui stipule que toute demeure ne doit appartenir qu'à une seule famille. Le principe de la maison individuelle, essentiel dans le paysage londonien, est posé et annonce la croissance exponentielle de la ville. En périphérie, les plus pauvres s'entassent dans d'étroites masures, les *tenements* ("maisons d'un seul tenant"), qui s'alignent entre forges, brasseries, tanneries, abattoirs et autres ateliers. Vers 1660, sir William Petty, chroniqueur notoire de Londres, parle du "grand cloaque puant de l'Est". Interdits en ville, cabarets, théâtres et maisons de plaisir se multiplient sur la rive sud de la Tamise, où Shakespeare rencontre précisément la gloire dans son théâtre d'attache, le Globe.

La révolution anglaise

Élisabeth Ire meurt sans enfants et la couronne passe aux Stuarts d'Écosse, Jacques VI d'abord, puis son fils Charles Ier, tentés par la monarchie absolue à la française. L'affrontement avec le Parlement est inévitable. Londres, bastion républicain et puritain sous la houlette d'Oliver Cromwell, se soulève en août 1642. Après sept années de guerre civile, le roi vaincu est décapité à la hache. Cependant, Cromwell confisque le pouvoir et institue une véritable dictature militaire. À l'heure de la Restauration, seul un compromis entre le Parlement et la Couronne normalise la situation ; en 1689, la Déclaration des droits (*Bill of Rights*) fonde la monarchie parlementaire en limitant résolument les droits du souverain.

Le poumon du commerce mondial

À la fin du 17e s., Londres s'impose comme la plaque tournante du trafic colonial européen. L'immense empire britannique contrôle dorénavant

---

LE GRAND INCENDIE DE 1666
Il se déclare le 1er septembre chez le boulanger du roi, Thomas Farynor.
Après un été de sécheresse, les maisons de bois et de chaume ont tôt fait de
s'embraser. Cinq jours durant les flammes dévorent la cité... Le sinistre fait
une dizaine de morts, les 5/6e de la ville sont détruits, 15 de ses 26 quartiers
sont entièrement rasés, la cathédrale Saint-Paul gît dans un cercueil de
plomb : son toit a fondu. Mais Londres sera reconstruite en moins de 10 ans !

---

de vastes étendues, de l'Amérique du Nord aux Indes en passant par les
Antilles. Le volume des affaires dans le port triple au cours du 18e s., pour
représenter près du quart du négoce mondial ! La ville se dilate tambour
battant. À l'ouest de la City (le West End), les promoteurs font élever
des rangées entières de maisons identiques, les *terraces*, dont l'élégance
sied à la bonne société georgienne, soucieuse de conformisme et d'indi-
vidualisme. L'East End (à l'est de la City) en revanche, s'impose comme le
foyer des miséreux. La Tamise saturée (quelque 3 000 navires l'empruntent
chaque jour) y trouve un exutoire ; on y creuse un immense port artifi-
ciel, les Docklands. En 1876, le couronnement de Victoria, impératrice des
Indes, est une apothéose. Londres est la capitale d'un empire qui commande au quart de l'humanité !

La première société industrielle

Au cours du 19e s., la richesse du pays quadruple, celle de la capitale sex-
tuple. Parallèlement, l'exode rural bat son plein : dès 1801, Londres franchit
le cap du million d'habitants ; vers 1845, elle devient la première ville du
monde ; à la fin du siècle, elle compte 5 millions d'habitants ! Abondance
de main-d'œuvre bon marché, esprit d'entreprise et concentration des capi-
taux fondent les conditions d'une nouvelle métamorphose. Les négociants
créent leurs propres usines, et profitent des succès de la mécanisation
(initiée par la machine à vapeur de James Watt). La révolution industrielle
est en marche ! Le chemin de fer, le charbon et la sidérurgie permettent
de vendre moins cher et plus vite. Londres est la ville la plus active qui
soit, inventant le train (première gare en 1836), le métro (1863), les grands
magasins (Harrods en 1849) et même l'éclairage public – les premières
enseignes lumineuses naissent sur Trafalgar Square vers 1890.

L'invention de la *middle class*

Alors que les États-Unis s'assurent la suprématie industrielle mondiale en
1914, Londres conserve son hégémonie sur le commerce international et la
City reste le premier marché boursier de la planète. En réalité, l'Angleterre
entre déjà dans l'ère postindustrielle ! La City regorge de cadres financiers
et bancaires, de juristes et d'employés de bureau qui viennent constituer
un groupe social distinct des élites traditionnelles. Notting Hill, Islington
ou encore Camden Town, où s'alignent des maisons uniformes, ont les
faveurs de cette classe moyenne naissante, qui signe l'avènement du *home*,

sweet home et de la société de consommation. Encouragé par le développement du métro, le rayon des constructions autour de la ville passe de 5km en 1820 à 15km en 1914. Son étendue triple encore jusqu'en 1939 !

DR JEKYLL & MR HYDE
Clubs, opéras, théâtres… Si le West End s'impose comme la vitrine de l'ère victorienne, l'Est londonien cache une autre réalité. Près de 1,5 million de pauvres s'entassent dans ses *slums* (taudis). C'est la face sombre décrite par Charles Dickens, celle qui étouffe dans la pollution du *smog*. Sans compter épidémies et criminalité. En 1888, Jack l'Éventreur terrorise la ville !

L'horreur du Blitz
Les bombardements "éclairs" (*blitz* en allemand), lancés par Hitler cinq jours seulement après la déclaration de guerre, font de Londres une ville martyre. À l'heure de l'armistice, 100 000 maisons, le tiers de la City et la quasi-totalité des Docklands sont détruits ; environ 30 000 habitants sont morts sous les bombes et 120 000 jeunes Londoniens sont tombés sur le continent. Si la Grande-Bretagne victorieuse jouit de l'aura de son incroyable inflexibilité et de sa contribution essentielle à la libération de l'Europe, la dislocation de l'immense Empire britannique limite l'autorité de la capitale, et le processus de désindustrialisation des pays développés la touche bientôt de plein fouet.

L'heure de la reconversion
Face à la crise, Margaret Thatcher, première femme Premier ministre en 1979, défend un programme radical. Le secteur manufacturier est démantelé. Alors qu'en 1850 elle en représentait le tiers, la Grande-Bretagne n'assure plus que 5% de la production industrielle mondiale… Dans le même temps, la modernisation du transport maritime a raison du port de Londres ; les nouveaux tankers ne peuvent remonter la Tamise. Le paysage social est dominé par la figure des "nouveaux pauvres", auxquels s'oppose celle des *yuppies*, jeunes loups des affaires auteurs de fortunes rapides… La City connaît en effet une extraordinaire renaissance : à l'initiative de Thatcher, la libéralisation des activités financières, en 1986, entraîne leur explosion. Au début des années 1990, le secteur tertiaire représente 75% des emplois et 70% du PNB britannique. Première place financière mondiale, la City symbolise la reconversion économique du pays.

Et demain ?
Le changement de millénaire marque une nouvelle apothéose pour Londres, qui multiplie les chantiers (musées, infrastructures, etc.) et se hérisse de gratte-ciel toujours plus high-tech – jusqu'au gigantesque Shard, plus haute tour d'Europe inaugurée à l'occasion des Jeux olympiques de 2012. L'attractivité de la ville est telle qu'après 40 années de déclin, sa population passe de 6,5 à environ 8,5 millions d'habitants entre 1986 et

Image du Blitz

2015. Même la crise financière de 2008 n'entrave pas la hausse critique des prix de l'immobilier (+76% entre 2009 et 2016). C'est sur cet argument que se joue en 2016 l'élection de son nouveau maire, le travailliste Sadiq Khan, fils d'un chauffeur de bus pakistanais, musulman, symbole d'une méga-lopole dont quatre résidents sur dix sont nés hors de Grande-Bretagne. Mais dans le même temps, le pays vote en faveur du Brexit, en opposition au modèle de société multiculturelle et financiarisée porté par la capitale.

MONARQUE CONSTITUTIONNEL

Depuis le 17e s., le souverain britannique n'occupe plus que la fonction de monarque constitutionnel. Un rôle de pure figuration car aujourd'hui, seul le Premier ministre détient en réalité le pouvoir exécutif. Bien que ne disposant d'aucun pouvoir, la reine occupe néanmoins une fonction éminemment symbolique. Chef de l'État du Royaume-Uni (et à ce jour de plus d'une quinzaine de pays du Commonwealth, dont le Canada, la Nouvelle-Zélande, l'Australie ou encore la Jamaïque), elle est aussi chef des forces armées britanniques et chef de l'Église anglicane. Pour autant, elle est tenue à une absolue neutralité afin de ne pas empiéter sur le pouvoir des Communes. Depuis son accession au trône en 1952, Élisabeth II n'a jamais accordé la moindre interview et ne s'est jamais prononcée sur aucune question politique ou religieuse... Elle est simplement autorisée à mettre en garde ou à encourager le Premier ministre à l'occasion d'une entrevue hebdomadaire très confidentielle.

POPULATION

Avec 8,5 millions d'habitants, le Grand Londres est la ville la plus peuplée d'Europe. Capitale financière internationale depuis le 13ᵉ s., ancienne capitale de l'Empire et siège du Commonwealth (associant 53 pays, soit 30% de la population mondiale !), elle est aussi l'une des plus cosmopolites qui soient. À l'image de l'East End dont les *curry houses* côtoient d'authentiques troquets cockney, la ville entière décuple l'exotisme, aussi ouverte sur le monde et amoureuse de modernité qu'attachée à ses traditions.

Un creuset historique

Héritière d'une longue tradition d'accueil, la capitale britannique, qui abrite trois fois plus d'immigrés que le reste du pays, a toujours été ouverte sur le monde. Avec les juifs, que Cromwell autorise à rentrer dans le pays en 1656 (ils en avaient été expulsés par Édouard Iᵉʳ en 1290), les huguenots français chassés par la révocation de l'édit de Nantes (1685) sont les premiers à se fixer dans la ville. Au 17ᵉ s., ce sont des milliers d'Irlandais poussés par la famine qui viennent y échouer. Tandis que prospère le commerce avec l'Extrême-Orient, l'immigration chinoise s'implante dès le 18ᵉ s. d'abord à Limehouse puis à Soho. Les juifs affluent à partir de 1880. Originaires pour la plupart d'Europe centrale, ils sont plus de 150 000 à survivre dans les bas-fonds de l'East End au début du 20ᵉ s.

> ### DO YOU SPEAK LONDON ?
> Environ 65 communautés étrangères de plus de 10 000 habitants (dont 200 000 Français) se côtoient à Londres, et plus de 300 langues y sont parlées. La capitale est le centre linguistique le plus actif au monde !

Le melting-pot actuel

La Première Guerre mondiale marque une rupture brutale de l'immigration, qui renaît après 1945, dans le contexte de la reconstruction, et provient dès lors surtout des anciennes colonies. Dans les années 1940-1950, Jamaïcains et Afro-Caribéens se fixent à Brixton et à Notting Hill. Suivent à partir de 1950 Indiens et Pakistanais, qui trouvent refuge dans l'East End. Symboles du multiculturalisme de la ville, de véritables morceaux

Quartier de Brick Lane, dans l'East End

d'ailleurs s'y sont développés. Ainsi Chinatown à Soho, l'exotique marché de Brixton, Banglatown à Whitechapel... À ce jour, 44% des Londoniens sont d'une origine autre que britannique, à l'instar de leur maire élu en 2016, Sadiq Khan, né de parents pakistanais et musulmans, tout un symbole !

GOD SAVE THE QUEEN, ENCORE ET ENCORE
Le silence dans lequel s'est muré la famille royale, lors du décès de la princesse Diana en 1997, a terni son image. Mais en juin 2012, alors que l'on fêtait le jubilé de diamant (soixante ans de règne) de la reine Élisabeth, 55% des Britanniques estimaient que leur pays resterait à jamais une monarchie. Symbole de pérennité, ferment d'unité, objet de vénération ou de curiosité gourmande et réelle manne financière tant l'apparat royal reste un argument touristique pour Londres, la couronne aurait donc de beaux jours devant elle.

Le titi londonien

S'il traîne encore ses guêtres du côté de l'East End, le cockney, sorte d'équivalent du titi parisien, a déserté son ancien royaume, la City. Un cockney devait être né suffisamment près de l'église St. Mary-le-Bow pour en avoir entendu sonner les cloches. Mais aujourd'hui, celles-ci carillonnent vainement dans le brouhaha du quartier des traders... Apparu au Moyen Âge, le terme cockney ("œuf de coq") désigne le Londonien à la santé fragile, issu des classes populaires, reconnaissable à son costume défraîchi et plus encore à son impertinence. Le parler cockney a marqué la langue anglaise par son accent à la fois rude et nonchalant et son inventivité linguistique conjuguant *back slang* (équivalent du verlan) et *rhyming slang*, un argot rimé fondé sur des jeux de sonorités et d'images comme *"trouble and strife"* ("problèmes et querelles") pour *wife* ("épouse"). Mais si quelques marchands ambulants en font encore usage, le cockney tend à disparaître au profit du seul *BBC accent*.

Extravagant *show-off*

Look left ! Look right ! La ville qui roule à gauche fait tourner les têtes ! Il est vrai que le Londonien est volontiers exubérant, contrasté, exhibitionniste dans le geste, l'allure et la tenue vestimentaire. Des cockneys aux teddy boys, "mauvais garçons" des années 1950, auxquels s'ajouteront les punks des années 1970, c'est une tradition de forfanterie et d'irrévérence qui s'est imposée. Le règne victorien a instauré le mythe d'une société compassée, or il reste une parenthèse dans une ville foncièrement théâtrale !

ARCHITECTURE

Ouest résidentiel, Centre financier, Est industriel, le tout maintes fois détruit et reconstruit : Londres est une compilation. D'autant que la capitale n'a jamais réellement bénéficié d'un grand programme d'urbanisme, la propriété privée y étant intouchable. Ainsi la cité présente-t-elle aujourd'hui comme au Moyen Âge les mêmes rues irrégulières épousant le tracé d'anciens chemins, reliant une succession de quartiers-villages... Un labyrinthe foisonnant !

L'architecture médiévale

En anglais, roman se dit *Norman* ! Monument le plus ancien de la ville, la tour de Londres voulue par Guillaume le Conquérant vers 1080 est en effet du plus pur style "normand". C'est la période du gothique que les architectes d'outre-Manche se soustraient aux influences françaises. La reconstruction en 1245 de l'abbaye de Westminster se distingue par son souci de géométrie et de verticalité, trait typiquement anglais. Au 15e s., les architectes locaux atteignent la virtuosité avec l'éclosion d'un style original, le gothique perpendiculaire, qui produit de superbes voûtes en éventail, comme celles de la chapelle Henri-VII, achevée en 1512 dans l'abbaye de Westminster.

Le classicisme anglais

Pétri de rigueur géométrique lui aussi, le classicisme naît précocement en Grande-Bretagne. Son acte de naissance est la construction de la Queen's House à Greenwich, par Inigo Jones (1573-1652). Elle s'appuie sur les préceptes de l'architecte italien Palladio, qui a remis au goût du jour les canons antiques. Émule d'Inigo Jones, mathématicien et architecte, Christopher Wren (1632-1723) porte ces références à un sommet inégalé après le Grand Incendie de 1666, avec la reconstruction de la cathédrale Saint-Paul (1675-1710), introduite par un fronton aux colonnes monumentales. Ce retour à l'antique marque le paysage de la ville jusqu'au début du 19e s., quand le néoclassicisme ressuscite arcs de triomphe (Marble Arch, au nord-est de Hyde Park), colonnes (celle de Nelson, sur Trafalgar Square) et temples dédiés à l'art (British Museum) ou à la finance (Royal Exchange). John Nash (1752-1835) entreprend avec la même inspiration la transformation de Buckingham Palace dans les années 1820.

La frénésie des maisons de ville

L'aspect des maisons londoniennes se fixe au lendemain du Great Fire de 1666. L'usage de la brique s'impose afin de prévenir les risques d'incendie, et les façades inspirées par le classicisme naissant témoignent de proportions élégantes et rigoureuses. Ainsi apparaissent les *terraces*, ces

Battersea Power Station

rangées de maisons jointives érigées dans les quartiers cossus, tel Queen Anne's Gate près de St. James's Park (1704). Puis c'est la vogue du style Regency, sous l'influence des maisons antiques redécouvertes à Pompéi. La brique est abandonnée au profit d'enduits blancs ou ivoire, ornés de frises sculptées. L'Ouest londonien (Belgravia, Mayfair, Kensington, etc.) se pare de longues enfilades de demeures immaculées... Enfin, le souci de monumentalité conduit à la création d'ensembles hors norme, dont les *terraces* de John Nash constituent l'apogée : les rangées de maisons se cachent derrière une immense façade d'un seul tenant, enrichie d'un avant-corps central, à l'image d'un unique et colossal palais (Cumberland Terrace et Chester Terrace, 1826-1827).

Éclectisme victorien

Le règne du néoclassicisme s'achève vers 1830. À la symétrie et à la sobriété succède une véritable exubérance. L'engouement pour l'histoire, et surtout le Moyen Âge, motive la renaissance des styles du passé. La ville se pare

---

LA MAISON GEORGIENNE

Construite en *terrace*, avec une sobre façade de briques ornée d'une jolie porte d'entrée, la maison de style georgien est l'une des images emblématiques de Londres. Robert Adam (1728-1792), tenant du classicisme, en est l'un des principaux inspirateurs. C'est Fournier Street, dans le quartier de Spitalfields, qui en conserve l'ensemble le plus homogène. Un émouvant voyage dans le temps.

de monuments d'esprit néo-égyptien, néo-Stuart, néobaroque, néovénitien, néo-Renaissance ou, plus encore, néogothique. Avec Big Ben, Westminster Palace reste le testament absolu de ce *Gothic Revival* ! Inauguré en 1894, Tower Bridge, sorte de château écossais planté sur la Tamise, parachève le tableau à l'est de la ville... De plus, l'introduction de la fonte et du fer permet de nouvelles audaces. Les gares, vitrines de la modernité victorienne, en sont les premières bénéficiaires notamment St. Pancras (1868) avec la plus grande verrière métallique du monde et Liverpool Street Station (1875), véritable cathédrale de métal. Ouvrages d'art et marchés couverts se rehaussent, comme au Moyen Âge, de couleurs chatoyantes : Blackfriars Bridge, Leadenhall Market, Covent Garden Market... Même révolution dans les quartiers industrieux de la ville, où se multiplient les entrepôts de brique aux poutrelles métalliques rivetées. Le legs essentiel de cette architecture industrielle reste toutefois les immenses centrales électriques de sir Giles Gilbert Scott : Battersea Power Station, immortalisée sur la pochette d'*Animals* des Pink Floyd, et Bankside Power, devenue en l'an 2000 la Tate Modern.

LE STYLE ÉDOUARDIEN : LONDRES À LA BELLE ÉPOQUE
Succédant à Victoria, son fils Édouard VII, qui gouverne de 1901 à 1910, donne son nom au "style édouardien", dont l'opulence (dômes, loggias, décors de céramique et de frises sculptées, etc., d'inspiration baroque et Renaissance) exalte les succès de Londres à la Belle Époque : la ville se hérisse d'hôtels grandioses (Savoy Hotel), de grands magasins luxueux (Harrods, Liberty, Selfridges), de théâtres mirifiques (Hackney Empire, London Coliseum).

Architecture moderne et postmoderne

Dans l'après-guerre, à l'heure de la reconstruction, le modernisme s'impose et avec lui l'architecture fonctionnaliste, aux formes simples, qui refuse le décoratif au profit du béton brut (Royal Festival Hall, Queen Elizabeth Hall, Royal National Theatre...). L'usage du verre se répand dans les années 1960, en particulier dans les tours de bureaux de la City qui gagnent sans cesse en hauteur. Les succès du quartier financier entraînent sa métamorphose, stimulée par Richard Rogers avec le superbe building en aluminium de la Lloyd's (1981-1986), manifeste de l'architecture high-tech infusée d'ingénierie industrielle. Une veine futuriste largement exploitée par les concepteurs actuels, alors que la construction de plus de 200 tours est programmée dans la ville pour les prochaines années. Deux gratte-ciel font d'ores et déjà office de symboles du Londres contemporain : le 30 St. Mary Axe (2004), tour conique surnommée le Gherkin (le "Cornichon"), signée par le célèbre architecte londonien Norman Foster, et The Shard, "L'Éclat de verre" (2012), conçu par Renzo Piano comme un village vertical de 310m de haut, avec bureaux, logements, magasins et même jardins, le bâti s'étant résolument mis au vert lui aussi.

ARTS ET DESIGN

Londres compte quelques-uns des plus grands musées du monde, fourmille de mille et une galeries et a su mettre du style au cœur de tout, de la mode au décor urbain en passant par le design. Originale, extravagante, vibrante, avant-gardiste, elle a toujours mêlé sans complexe grand art et culture pop. Du pinceau lumineux de William Turner à l'invention de la fameuse cabine téléphonique rouge, la ville demeure une avant-scène incontournable de la création.

L'art officiel et ses révolutions

Soumise aux commandes royales et aristocratiques, la peinture anglaise est longtemps restée conventionnelle. Portraits codifiés dominent jusqu'au 18e s., où l'essor précoce d'une bonne société soucieuse d'intimité fait évoluer le goût. Joshua Reynolds (1723-1792) devient le chef de file de l'école du portrait anglais, qui se distingue par son inclination au réalisme et au naturel. À la même époque, Thomas Gainsborough (1727-1788) et John Constable (1776-1837), avant même les impressionnistes français, quittent les intérieurs feutrés de la ville pour la campagne, afin d'en saisir les paysages pittoresques. À leur suite, William Turner (1775-1851) abandonne tout caractère réaliste au profit de compositions lyriques où les effets de lumière occupent toute la toile – une révolution ! L'art victorien rompt autrement avec l'académisme ; le préraphaélisme, inspiré par les peintres italiens prédécesseurs de Raphaël, renoue avec un Moyen Âge mythique (Dante Gabriel Rossetti, Edward Burne-Jones).

Design Museum

Audaces contemporaines

C'est après 1945 que Londres s'érige en scène artistique de rang mondial. Henry Moore (1898-1986) s'impose comme l'un des plus grands sculpteurs du 20ᵉ s., maître du plein et du vide. Avec son art convulsif et torturé, Francis Bacon (1909-1992) est reconnu comme l'un des génies de la peinture contemporaine, tout comme Lucian Freud (1922-2011) qui se rend célèbre par ses portraits d'une précision morbide. Barry Flanagan (1941-2009) et Richard Long (né en 1945) s'affirment comme des acteurs de premier plan dans le domaine de l'*arte povera* et du land art, tandis que les artistes Gilbert and George défraient la chronique dans le domaine du performance art. Sous l'égide de ces aînés devenus des classiques, les artistes conceptuels londoniens, formés notamment au Goldsmiths College (Peckham), créent l'événement en 1992 à la galerie Saatchi avec leurs œuvres iconoclastes célébrées sous le label BritArt.

> **TOUS AU MUSÉE**
> Pour tout lord anglais, le voyage en France, en Italie et en Grèce (ce *Grand Tour* qui a donné le mot "tourisme") a longtemps constitué un indispensable. Les collections alors amassées sont montrées aujourd'hui gratuitement au public : The National Gallery, The Wallace Collection, Tate Britain, Tate Modern, The British Museum, Victoria & Albert Museum...

L'invention du design

Le *home, sweet home* londonien a donné naissance au design ! C'est à Londres en effet, que William Morris crée en 1861 le premier magasin de décoration au monde. En réaction à la production en série inventée dans le pays même, il défend l'idée du beau et fonde le mouvement Arts & Crafts ("Arts et Artisanat"), véritable acte de naissance du design. S'il s'agit de faire fonctionnel, il faut aussi faire esthétique ! Les designers londoniens du début du 20ᵉ s. imaginent un nouvel environnement quotidien, symbolisé par les radios en bakélite de Wells Coates (années 1930), le sigle du métro londonien, le fameux *roundel*, dessiné par Edward Johnston (1919), ou encore l'emblématique cabine téléphonique rouge (1924) de sir Giles Gilbert Scott ! Puis les années 1940-1950 voient de grandes innovations avec l'usage de matériaux inédits, sous l'impulsion de grands designers industriels (Ernest Race, Gaby Schneider, Martyn Rowlands) : chaises en tubes d'acier ou moulées en plastique, meubles en contreplaqué... Le design dessine le nouveau cadre de vie des classes moyennes. Le succès de l'automobile n'y échappe pas avec la célèbre Mini, dessinée en 1959 par Alec Issigonis (1906-1988). Sans oublier les illustres *routemasters*, les bus à impériale emblématiques créés par Douglas Scott en 1953. Dernier succès en date : celui du Brit-Design des années 1980-2000, porté notamment par les célèbrissimes figures de Ron Arad, Tom Dixon ou encore Sir Jonathan Ive, le fameux designer d'Apple (anobli par la reine en 2012).

MODE ET SHOPPING

Le credo du vrai look londonien semble tenir en un mot : oser ! Pour
tout Britannique qui se respecte, être distingué, c'est surtout savoir
se distinguer. Du tonitruant mouvement punk aux créations pointues
de Stella McCartney, Londres est bel et bien la capitale de l'originalité.
Mais l'extravagance a ses règles, et il faut savoir explorer les mille
et une boutiques de la ville !

Originalité et extravagance

De l'uniforme Tudor des Yeomen de la tour de Londres, à la livrée rouge et
noir (sans oublier le chapeau haut de forme) des portiers de la Lloyd's, en
passant par les célèbres "chauffeurs" tout de vert vêtus, du grand magasin
Harrods, les Londoniens ont le goût du costume. Ce sont les turbulents
Teddy boys, au lendemain de la Seconde Guerre mondiale, qui les premiers
défraient la chronique avec leur style très étudié. Adeptes du rock'n'roll
d'Elvis Presley, ils adoptent le fuseau et choisissent de détourner les redin-
gotes à revers et poignets de velours de l'époque édouardienne pour se
donner un look de mauvais garçons très *British*... Au cours de la décennie
suivante leur succèdent les mods (diminutifs de *modernists*, par opposition
aux traditionalistes), fans de jazz mais aussi de chemises à col boutonné
et de vestes à revers avec double fente postérieure. Pour la première fois,
face à leurs aînés, les jeunes refusent le conformisme et font de leur look
décalé un étendard.

Quand la rue dicte la mode

Dès lors, c'est la rue qui fait la
mode à Londres, entre recyclage
et invention : le *street style* ! Ainsi,
tous les regards se tournent vers le
Swinging London quand la styliste
Mary Quant, qui a ouvert sa première boutique, Bazaar, en 1955,
invente la minijupe, maxi-étendard
de la libération de la femme et de
la jeunesse. Le look et le *lifestyle*
des années 1960 sont nés. Dix ans
plus tard, la sulfureuse Vivienne
Westwood inaugure, également
sur King's Road, sa boutique Let It
Rock. Sous un seul slogan, *"Sex is
fashion"*, ses créations s'inspirent
de la culture underground, urbaine

**Brewer Street durant la London Fashion
Week**

et musicale punk. Sur King's Road et Carnaby Street, érigés en véritables lieux de pèlerinage international, les boutiques destinées aux jeunes se multiplient. La capitale britannique impose sa marque ; au contraire de Paris ou Milan qui brillent dans le domaine de la haute couture, elle détermine les tendances, véritable challenge dans le monde de la mode, dont elle sort gagnante.

Signatures internationales

Petite révolution en 1996 : John Galliano prend la tête de la maison Dior et Alexander McQueen celle de Givenchy, maisons mythiques de la place parisienne. La primauté de l'iconoclasme et de la créativité tout feu tout flamme de Londres est officiellement reconnue. Dans leur sillage, Stella McCartney, Sophia Kokosalaki, Paul Smith, Betty Jackson, John Rocha, Gareth Pugh, Philip Treacy, Giles Deacon, Paul Costelloe, Christopher Kane et Matthew Williamson créent les styles des années 1990-2000, version "glamrock". Parallèlement, le Central St. Martin's College of Art and Design (aujourd'hui installé à King's Cross) s'illustre comme la meilleure école de stylisme au monde. Ultime tendance, la ville force son cosmopolitisme sur le devant de la scène. De jeunes créateurs issus de l'immigration ou attirés par l'ouverture d'esprit de la capitale y réinventent la mode européenne. Les Anglo-Brésiliens Basso and Brooke, les Indiens Ashish Gupta et Manish Arora, la Brésilienne Issa, le Singapourien Ashley Isham, la Grecque Mary Katrantzou, la Japonaise Michiko Koshino, le Québecois d'origine turque Erdem, le Nigérian Duro Olowu ou encore Ozwald Boateng, le "sapeur" d'origine ghanéenne de Savile Row, attirent aujourd'hui tous les regards.

L'ANTI-MODE PUNK

Cuir, zips, chaînes et épingles de nourrice résument tout le look punk, auréolé de gloire par Vivienne Westwood. Et le portrait ne serait pas complet sans les célébrissimes bottes du Dr Martens que le mouvement anticonformiste adopte par identification au milieu ouvrier, car celles-ci étaient jusqu'alors les chaussures emblématiques de la classe laborieuse.

Les quartiers de la mode

Grands magasins, épiceries fines, disquaires, fournisseurs officiels de la reine et boutiques de jeunes créateurs... Londres demeure une destination de shopping par excellence. Chaque quartier a sa spécialité. Pour retrouver toutes les grandes marques du prêt-à-porter, direction le West End bien sûr, et les célèbres Oxford Street et Regent Street, où se distinguent quelques gloires nationales parmi plus de 300 commerces : Selfridges, Debenhams, Marks & Spencer, Top Shop, Liberty et Burberry – sans oublier Hamley's, le plus grand magasin de jouets du monde. Pour un shopping plus confidentiel, direction Covent Garden et ses enseignes de streetwear, de chaussures et de produits de beauté naturels, ainsi que Soho, colonisé par des enseignes branchées, des créateurs indépendants et des boutiques insolites. Le luxe (grands couturiers et joailliers), lui, a pour fief historique l'ouest de la ville – Mayfair, St James's, Knightsbridge, Chelsea et Kensington – où trônent également ces temples de la consommation que sont Harrods et Harvey Nichols. Quant à l'East End, ancien territoire ouvrier et d'immigration, aujourd'hui en voie d'embourgeoisement rapide, il est devenu le repaire des jeunes créateurs bohèmes et funky, de Spitalfields à Shoreditch.

Le paradis des puces et des friperies

Autre spécialité londonienne, la brocante et surtout les *thrift shops* ("friperies"), qui offrent une seconde vie aux vêtements d'hier, dans cette lignée de l'art du recyclage cher aux punks. La ville compte une dizaine de grands marchés aux puces où chiner bijoux, mode vintage, chaussures, luminaires, vaisselle... Parmi les plus connus et les plus centraux figurent : ceux de Notting Hill, dont les boutiques de brocanteurs s'alignent le long de Portobello Road ; le Camden Market, célèbre pour ses fringues punks excentriques ; le Sunday UpMarket de Brick Lane, dans l'East End, marché aux puces haut

Le look Teddy boy par A child of the Jago

en couleur ; l'Old Spitalfields Market, convoité pour sa mode alternative et ses designers. Sans compter une foule de friperies et de *charity shops* où l'on peut dénicher des pièces collector signées Vivienne Westwood ou Stella McCartney par exemple. L'East End et Notting Hill regorgent notamment de petits fripiers vintage (Rokit, Beyond Retro, Rellik), tandis que les quartiers chics de l'Ouest possèdent une foule de magasins de seconde main (à l'image de la boutique de la Croix-Rouge de Chelsea) où se bradent les créations des plus grandes marques.

LA FRÉNÉSIE DES SOLDES

Les soldes d'hiver, *winter sales*, débutent dès le lendemain de Noël.
Le 26 décembre, Boxing Day ("jour des boîtes") est traditionnellement une journée fériée dans le pays, ce qui ajoute à la foule se précipitant dès l'aube dans les grands magasins, qui ont l'habitude de concéder d'importantes réductions (jusqu'à 70 ou 80%). Les soldes d'été, *summer sales*, démarrent le 1er juillet mais sont en général moins suivies et moins intéressantes.

GASTRONOMIE

Londres a connu une véritable révolution culinaire. Après avoir été longtemps considérée par le monde entier, et les Londoniens eux-mêmes, comme un désert gastronomique, la ville cosmopolite s'est résolument tournée vers les saveurs et les traditions venues d'ailleurs. Y règne aujourd'hui une cuisine inventive, qui ose et réussit tous les mélanges, que ce soit à la table d'un restaurant select ou sur un stand de *street food market*.

British food

L'engouement pour les cuisines étrangères, en particulier à Londres, riche en gargotes exotiques, a réveillé les papilles du pays jusqu'à donner naissance à une jeune génération de chefs audacieux, certains très médiatisés, à l'instar de Jamie Oliver, mais aussi à de nouvelles tendances. Ainsi la capitale a-t-elle inventé au début des années 1990 le concept de *"gastro-pub"*, établissement sans chichis, mi-pub mi-gastro, misant tout sur le bon produit bien cuisiné, c'est-à-dire simplement. Petit à petit, le plaisir de la gourmandise – aujourd'hui très volontiers déclinée en mode bio ou *vegan* (végétalienne) – a remis au goût du jour les traditionnelles recettes des terroirs britanniques : bonnes vieilles *pies* (tourtes salées), solides *bangers & mash* (saucisses et pommes de terre écrasées), incontournable *roast beef* (rôti) du dimanche avec son épaisse sauce *gravy*...

Comptoirs du monde

Mais que serait l'offre culinaire londonienne sans ses innombrables tables étrangères ? C'est au cours des années 1980 que les yuppies de la City créent le phénomène. Prenant conscience qu'ils vivent dans une capitale particulièrement cosmopolite, ils se précipitent dans les petits restaurants typiques ouverts par des immigrés de fraîche date : *curry houses* à l'indienne, comptoirs à *dim-sum*, sans compter la profusion de cantines malaisiennes, thaïes, japonaises, birmanes, afghanes, coréennes, érythréennes, turques, vietnamiennes... L'une après l'autre, les traditions culinaires du monde entier deviennent à la mode, poussant en retour les chefs britanniques à l'expérimentation, en particulier au travers des cuisines fusion qui, de la *modern European cuisine* à la nouvelle cuisine orientale, mêlent saveurs d'ici et d'ailleurs dans une spirale du bon sans cesse enrichie, renouvelée et réinventée. En témoigne aujourd'hui une cuisine de rue de haut vol, qui sublime le melting-pot londonien en le mettant à portée de tous les palais au gré de ses *street food markets*, de jour comme de nuit.

MUSIQUE

Photographie célèbre que celle des Beatles traversant à la queue leu leu un passage piéton sur Abbey Road, et qui fit en 1969 la pochette de leur avant-dernier disque. L'image résume ce que Londres doit à la musique et inversement. Depuis les années 1960, la capitale britannique est le rendez-vous incontesté du monde du rock. Il faut dire que le pays a offert à la pop quelques-uns de ses plus grands artistes déchaînés !

Swinging London

Londres n'échappe pas au vent de liberté qui souffle sur la jeunesse au cours des Swinging Sixties. Au contraire, ses quartiers de Soho et de Chelsea percent comme les incontournables viviers de cette révolution culturelle qui bouscule tout en matière de design, de mode, de mœurs et, principalement ici, de musique. Alors que la minijupe de Mary Quant fait la une des médias internationaux, la ville est le repaire des Beatles (formés à Liverpool en 1957), des Rolling Stones (Londres, 1962), des Pink

Les Rolling Stones en 33 tours

Floyd (Londres, 1965) et des Who (Londres, 1964). Qui dit mieux ? Bastion d'un rock décomplexé reposant sur le talent de jeunes artistes autodidactes, Londres écrit la bande-son de ces décennies de contestations...

God save the pogo

L'iconoclasme de la musique londonienne atteint son paroxysme en 1975. La société britannique se désaxe, les mineurs font grève, le pays a froid et

---

MAIS D'OÙ VIENT L'ÉPINGLE À NOURRICE ?

Malcom McLaren, manager de groupes rock et dandy de sa personne, et sa compagne, la styliste Vivienne Westwood, vont donner une vitrine au mouvement punk, et s'en nourrir. Dans leur boutique du 430, King's Road qui, successivement, s'appellera Let It Rock, Too Fast to Live Too Young to Die, puis Sex et enfin World's End (p.218), se peaufine un look déstructuré où, depuis Johny Rotten (chanteur des Sex Pistols) et son tee-shirt "I hate Pink Floyd", l'épingle de nourrice, triviale comme il faut, se fait symbole de contestation et de néant.

s'ennuie. *"No future"*. La musique, art vivant qui se conjugue au présent, ronronne gentiment dans la pop édulcorée, tandis que le rock progressif qui se fait savant se mâtine de jazz, tourne dans des circuits bien rôdés et vend son âme rebelle aux majors les plus offrantes. C'est ce monde que veut faire exploser le mouvement punk, comme un rugissement, un *"London Calling"* (succès des Clash en 1979) qui se propage à toutes les villes sinistrées par la crise. Inspirés de la scène new-yorkaise, de Patti Smith et des Ramones notamment, les punks de l'âge d'or londonien (1976-1979), les Sex Pistols, les Clash, The Damned, Siouxsie & the Banshees, fracassent l'establishment politique, social, culturel, à grand renfort de décibels, de violence verbale et physique et de provocations. Le mouvement retombe vers 1980, et avec lui les crêtes de cheveux multicolores.

Au top de la pop

Peinture murale de David Bowie à Turnpike Lane

Roi du glamrock, David Bowie, né en 1947 dans le quartier de Brixton, connaît à partir des années 1970 un succès qui ne se démentira pas jusqu'à sa mort en 2016. Il reste une figure exemplaire de cette musique pop exigeante, qui sait allier succès commercial et ambition artistique – un équilibre que ne tient pas aussi bien Elton John, né la même année à quelques kilomètres et dont les tubes sont parfois décriés pour leur nature formatée. Le vrai renouveau du rock anglais vient avec les années 1990, au cours desquelles éclosent des groupes majeurs : Radiohead (1986), Oasis (1991), Placebo (1994), Muse (1994), Coldplay (1996), The Libertine (1997). Au même moment, la banlieue londonienne voit naître Amy Winehouse (1983-2011) et Adele (née en 1988). L'une deviendra princesse soul, l'autre, diva pop, preuve que Londres reste une pépinière de talents.

***KEEP IN TOUCH* AVEC L'ACTUALITÉ ROCK**

Pour suivre l'actualité de la scène rock londonienne, suivez le sigle NME, véritables lettres de noblesse de la scène rock outre-Manche. C'est le petit nom du très influent *New Musical Express*, hebdomadaire musical fondé en 1952, qui s'est imposé comme la bible des fans de rock et de pop. Chaque année, ses *awards* adoubent "les" artistes du moment. Quant au **club NME**, ses soirées hébergées au KOKO (p.133) à Camden offrent un tremplin aux jeunes pousses du rock indé.

📱 www.nme.com

THÉÂTRE ET *MUSICALS*

Un "Theatreland" ("quartier des théâtres") qui, autour de Covent Garden, compte plus de soixante salles, un répertoire éclectique allant du drame élisabéthain aux grandes comédies musicales contemporaines, un public averti et assidu : la réputation du théâtre britannique n'est plus à faire...

Théâtre du monde

Le goût du théâtre s'impose au Moyen Âge au travers des mascarades, des mystères et des moralités donnés en costumes. Les représentations étant interdites dans la City, les troupes itinérantes posent leurs tréteaux à Shoreditch et à Southwark, dans des cours d'auberge. Ces dernières annoncent l'architecture originale des premiers théâtres londoniens, qui prennent la forme d'un *wooden O* ("anneau de bois") cerné de galeries et dont le plus célèbre reste le Globe Theatre, où Shakespeare s'établit vers 1590. Avec lui, Ben Jonson (1572-1637) et Christopher Marlowe (1564-1593) font la réputation du théâtre élisabéthain, véritable âge d'or pour la création dramatique nationale, qui ne cessera dès lors de produire de grands noms : Sheridan (1751-1816), George Bernard Shaw (1856-1950), John Osborne (1929-1994), puis Harold Pinter (1930-2008), Tom Stoppard (né en 1937) ou encore Edward Bond (né en 1934).

> ### TO BE OR NOT TO BE
> William Shakespeare (1564-1616) a donné toutes ses lettres de noblesse au théâtre anglais, grâce à un répertoire d'une quarantaine de pièces à la richesse inégalée, mêlant farce populaire, comédie, féerie, drame et tragédie. De l'hilarant et loufoque *Songe d'une nuit d'été* au crépusculaire *Hamlet*, il a, en auteur universel, sondé toutes les passions humaines.

La frénésie des comédies musicales

L'un des principaux acteurs du succès du West End, royaume des comédies musicales, a pour nom Andrew Lloyd Webber, créateur prolifique à qui l'on doit *Jesus Christ Superstar* (1971), *Evita* (1976), *Cats* (1981), *The Phantom of the Opera* (1986)... Ces superproductions aux effets scéniques hollywoodiens tiennent toujours le haut de l'affiche et ont conduit le West End à surclasser New York et son Broadway ! Entre autres créations devenues des classiques : *Mamma Mia* (1999) avec plus de 40 millions de spectateurs, et *Les Misérables* (1985), vue par plus de 55 millions de spectateurs dans 40 pays et qui bat tous les records de longévité.

Carnet pratique

276 **Avant de partir**
277 **Agenda**
280 **Transports**
284 **Sur place**

Gare de Liverpool Street

INFOS UTILES

Look left ! Look right ! Prenez vos marques dans la ville qui roule à gauche ! Livre sterling, jour de Noël où rien ne fonctionne (aucun transport), horaires du dimanche ouvré, prises électriques à trois fiches, menus "*pre*" et "*post theatre*"... Ne ratez rien des usages de la capitale britannique... et profitez pleinement du dépaysement.

🧳 AVANT DE PARTIR

FORMALITÉS ET PASSEPORT

Jusqu'à la sortie effective du Royaume-Uni de l'UE (Brexit), les ressortissants de la Communauté européenne n'ont pas besoin de visa, mais doivent être en possession d'une carte d'identité ou d'un passeport en cours de validité. Les contrôles d'identité, à la douane, sont systématiques.

Ambassade du Royaume-Uni
35, rue du Fbg-Saint-Honoré 75008
📱 01 44 51 31 00 https://www.gov.uk/government/world/france ⏱ Lun.-ven. 9h30-13h et 14h30-17h

Consulat général du Royaume-Uni
16, rue d'Anjou 75008 📱 01 44 51 31 00 ⏱ Lun.-ven. 9h30-12h30

INFORMATIONS TOURISTIQUES

Les offices de tourisme (Tourist Information Centres, TIC) sont présents en différents endroits de la ville, dans les gares et les aéroports. Les points d'information de la régie des transports (Transport for London) aident aussi les visiteurs et vendent notamment des billets pour certaines attractions.

Office de tourisme de Grande-Bretagne
Demande de renseignements par courriel uniquement.
📧 gbinfo@visitbritain.org www.visitbritain.com/fr

City of London Information Centre
Plans, informations, vente de titres de transport et de billets pour certaines attractions et spectacles, bureau de change.
St Paul's Churchyard M° St. Paul's
📱 020 7606 3030 www.visitlondon.com, www.visitthecity.co.uk ⏱ Lun.-sam. 9h30-17h30, dim. 10h-16h

LONDRES EN LIGNE

www.visitlondon.com
Site officiel de l'office de tourisme de Londres. Bien conçu, édité en plusieurs langues.

www.london.gov.uk
Site officiel de la mairie de Londres, en anglais. Actualité culturelle, vie pratique.

www.timeout.com/london
Version numérique du magazine *Time Out* avec toute l'actualité londonienne (expos, spectacles, restaurants, bars et pubs, clubs, hôtels, rubrique "enfants"...). Avec en plus des liens et un moteur de recherche. Bref, un indispensable !

www.standard.co.uk/goingout
Le complément culturel de l'*Evening Standard* en ligne : sorties, spectacles, restaurants...

www.ici-londres.com
Le site du magazine des français de Londres.

BUDGET ET SAISONS TOURISTIQUES

BUDGET

Comptez environ 85-105£ pour une chambre double avec salle de bains et petit déjeuner. Un déjeuner sur le pouce revient à 8-10£ (dans un *fish & chips shop*, un *caff* ou sur un stand de *street market*). Un repas simple dans une cantine indienne ou chinoise coûte 15-20£. Si les bonnes tables pratiquent souvent des formules à midi ou en début de soirée, comme le *pre-theatre menu* à 18-20£, il faudra débourser au moins 25-35£ pour un dîner, boissons non comprises. Les transports sont aussi très onéreux ; étudiez bien vos déplacements. En fonction de votre lieu d'hébergement et des sites que vous comptez visiter, une *travelcard* (p.282) peut vite se révéler rentable. De même le London Pass n'est pas à négliger. Si de nombreux musées, dont les plus importants, sont gratuits, les grandes attractions sont souvent très chères.

SAISONS TOURISTIQUES

Le flux touristique est dense toute l'année car on se rend à Londres aussi bien pour un simple week-end que pour faire les soldes, voir une expo ou assister à un concert ! Pensez donc toujours à réserver votre hôtel. En haute saison, de Pâques à octobre, les établissements affichent souvent complet. Mais, en semaine, certains proposent des prix inférieurs de 10 à 15% aux tarifs "week-end". En période creuse, les prix peuvent chuter jusqu'à 40%. Motivées par le taux de remplissage de l'hôtel, ces offres ponctuelles sont le plus souvent limitées aux réservations en ligne.

GAMME DE PRIX	
Restauration	**Hébergement**
£ < 15£	£ < 80£
££ 15-30£	££ 80-200£
£££ > 50£	£££ > 200£

AGENDA

Des cérémonies de la Couronne au carnaval de Notting Hill, la ronde des fêtes est des plus éclectiques. Comme dans toutes les grandes villes, à l'approche de Noël, rues et vitrines s'animent. Dès la mi-novembre, les Christmas lights illuminent les grandes artères commerçantes (Regent Street, Oxford Street, Bond Street, St. Christopher's Place, Covent Garden) et début décembre, des patinoires en plein air s'installent... Parmi les dates annuelles les plus courues, certaines manifestations sont payantes ; mieux vaut réserver longtemps à l'avance si l'on veut assister aux grands défilés du haut des gradins. De même, les événements gratuits attirent beaucoup de monde et il faut prévoir d'arriver tôt !

BOXING DAY

Vraisemblablement en souvenir du jour où le petit personnel de maison s'en retournait dans sa famille avec une boîte remplie de restes du festin noëlique, le 26 décembre est appelé Boxing Day, "jour des Boîtes". Mais ce jour férié aux services restreints signale aussi le premier jour des soldes d'hiver ! À vos marques, prêt, *sales* !

JANVIER-FÉVRIER

New Year's Day Parade
Des milliers de spectateurs et environ 10 000 participants suivent la parade festive et musicale de Parliament Sq. à Piccadilly pour fêter la nouvelle année.
☎ 020 3275 0190 http://lnydp.com 1er jan.

Charles I Commemoration
Anniversaire de l'exécution de Charles Ier : des cavaliers en costumes d'époque défilent à travers la ville.
☎ 020 7234 5800 ou 014 3043 0695 Dernier dim. de jan.

Chinese New Year Festival and Parade
Danse du dragon, musique et danses traditionnelles. De Chinatown, le défilé du Nouvel An chinois rejoint Trafalgar Square en passant par Leicester Sq. et Charing Cross Rd.Troupes et artistes de Chine sont régulièrement invités.
☎ 020 7851 6686 www.lccauk.com Entre fin jan. et mi-fév.

AVRIL-MAI

Chelsea Flower Show
Le grand rendez-vous des spécialistes de l'horticulture. L'exposition au Royal Hospital Chelsea est visible uniquement les trois derniers jours.
☎ www.rhs.org.uk 3e ou 4e sem. de mai

Beating Retreat
Deux soirées de manœuvres militaires à Horse Guards Parade, à partir de 19h, en présence de membres de la famille royale : fanfares, tambours, cornemuse au programme.

☎ www.army.mod.uk/events/ceremonial/23234.aspx Fin mai-début juin

Regent's Park Open Air Theatre
Pièces de Shakespeare, comédies musicales, jazz, etc. L'été, Regent's Park se prête à de belles nuits culturelles.
☎ 0844 826 4242 http://openairtheatre.com De mi-mai à mi-sept.

JUIN-JUILLET

Opera Holland Park
Tout l'été, le parc accueille des opéras en plein air.
☎ 020 3846 6222 www.operahollandpark.com De juin à mi-août

Epsom Derby
La prestigieuse course de chevaux a lieu début juin.
☎ 013 7272 6311 www.epsomderby.co.uk

Hampton Court Palace Festival
Dans l'ambiance champêtre des jardins du palais royal, des concerts en plein air allant du world music à l'opéra... Pique-nique sur les pelouses autorisées.
☎ www.hamptoncourtpalacefestival.com 1re quinzaine de juin.

Trooping the Colour
Célébration officielle de l'anniversaire de la reine : inspection des troupes, salves, défilé (du palais royal à Horse Guards Parade). Tribunes réservées aux ressortissants britanniques.
☎ 020 7414 2479 www.army.mod.uk/events/ceremonial/23240.aspx 2e sam. de juin.

Pride London Festival
Défilé dans les rues et manifestations gratuites dans Soho.

0844 884 2439 www.pridelondon.ca
2e quinzaine de juil.

The Proms
Quelque 70 concerts à très petit prix
(6£ la place debout) au Royal Albert
Hall pour rapprocher la musique
classique du grand public. Parrainés par
la BBC, les "Henry Wood Promenade
Concerts" sont très courus et il est
extrêmement difficile d'obtenir une
place.
Royal Albert Hall 020 7589 8212 ou
0845 401 5040 (rés.) www.bbc.co.uk/
proms

AOÛT-SEPTEMBRE

Notting Hill Carnival
Le plus fou des événements du
calendrier londonien. Un gigantesque
carnaval caribéen : parade, *steelbands*,
sound systems... Dernier week-end (et
le lundi) d'août : carnaval des enfants le
dim., "vrai" carnaval le lun.
Portobello Rd. www.
thelondonnottinghillcarnival.com

Totally Thames
La Tamise sur le devant la scène :
théâtre, musique, stands de
restauration au bord du fleuve, retraite
aux flambeaux et feux d'artifice.
020 7928 8998 totallythames.org
Pendant tout le mois de sept.

London Open House
Inspirées du modèle français, ces
Journées du patrimoine offrent un
accès gratuit à plus de 500 monuments
et édifices sinon fermés au public. Rés.
obligatoire.
www.londonopenhouse.org 3e w.-e.
de sept.

OCTOBRE-DÉCEMBRE

State Opening of Parliament
L'arrivée du carrosse royal, escorté de la
garde à cheval, et le discours de la reine
au palais de Westminster marquent
l'ouverture de l'année parlementaire.
Depuis la conspiration des Poudres,
dont l'échec est célébré par la Guy
Fawkes Night, le souverain ne se rend au
Parlement qu'à cette seule occasion !
www.parliament.uk/education/about-
your-parliament/introduction/state-
opening-of-parliament Mai ou juin

BFI London Film Festival
Le plus important festival international
de cinéma de Grande-Bretagne.
L'occasion de voir des films en avant-
première au British Film Institute et dans
une dizaine de salles londoniennes.
National Film Theatre South Bank www.
bfi.org.uk/lff 2 sem. en oct.

Guy Fawkes Night (ou Bonfire Night)
Le 5 nov., les Londoniens fêtent
l'arrestation du félon qui faillit renverser
le pouvoir en 1605 autour de grand feux
d'artifice tirés en différents points de la
ville. Partout sont allumés des feux de
joie sur lesquels on brûle des effigies du
conspirateur...

London Jazz Festival
Un prestigieux festival de jazz qui prend
place dans plusieurs salles de la capitale.
www.efglondonjazzfestival.org.uk 10 j.
en nov.

Lord Mayor's Show
Des milliers de Londoniens descendent
dans la rue pour assister à ce
cérémonial qui, depuis 1215, consacre
l'allégeance du maire de la City à la
Couronne. La procession quitte le
Guildhall à 11h pour se rendre aux Royal
Courts of Justice. La journée se termine
par des feux d'artifice tirés d'une barge
sur la Tamise.
020 7606 3030 lordmayorsshow.
london 2e sam. de nov.

Remembrance Day Service and Parade
En mémoire des soldats tombés
depuis la Première Guerre mondiale,
on arbore un coquelicot en papier dont
la couleur symbolise le sang versé sur
les champs de bataille. Défilé d'anciens

TRANSPORTS

combattants à Whitehall et services religieux. 2min de silence à 11h.
Le dim. le plus proche du 11 nov.

Trafalgar Square Christmas Tree
Animations diverses autour du grand sapin illuminé dressé sur la place.
Fin nov.-6 jan.

JOURS FÉRIÉS

Aux *public holidays* (jours fériés au cours desquels seul un service réduit est assuré dans les transports en communs mais où maints commerces et musées restent ouverts) s'ajoutent deux *bank holidays*, jours de congé attribués à tous les salariés du Royaume-Uni et où tout – et pas seulement les banques – est donc fermé. Attention au 25 décembre,

tout s'arrête, sans exception : ce jour-là, aucun métro ni aucun train ne circule !

1er janvier
New Year's Day

Mars-avril
Good Friday (Vendredi saint)
Easter Monday (lundi de Pâques)

1er lundi de mai
Early May Bank Holiday

Dernier lundi de mai
Spring Bank Holiday

Dernier lundi d'août
Summer Bank Holiday

25 déc. et 26 déc.
Christmas et Boxing Day (si le lendemain de Noël, "jour de la boîte", tombe un samedi ou un dimanche, le jour férié est reporté au 27 ou 28 décembre). Le 25 décembre, rien ne fonctionne (aucun transports)

✈ 🚗 ⛴ TRANSPORTS

ALLER À LONDRES

EN AVION
Quelque 40 vols quotidiens relient Londres et Paris, soit sur cette ligne parmi les plus fréquentées du ciel, un départ toutes les 20 minutes ! Durée du vol : entre 1h05 et 1h25 Prix : autour de 100€ l'AR sur une compagnie régulière (en s'y prenant avec un peu d'avance)

Compagnies
Air France
36 54 www.airfrance.fr

British Airways
0825 825 400 www.britishairways.com

easyJet
0 820 42 03 15 www.easyjet.com

Ryanair
0892 562 150 (service réservation)
www.ryanair.com

Aéroports
Heathrow Airport
L'aéroport le plus actif du monde. À 25km à l'ouest du centre.
0844 335 1801 www.heathrow.com

London City Airport
À 10km du centre, liaison avec Orly et Roissy.
020 7646 0088 www.londoncityairport.com

Gatwick Airport
À 40km au sud de Londres, l'un des aéroports les plus fréquentés de Londres (desservi par Ryanair et easyJet).
0844 892 0322 www.gatwickairport.com

Stansted Airport
Si vous voyagez avec Ryanair, il y a de fortes chances pour que vous atterrissiez dans cet aéroport établi à 50km au nord-est de la capitale.
☎ 0844 335 1803 www.stanstedairport.com

EN TRAIN
Eurostar
L'Eurostar relie le continent à Londres via les 50km du tunnel sous la Manche en 2h15 au départ de Paris-gare du Nord (arrivée à la gare St. Pancras). Un départ par heure ; AR à partir de 80€ env. De Lille (gare Lille-Europe, 1h20 de trajet) et de Calais, plus de cinq AR directs.
☎ 0892 35 35 39 www.eurostar.com www.voyages-sncf.com

St. Pancras International
M° King's Cross St. Pancras
☎ 0345 711 4141 www.stpancras.com
🕒 St Pancras 24h/24

EN CAR
Eurolines
Traversez la Manche en ferry à moindres frais (à partir de 36€). Quatre départs quotidiens pour 8h de trajet direct.
Gare routière internationale Paris-Gallieni 28, av. du Général-de-Gaulle
☎ 0892 89 90 91 www.eurolines.fr

EN VOITURE
Taxe de circulation journalière, axes réservés aux bus et aux taxis, nombreux sens interdits, stationnement réduit hors de prix et lourdes amendes en cas d'infraction rendent l'usage de la voiture rédhibitoire. N'oubliez pas de vous munir des documents requis : carte grise, assurance responsabilité civile, permis de conduire et carte d'identité nationale ou passeport. Dans le centre de Londres, la circulation est régulée par la *congestion tax* (péage) qu'il vous faudra acquitter

(11,50£/j.) auprès de l'un des nombreux points de vente (PayPoints) sur la M25, ou par avance sur Internet. Il est donc plus sage de laisser votre voiture en dehors du périmètre signalé par un grand "C" rouge, qui comprend le centre de Londres, de Westminster à la City et de Regent's Park au sud de Southbank.

Eurotunnel / Shuttle
Traverser le tunnel sous la Manche ne prend que 35min, mais il faut se présenter à l'embarquement à Calais 30min avant le départ.
☎ 0 809 10 08 11 (depuis la France) www.eurotunnel.com

EN BATEAU
Nombreuses liaisons transmanche au départ de Boulogne, Caen-Ouistreham, Calais, Cherbourg, Dieppe, Dunkerque et Le Havre. Londres est ensuite facilement accessible à partir des ports du Sud de l'Angleterre. Durée de la traversée la plus courte, entre Calais et Douvres : 1h30. À partir de 70€ avec une voiture.

P&O Ferries
☎ 0825 120 156 ou 03 66 74 03 25 www.poferries.com

Brittany Ferries
☎ 0825 828 828 www.brittany-ferries.fr

DFDS Seaways / LD Lines
☎ 02 32 14 68 50 ou 0800 650 100 www.dfdsseaways.fr

TRANSPORTS EN COMMUN

Le Grand Londres est divisé en neuf zones tarifaires, le centre correspondant aux zones 1 et 2. La plupart des sites touristiques, y compris Greenwich, se situent à l'intérieur de ce périmètre. Les bus sont très pratiques pour explorer le centre. De

TRANSPORTS

nombreuses lignes traversent la ville de part en part, et l'attente est souvent très courte. Avec le métro (y compris la DLR), les trains de banlieue et les navettes fluviales, ils sont gérés par TfL (Transport for London). Sachez que les moins de 10 ans voyagent gratuitement dans les bus et le métro.

TfL (Transport for London)
☎ 020 7222 1234 (24h/24) https://tfl.gov.uk

Travel Information Centres
Renseignements, plans, billets pour des attractions majeures. Présents aux stations de métro Euston, Liverpool Street, Piccadilly Circus, Victoria, Paddington, Heathrow Airport et Gatwick et à la gare de St. Pancras.

Travelcards et Oyster Card
La *travelcard* permet de circuler librement sur l'ensemble du réseau TfL (métro/DLR, bus, trains de banlieue) et de bénéficier de 75% de réduction sur les transports fluviaux réguliers. Au-delà de sept jours, une *travelcard* peut être créditée sur une Oyster Card, carte magnétique rechargeable permettant d'utiliser librement le métro et le bus. **Travelcard** *1 jour/2 zones :* 12,10£ *7 jours/2 zones :* 32,40£ *Oyster Card :* 5£, crédit initial minimal 5£

BUS
Les "Boris Bus", surnommés ainsi en référence à Boris Johnson, maire de Londres à l'époque de leur mise en service, arborent la même couleur rouge pompier que leurs prédécesseurs.

Ils constituent pareillement un agréable moyen de locomotion, surtout si l'on arrive à trouver une place en haut, pour la vue. Les lignes les plus attractives sont la 8 (Victoria, Mayfair, Oxford Street, Shoreditch), la 11 (Chelsea, Westminster, Trafalgar, St. Paul's) et la 12 (Regent Street, Piccadilly, Westminster, Elephant & Castle). N'oubliez pas que les bus ne marquent l'arrêt que si l'on fait signe au conducteur. Les tickets (trajet simple 2,60£) s'achètent aux distributeurs installés aux arrêts.

Bus
🕐 Tlj. 5h-0h

Bus de nuit
Jusqu'à 5h pour certains (la plupart passent par Trafalgar Sq.)

MÉTRO, DLR ET OVERGROUND
Signalé par son superbe logo, la fameuse *roundell* rouge, le métro londonien (*underground* ou, plus familièrement, *tube*) est un moyen facile et pratique de couvrir de longues distances. Heures de pointe : 7h30-9h30 et 16h-19h. La DLR (Docklands Light Railway), ligne aérienne automatique, relie la City (stations Bank ou Tower Gateway) à l'est de la ville, aux Docklands et à Greenwich. Identifiable à sa signalétique (même *roundell* que le métro) orange, l'Overground, le métro aérien de Londres, dessert certaines parties du centre ainsi que du Grand Londres, à des

---

MAIS OÙ SONT LES BONS VIEUX *DOUBLEDECKERS* ?

Devant l'émoi général suscité par la disparition des vieux bus à impériale, certains ont été conservés sur deux lignes, appelées depuis les "Heritage Routes" : la 9 (entre le Royal Albert Hall et Aldwych) et la 15 (entre Trafalgar Square et Tower Hill).

fréquences similaires à celles du *tube* (même tarification que celle des autres transports urbains londoniens). Le ticket de métro pour les zones 1-3 est à 4,90£.

Underground ("Tube")
🕐 Lun.-sam. 5h30-0h30, dim. 7h-23h30 Certaines lignes ven.-sam. 24h/24

BATEAUX
Une foule de compagnies fluviales assurent un service de navette ou des minicroisières sur la Tamise. Procurez-vous le guide des London River Services dans les stations de métro, aux points d'information Transport for London (TfL) ou sur le site https://tfl.gov.uk. La plupart des services fonctionnent toute l'année, mais au ralenti l'hiver. Entre avril et octobre, les départs sont quotidiens, toutes les 20-60min selon les jours et les heures. La plupart des compagnies privées consentent des réductions aux détenteurs de *travelcards*. Les tickets s'achètent à bord ou sur les quais, au kiosque de la compagnie.

City Cruises
De Westminster à Tower Hill et Greenwich.
📞 020 7740 0400 www.citycruises.com

Thames River Services
Navettes de Westminster à Greenwich et Barrier Gardens via St. Katharine's Pier.
📞 020 7930 4097 www.thamesriverservices.co.uk

MBNA Thames Clippers
Bateaux-bus sur la Tamise, de Putney à l'East End.
📞 020 7001 2200 www.thamesclippers.com

Crown River Cruises
Itinéraire circulaire entre Westminster, Millennium Pier, Embankment Millennium Pier et St. Katharine's Pier. Le forfait *hop-on hop-off* vous permet de monter et descendre à votre guise dans la même journée. Comptez 10£ pour un aller simple et 14£ pour un aller-retour (moitié prix pour les enfants).
📞 020 7936 2033 www.crownrivercruise.co.uk

TAXIS

Black cabs
Pas forcément noirs mais facilement repérables à leur enseigne "taxi", ils sont très nombreux. Ce sont les seuls qui ont le droit de stationner aux arrêts de taxis, ou d'être hélés (vérifiez que l'enseigne orange *"For hire"* est allumée). La prise en charge coûte au minimum 2,60£. Puis comptez 5,80-9,20£ par mile. L'usage veut qu'on laisse un pourboire en arrondissant la somme due. Comptez 2£ supplémentaires si vous avez réservé par téléphone ou en ligne.

One Number Taxi bookings
Un seul numéro regroupant les services de différentes agences de taxi.
📞 0871 871 8710

Zingo
Un numéro à appeler de votre portable : le taxi le plus proche sera contacté.
📞 08700 700 700

Radio Taxis
📞 020 7272 0272

Mini cabs
Moins chers que les *black cabs*, ils sont gérés par des sociétés privées. Le prix de la course se négocie avant, au téléphone ou avec le chauffeur. Il est vivement déconseillé de suivre les chauffeurs qui maraudent à la sortie des pubs et des clubs : les véhicules illégaux sont très nombreux. Veillez toujours à réserver le minicab en passant par sa société ou vérifiez que le conducteur a bien sa licence – signalée par un disque jaune collé sur le pare-brise.

Addison Lee
 020 7407 9000 www.addisonlee.com

Ambassador Car and Courier Service
Minicabs 24h/24.
 020 7272 7555

VÉLO

Les vélos déferlent sur le macadam londonien : environ un demi-million de deux-roues par jour ! Rues, parcs, canaux, etc. sont dotés de pistes cyclables. Le site de TfL permet de bien préparer ses itinéraires. Sachez qu'il est possible, sur certaines lignes, et selon des horaires précis, d'embarquer son vélo dans le métro.

Santander Cycles
On règle la location par carte bancaire directement à la borne de paiement. Le prix de la location comprend un coût fixe de base (2£) et un coût horaire (les 30 premières minutes sont gratuites ; 1h = 1£, 1h30 = 4£, 2h = 6£ et ainsi de suite jusqu'à 50£ pour 24h).
 0343 222 6666 tfl.gov.uk/modes/cycling/santander-cycles

SUR PLACE

ARGENT, CHANGE

MONNAIE
L'unité monétaire britannique est la livre sterling (*pound sterling*), symbolisée par le signe £ (ou le sigle GBP, pour Great Britain Pound). Une livre équivaut à 100 *pence* (singulier : *penny*) – dans la langue parlée comme à l'écrit, on emploie l'abréviation p (prononcer "pi").

CHANGE
En avril 2017, le taux de change est d'environ 1£ contre 1,17€ (1€ = 0,85£). Nombreux bureaux de change dans le centre touristique, notamment au City of London Information Centre (p.146). Comparez les commissions perçues qui varient beaucoup d'un établissement à l'autre. Évitez les agents de change des aéroports et des gares, systématiquement plus chers ; préférez-leur le distributeur de billets en veillant à ne pas multiplier les (petits) retraits, ces derniers faisant aussi l'objet d'une commission.

CARTES BANCAIRES
S'il est largement accepté, y compris dans les taxis, le règlement par carte est souvent taxé – la différence de prix selon le mode de paiement est alors affichée. Attention, certains B&B ne prennent pas les cartes.

DÉCALAGE HORAIRE

Londres est situé sur le fuseau horaire du Greenwich Mean Time (GMT), méridien qui traverse Greenwich et donne l'heure 0 à la planète. La France est à GMT +1 : il faut retrancher une heure pour obtenir l'heure londonienne, et toute l'année puisque la Grande-Bretagne passe aussi à l'heure d'été le dernier dimanche de mars et à l'heure d'hiver le dernier dimanche d'octobre.

DOUANES

Les mineurs n'ont le droit d'importer ni alcool ni tabac. Concernant les produits achetés par les ressortissants de l'UE pour leur consommation personnelle, renseignez-vous sur les éventuelles déductions de taxes douanières prévues à la suite des accords consécutifs au Brexit.

ÉLECTRICITÉ

Un adaptateur à trois fiches plates est nécessaire pour brancher vos appareils sur les prises locales.

HANDICAPÉS

Londres a multiplié les efforts afin d'améliorer l'accessibilité des lieux publics et privés aux handicapés. La plupart des feux rouges sont doublés de signaux sonores, et les stations sont annoncées dans le métro. Les "taxis noirs" sont tous adaptés aux fauteuils roulants et les chiens guides y sont acceptés.

Tourism for all / Holiday Care
Centre britannique d'information sur les transports, hébergements et visites accessibles aux personnes handicapées.
☎ 0845 124 9971 (au Royaume-Uni seulement) www.tourismforall.org.uk www.holidaycare.org.uk

HORAIRES

En général, la journée commence tôt et finit tôt : passé 18h, tout est fermé, à l'exception des commerces de proximité (*off-licence* – épiceries autorisées à vendre de l'alcool) et des supermarchés de quartier, qui restent souvent ouverts jusqu'à 20h (dimanche inclus), voire au-delà pour les *off-licence*. Les (grands) magasins ouvrent leurs portes du lundi au samedi de 9h à 17-18h, certains le dimanche de 11h30-12h à 18h, et jusqu'à 20h le jeudi (dans le West End) ou le mercredi (à Chelsea et Knightsbridge). La plupart du temps, il n'y a pas d'interruption à l'heure du déjeuner. Les musées sont ouverts tous les jours de 10h à 18h, et souvent le jeudi ou le vendredi jusqu'à 21h. Voir notre rubrique "Restaurants" pour les horaires de ces établissements.

MUSÉES ET MONUMENTS

La plupart des musées sont ouverts tous les jours. L'accès aux collections permanentes des grands musées nationaux est gratuit (mais les visiteurs sont invités à faire une donation, dont le montant est laissé à leur appréciation), tandis que leurs expos temporaires sont payantes. Dans les musées privés, les prix peuvent varier considérablement (de 5 à 30£).

London Pass
Accès gratuit et prioritaire (fonction coupe-file) à plus de 60 sites et monuments ; réductions pour certains spectacles et restaurants...
☎ 44 (0) 20 7293 0972 www.londonpass.fr

PARCS ET JARDINS

Londres regorge d'espaces verts (huit parcs royaux, trente-neuf parcs publics, au total 30% de la superficie de la ville), en général ouverts tous les jours de 8h-9h (5h-6h pour les parcs royaux) au crépuscule, certains parcs royaux ne fermant qu'à minuit. D'avril à septembre, on peut louer des transats pour une séance de bronzette en bonne et due forme (4,60£/4h).

www.royalparks.org.uk
Informations pratiques sur les parcs royaux.

www.cityoflondon.gov.uk/things-to-do/green-spaces
Pour choisir un parc selon des critères précis : curiosités, attractions destinées aux enfants, équipement général, activités sportives...

www.parkdeckchairs.co.uk
Location de transats dans les parcs royaux de la ville (Hyde Park, Kensington Gardens, Green Park, St. James's Park, Victoria Tower Gardens). De 1,60£ la première heure à 8£ la journée.

POIDS ET MESURES

Poids
1 *pound* = 453g
1 *stone* = 6,35kg
Longueurs
1 *inch* = 2,54cm
1 *foot* = 30,48cm
1 *yard* = 0,91m (= 3 feet = 36 inches)
1 *mile* = 1,61km
Capacités
1 *pint* = 0,568 litre
1 *gallon* = 4,546 litres

RESTAURANTS

L'offre surprend tout d'abord par son incroyable diversité. Un tour du monde d'autant plus alléchant que Londres se distingue depuis quelques années par ses tables gastronomiques. Si les nouvelles tendances sont à chercher du côté des *street food markets* (p.175), il ne faut pas négliger les classiques. Les *gastropubs* (pubs spécialisés dans la restauration) servent dans un cadre sans prétention une cuisine de bistrot recherchée. Les pubs traditionnels font aussi restaurant à l'heure du déjeuner (12h-15h) et parfois le soir (18h-23h), et ils proposent souvent une restauration légère en dehors de ces horaires. Pour manger sur le pouce, tournez-vous vers les chaînes de "*fast-food*" (Caffè Nero, Eat, Prêt à Manger, etc.) pour consommer sur place ou emporter (*take away*), ou encore vers les *food markets*. En dehors des *fish & chips*, vous pourrez aussi essayer les *greasy spoons* ou *caffs*, petits cafés qui servent une cuisine familiale dans une atmosphère chaleureuse.

TAILLES ET POINTURES

Vêtements

Femmes/France	34	36	38	40	42	44	46
Femmes/G-B	6	8	10	12	14	16	18
Hommes/France	42	44	46	48	50	52	54
Hommes/G-B	32	34	36	38	40	42	44
Chaussures							
Femmes/France	36	37	38	39	40	41	42
Femmes/G-B	3	4	5	6	7	8	9
Hommes/France	38	39	40	41	42	43	44
Hommes/G-B	5,5	6,5	7	7,5	8	8,5	9,5

AFFLUENCE ET RÉSERVATIONS

Les soirs de grande affluence, c'est-à-dire du jeudi au dimanche, les restaurants sont bondés. De plus en plus d'établissements préfèrent gérer des files d'attente à leurs portes plutôt que des réservations. En semaine, ceux de la City sont pris d'assaut le midi, ferment assez tôt le soir et sont en général fermés le week-end.

POURBOIRES ET FORMULES

L'usage veut qu'on laisse un pourboire (*tip*) équivalent à 10-15% de l'addition, si le service n'est pas déjà compris dans la note (*service*, ou *tips, not included*). Enfin, sachez que la plupart des restaurants – même gastronomiques – proposent des formules intéressantes à midi et le soir : le *set lunch menu*, servi de 12h à 14h en semaine, le *pre-theatre menu*, de 17h45 à 19h, et le *post-theatre menu*, proposé à partir de 22h-22h30 (tous pour environ 18-25£).

SPECTACLES

La vie culturelle est incroyablement foisonnante à Londres ! Le théâtre tient le devant de la scène avec près de 150 salles, notamment au sein du fameux Theatreland. Également très prisés, les nombreux *lunchtime concerts* organisés à l'heure du déjeuner en semaine, dans les églises, théâtres ou centres culturels : ces récitals et concerts de musique de chambre donnés par de jeunes professionnels sont le plus souvent gratuits. Parmi les plus réputés figurent ceux de l'église St. Martin-in-the-Fields, du Royal Opera House et de St. John's Hall.

RÉSERVATIONS

Il faut en principe réserver sa place longtemps à l'avance, mais ne vous découragez pas : de nombreux théâtres remettent en vente à prix réduit (souvent de 50%) les places invendues (*standby tickets*), le soir même de la représentation. Par ailleurs, l'association des théâtres de Londres (Society of London Theatres, SOLT) centralise les billets invendus et en brade tous les jours (p.54).

TÉLÉPHONE

Pour appeler la Grande-Bretagne de France, composez le 00, le 44 (indicatif national) et l'indicatif régional sans le 0 initial (soit 20 au lieu de 020 pour Londres), puis le numéro de votre correspondant. Pour appeler la France de Grande-Bretagne, composez le 00 et le 33, suivi du numéro de votre correspondant en omettant le 0 initial. Pour un appel local à Londres, composez le numéro à 8 chiffres sans l'indicatif régional. Si vous appelez d'un autre point du Royaume-Uni, composez l'indicatif de la capitale (020), puis le numéro à 8 chiffres – commençant par 7 (pour le centre) ou par 8 (pour le Grand Londres) – de votre correspondant. Les numéros de téléphone portable commencent toujours par 07. Les numéros commençant par 0500 ou 0800 sont gratuits.

URGENCES

En cas d'urgence, pour appeler les pompiers, la police, une ambulance, composez le 999 ou le 112. Vous pourrez vous faire indiquer le médecin, privé ou non, le plus proche, en pharmacie.

Hébergements

292   **Le West End**

293   **De Marylebone
à Camden Town**

294   **La City et l'East End**

295   **De South Kensington
à Notting Hill**

Le Dukes Hotel

 **SE LOGER**

Si Londres dispose d'un parc hôtelier vaste et diversifié, l'hébergement y est très onéreux. Sachez toutefois que les prix sont en général moins élevés en semaine que le week-end dans les établissements touristiques, et plus bas le week-end dans les hôtels de la City. La réservation en ligne directement sur le site de l'hôtel donne droit à de nombreuses réductions. Enfin, pour séjourner à Londres à la belle saison, prenez soin de réserver votre chambre longtemps à l'avance.

HÔTELS

Le classement de un à cinq étoiles correspond sensiblement aux mêmes critères qu'en France. Attention, certains hôtels bas de gamme non classés n'hésitent pas à arborer l'attractive enseigne "Bed & Breakfast" dès lors qu'ils servent le petit déjeuner ! Dans un hôtel de gamme moyenne, classé ou non, il faut compter 80-100£ la double. Les tarifs affichés incluent la TVA (VAT) de 17,5% et comprennent souvent le petit déjeuner continental, parfois l'*English breakfast*. Londres propose aussi des appart'hôtels. Semblables en tout point à des hôtels traditionnels pour ce qui est des services, ces *apartment hotels* disposent, en plus de la chambre, d'un coin cuisine et d'un bureau. Conçus spécialement pour les hommes d'affaires, ils sont souvent en promotion le week-end.

www.lastminute.com
www.london-discount-hotel.com
www.alpharooms.com
www.booking.com

HÔTELS LOW-COST

EasyJet, spécialiste du low-cost aérien, propose dans ses cinq hôtels londoniens ainsi qu'aux aéroports d'Heathrow et de Luton et à Croydon (à 15min de l'aéroport de Gatwick), des chambres à partir de 34€ la nuit (pour 2 pers. maximum avec cabine wc, douche, lavabo). Sur le principe du "plus on réserve tôt, moins c'est cher", l'hôtel de luxe Hoxton, dans le quartier de Shoreditch fait sensation avec ses promotions exceptionnelles (chambres à partir de 69€/nuit). Quant à la chaîne de bars-restaurants Yo !, elle a lancé un concept avec ses "cabines" high-tech en *low cost business class* à partir de 37£/pers. et pour 4h (haute saison).

EasyHotel
www.easyhotel.com

The Hoxton Hotel
81 Great Eastern St ☎ 020 7550 1000
thehoxton.com

Yotel
Aéroports de Gatwick et Heathrow
www.yotel.com

BED & BREAKFAST

Solution avantageuse par rapport aux hôtels (chambres plus grandes, petit déj. copieux), les chambres d'hôtes se louent par le biais d'agences spécialisées, pour la plupart affiliées à la Bed & Breakfast and Homestay Association (BBHA). Attention à l'enseigne "Bed & Breakfast" affichée abusivement par certains hôtels. Les prix s'entendent par personne ou par chambre double et comprennent un petit déjeuner continental (l'*English breakfast* n'est servi que sur commande) ; certains exigent un séjour de 2 nuits au minimum. Les salles de bains sont privatives. Comptez 65-90£ la double en centre-ville, 40-70£ dans le Grand Londres.

BBHA
Liste des agences affiliées à l'organisme.
☏ 020 7937 2001 www.bbha.org.uk

At Home in London
L'une des plus grandes agences : quelque 90 chambres d'hôtes et des adresses de charme.
☏ 020 8748 2701 www.athomeinlondon.co.uk

London Homestead Services
Une quarantaine de chambres et plusieurs adresses économiques à partir de 22£/pers.
☏ 020 7286 5115 www.lhslondon.co.uk

AUBERGES DE JEUNESSE
Elles sont au nombre de sept dans le centre de Londres, affiliées à la Fédération internationale des auberges de jeunesse (International Youth Hostelling Federation, IYHF). Certaines d'entre elles – en particulier YHA London Saint Paul's et YHA London Earl's Court – sont prisées pour leurs chambres individuelles à des prix défiant toute concurrence, ainsi que pour la qualité de l'hébergement. Aussi leurs meilleures chambres sont-elles parfois réservées six mois à l'avance ! En dortoir, les prix varient de 16 à 45£/pers. La plupart des AJ louent aussi des chambres doubles à un tarif légèrement plus élevé. Un supplément de 3£ par nuitée est réclamé aux non-adhérents, mais on peut se procurer la carte de membre sur place ou lors de la réservation en ligne.

London YHA
☏ 01629 592 700 www.yha.org.uk

RÉSIDENCES UNIVERSITAIRES
Pendant les vacances d'été et parfois à Pâques, les chambres universitaires, souvent très centrales, constituent une solution avantageuse. Comptez environ 40£/pers., mais attendez-vous à un confort assez sommaire ! Consultez les offres sur les sites de l'université de Londres et de l'université de Westminster. Séjours de 7 jours minimum.

University of London Housing Services
☏ 020 7862 8881 http://housing.london.ac.uk/find-accommodation/short-term-housing

LOCATION D'APPARTEMENTS
La plupart des appartements se louent à la semaine (*short term flat rental*) : comptez à partir de 135£/nuit dans un studio pour deux. Prévoyez un dépôt de garantie.

Airbnb
Plus de 1 000 locations à Londres.
☏ www.airbnb.fr

One Fine Stay
Choix important de beaux appartements partout dans la ville.
☏ 020 7167 2524 www.onefinestay.com

ÉCHANGE D'APPARTEMENTS
Pour une à quatre semaines consécutives. Les particuliers publient leurs offres sur des sites Internet spécialisés. Vous pouvez tenter l'expérience, même si vous êtes locataire de votre

logement. Les agences vous conseilleront sur les mesures à prendre en matière d'assurance.

Intervac
230, bd Voltaire 75011 Paris ☎ 05 46 66 52 76 www.intervac.fr

Homelink
☎ www.homelink.fr
Homeforhome
☎ http://fr.homeforhome.com

Astor Victoria Hostel £

Pour les 18-35 ans, une AJ indépendante sérieuse. Sdb communes et dortoirs impeccables, deux cuisines, laverie. Les draps sont fournis et l'on peut acheter des serviettes de bain. En haute saison, de 18£ à 30£/pers. en dortoir, petit déj. inclus. Double à partir de 37,50£/pers.

(plan 2, B3 n°20) 71 Belgrave Rd Pimlico
☎ 020 7834 3077 www.astorhostels.com

Luna Simone Hotel ££

Une agréable surprise que cet hôtel familial : 36 chambres simples, mais spacieuses et pimpantes, d'une propreté irréprochable et pourvues de sdb. Service efficace, souriant et francophone. De 100 à 150£ la double, *English breakfast* inclus.

(plan 2, B3 n°21) 47-49 Belgrave Road Pimlico
☎ 020 7834 5897 www.lunasimonehotel.com

Seven Dials Hotel ££

Très bien situé. Les 18 chambres sont simplissimes mais propres et pourvues d'un double vitrage. Personnel amical. Double 110£ (avec douche ou baignoire), petit déj. à l'anglaise inclus. Une bonne affaire.

(plan 1, C2 n°90) 7 Monmouth St
Covent Garden ☎ 020 7681 0791 www.
sevendialshotel.com

Fielding Hotel £££

Situation exceptionnelle dans une rue piétonne éclairée aux becs de gaz, en face de Covent Garden. Derrière les volets verts de cette maisonnette, 24 chambres biscornues, charmantes et lumineuses, dotées de sdb impeccables. Doubles et twins 140-160£.

(plan 1, C2 n°91) 4 Broad Court, Bow St
Covent Garden M° Covent Garden
☎ 020 7836 8305 www.thefieldinghotel.co.uk

The Sanctuary House Hotel £££

Tout près de l'abbaye de Westminster et du parc St. James mais fort avantageux, les prix pouvant baisser jusqu'à 99£ la double (promotions régulières en ligne). 34 chambres cossues, bien tenues et spacieuses et un décor *British*. Accueil très aimable. Entre 160£ (dimanche) et 210£ la double en haute saison.

(plan 2, C2 n°22) 33 Tothill St Westminster
M° St. James's Park ☎ 020 7799 4044 www.
sanctuaryhousehotel.co.uk

Zetter Townhouse Marylebone £££

Outre un hôtel à Clerkenwell (p.294) le groupe Zetter propose 24 chambres douillettes dans cette maison de ville georgienne, au nord d'Oxford Street (idéal pour un séjour shopping), près de Hyde Park. Une déco opulente, chic et *British*, à la fois classique, moderne et légèrement décalée donc. Doubles à partir de 195£.

(plan 1, A2 n°92) 28-30 Seymour St Mayfair M° Marble Arch ☎ 020 7324 4544 www.thezettertownhouse.com/marylebone

The Hospital Club £££

Conçu par le cofondateur de Microsoft, Paul Allen, et le guitariste d'Eurythmics, David Stewart, ce club a pour but de privilégier la rencontre des communautés créatives (artistes, métiers du numérique, de la publicité, du marketing...) et se double d'un boutique-hôtel (15 chambres) ouvert aussi aux non-membres. Entre 190 et 370£ la double.

(plan 1, C2 n°94) 24 Endell St Covent Garden M° Covent Garden ☎ 020 7170 9100 www. thehospitalclub.com

Hazlitt's £££

Ce somptueux 4-étoiles aux 23 chambres et suites délicieusement baroques occupe l'ancienne demeure de l'écrivain William Hazlitt (1778-1830) et deux maisons voisines. Doubles à partir de 288£ (guettez les promotions hors saison en ligne). Petit déj. continental 11,95£.

(plan 1, B2 n°93) 6 Frith St Soho M° Tottenham Court Road ☎ 020 7434 1771 www.hazlittshotel.com

Dukes Hotel £££

Près du palais de St. James, un hôtel fréquenté par la crème de la crème. 90 chambres et suites coquettes, donnant sur une courette coupée du monde, salon de thé avec son jardin d'hiver ainsi que le Duke's bar (p.95)... Une petite porte dérobée donne accès à Green Park. En haute saison, à partir de 380£ la double. Promotions régulières en ligne.

(plan 1, B4 n°95) St. James's Pl. St. James's M° Green Park ☎ 020 7491 4840 www. dukeshotel.com ⏱ Lun.-sam. 14h-23h, dim. et j. fér. 16h-22h30

Covent Garden Hotel £££

Un hôpital reconverti en hôtel de caractère au cœur du quartier le plus animé de la capitale avec 58 chambres chaleureuses et des parties communes savamment décorées. Le plus : le ciné-club du samedi soir dans une petite salle privée (40£ avec le dîner). Petit déj. env. 20£. Double env. 440£ en semaine, en haute saison.

(plan 1, C2 n°96) 10 Monmouth St Covent Garden M° Covent Garden ☎ 020 7806 1000 www.coventgardenhotel.co.uk

The Judd Hotel £

14 chambres sans prétention, équipées de douches minuscules dans une belle rue du début du 19e s. et si préservée qu'elle sert souvent de lieu de tournage. 98£.

(plan 3, C3 n°71) 46 Cartwright Gardens WC1H 9EL King's Cross ☎ 020 7383 9210 www.juddhotelbloomsbury.com

Clink 261 £

Une AJ bien tenue à deux pas de la gare Eurostar : à partir de 12-13£ en dortoir, petit déj. et draps compris. Possibilité de dormir entre *"girls only"*. Singles ou doubles (à partir de 50£), suppl. de 5£ le w.-e. Lavabos dans les chambres et les dortoirs, douches et wc sur le palier (certaines chambres ont leur propre sdb). Réserver.

(plan 3, C2 n°70) 261-265 Gray's Inn Road
Bloomsbury M° King's Cross ☎ 020 7713 7789
www.clinkhostels.com/london/clink261

Alhambra Hotel ££

Ce B&B tout pimpant, tenu par une Française, est l'une des bonnes adresses de King's Cross, à deux pas de la gare Eurostar. 52 chambres agréables dotées d'une bonne literie. Entre 90 et 95£ la double (env. 124£ "en suite", c'est-à-dire avec douche et wc), *English breakfast* inclus.

(plan 3, C2 n°72) 17-19 Argyle St King's Cross
☎ 020 7837 9575 www.alhambrahotel.com

Durrants £££

Dans une *terrace* georgienne de Marylebone, 92 chambres très cosy, avec jolies sdb et une excellente literie. Service impeccable. Env. 250£ la double en haute saison. *Full English breakfast* 19,50£. Promotions régulières en ligne.

(plan 3, B4 n°74) George St Marylebone
M° Bond Street ou Baker Street
☎ 020 7935 8131 www.durrantshotel.co.uk

Harlingford £££

Dans une maison georgienne relookée, 43 chambres au mobilier en bois blond, pour un prix raisonnable. Lumineuse salle de petit déj. 124-170£.

(plan 3, C3 n°73) 61-63 Cartwright Gardens
King's Cross ☎ 020 7387 1551 www.
harlingfordhotel.com

The Boundary £££

Décoré par Terence Conran, un boutique-hôtel moderne dans l'East End arty. Du toit, la terrasse offre une vue à 360° sur le Londres du 21e s. Double 150-220£, petit déj. 14£.

(plan 4, C2 n°60) 2-4 Boundary St (entrée sur
Redchurch St) East End M° Shoreditch High
Street ☎ 020 7729 1051 www.theboundary.
co.uk

The Zetter Hotel £££

Dans un entrepôt victorien, l'un des plus beaux hôtels branchés de Londres, en plein cœur de Clerkenwell. 59 chambres autour d'un magistral atrium. Mention spéciale aux 7 studios aménagés sur le toit, avec grande verrière et terrasse privative dominant toute la ville ! Double à partir de 157£. Promotions à saisir sur Internet. Petit déj. 10,50-14£.

(plan 4, A2 n°61) St John's Sq., 86-
88 Clerkenwell Road Clerkenwell
M° Farringdon ☎ 020 7324 4444 www.
thezetter.com

The Rookery £££

L'hôtel de charme de la City prend ses aises à l'abri d'une vénérable demeure (1764) dans une ruelle aux façades préservées, à deux pas de Smithfield

---

LA RIVE SUD

Vous voulez profiter pleinement de la rive sud ? optez pour les **Bermondsey Street Apartments** : studios et appartements modernes parfaitement équipés à partir de 96£ le studio pour deux. Préférez le bus au métro (stations Borough ou London Bridge), un peu éloigné.

(plan 6, D3 n°30) 190 Bermondsey St Southwark Bus 78 et 42 (Liverpool St),
188 (Greenwich, Russel Sq) et C10 vers/de Victoria Station de métro la plus proche :
Borough ☎ 020 3465 9100 https://www.allstay.co.uk

Market. 33 chambres dans un intérieur cossu et sdb victoriennes ! À partir de 195£ la double. Petit déj. 11,95£.

(plan 4, A2 n°62) Peter's Lane, Cowcross St La City M° Farringdon ☎ 020 7336 0931 www. rookeryhotel.com

DE SOUTH KENSINGTON À NOTTING HILL

St. David's Hotels ££

Chambres assez quelconques mais impeccables. Double sans sdb 65-80£, "en-suite" 80-120£. Bon petit déj.
(plan 9, C2 n°40) 14-20 Norfolk Sq. Paddington ☎ 020 7723 4963 www.stdavidshotels.com

Portobello Gold ££

Le toit-terrasse a été choisi pour une scène du film *Coup de foudre à Notting Hill*... Chambres agréables au-dessus d'un bar avec verrière ; suite *Honeymoon* avec lit à baldaquin et, sur le toit, appartement pour 6 pers. 80-115£.
(plan 9, A3 n°41) 95-97 Portobello Road Notting Hill ☎ 020 7460 4910/4913 www. portobellogold.com

Merlyn Court Hotel ££

Mobilier ancien dans un B & B donnant sur un joli square. 90 (sans sdb)-110£.
(plan 8, A2 n°40) 2 Barkston Gardens Earl's Court ☎ 020 7370 1640 www. merlyncourthotel.com

A Better Way to Stay ££

Deux studios et 2 chambres qui valent la peine de s'excentrer légèrement. Calme, confort et bon goût, pour se sentir comme chez soi. 90-130£ (2 nuits minimum, ou 20£ supp.).
(hors plan 8) 31 Rowan Road Hammersmith ☎ 020 8748 0930 www.abetterwaytostay. co.uk

Mayflower Hotel £££

Bon rapport qualité-prix pour ces 48 chambres à la décoration mi-contemporaine mi-indianisante. En haute saison, double à 160£, petit déj. buffet inclus.
(plan 8, A3 n°41) 26-28 Trebovir Rd Earl's Court M° Earl's Court ☎ 020 7370 0991 http:// mayflower-hotel.londonhotelsuk.net

The Nadler Kensington £££

65 chambres au style très contemporain, ultraconfortables, claires, épurées, et très bien équipées. À partir de 152-166£ la double ; comptez 15% de plus en haute saison.
(plan 8, A2 n°42) 25 Courtfield Gardens Earl's Court M° Earl's Court ☎ 020 7244 2255 www. thenadlerhotels.com

Twenty Nevern Square £££

Face à un square tranquille, 20 chambres et suites dans une maison victorienne transformée en un 4-étoiles de charme par les propriétaires du Mayflower voisin. Double 123-220£, petit déj. inclus. Réservez longtemps à l'avance.
(plan 8, A3 n°43) 20 Nevern Square Earl's Court M° Earl's Court ☎ 020 7565 9555 http://20nevernsquare.mayflowercollection. com

Number Sixteen £££

Dans une maison de ville victorienne au cœur de South Kensington, 41 chambres charmantes et confortables, conçues pour qu'on ne les quitte plus. Une retraite de rêve : deux salons, un bar en libre-service et un plaisant jardin privé aux beaux jours. Double à partir de 305£ en haute saison.
(plan 8, B2 n°44) 16 Sumner Pl. South Kensington ☎ 020 7589 5232 www. firmdalehotels.com

INDEX

3 Abbey Road **115**
18 Stafford Terrace (Linley Sambourne House) **212**
20 Fenchurch Street **150**
30 St. Mary Axe («The Gherkin») **150**

A-B

Abbey Road **112**
Albertopolis **214**
Apsley House – Wellington Museum **61**
ArcelorMittal Orbit, tour et toboggan (Stratford) **173**
Arsenal FC **110**
Bank of England **148**
Bank of England Museum **148**
Banqueting House **100**
Barbican Art Gallery **153**
Barbican Arts Centre **153**
Barbican Estate **153**
Battersea **218**
Battersea Power Station **218**
Bay Sixty6 (skate park) **212**
Bethnal Green **163**
Big Ben **98**
Bloomsbury **120**
Brewer Street **66**
Brick Lane **161**
British Library, The **122**
British Museum, The **120**
Brixton **185, 197**
Brixton Barrows (Brixton) **187**
Brixton Village (Brixton) **198**
Brockwell Lido (Brixton) **187**
Buckingham **88**
Buckingham Palace **88**
Budget **277**
Burlington Arcade **59**
Burlington House – Royal Academy of Arts **58**

C

Camden Town **130**
Carlton House Terrace **91**
Carnaby Street **66, 67, 72**
carnaval de Notting Hill **228**
Carnaval de Notting Hill **211**
Charles Dickens Museum **120**
Chelsea **217**
Chelsea Flower Show **211**
Chelsea Physic Garden **211, 218**
Cheshire Street **166**
Cheyne Row **218**
Cheyne Walk **218**
Chinatown **68**
Chinese New Year **55**
Churchill War Rooms **100**
City Hall **197**
Clerkenwell **155**
Courtauld Gallery **79**
Covent Garden **76**
Covent Garden Market **76**
Cumberland Terrace **115**
Cutty Sark (Greenwich) **246**

D

Dalston Yard Street Feast (Dalston) **173**
Décalage horaire **284**
Dennis Severs' House **160**
Design Museum, The **226**
Diana, Princess of Wales' Memorial Playground **229**
Dinerama **169**
DLR **240**
Docklands **245, 246**
Docklands Light Railway **240**

E-F

Elder Street **161**
Électricité **285**
Emirates Air Line (téléphérique) **240**
Emirates Stadium **110**
Fêtes **277**
Film4 Summer Screen (cinéma de plein air, Somerset House) **55**
Fleet Street **81**
Formalités **276**
Foundling Museum, The **121**
Fournier Street **161**

G-H

Geffrye Museum of the Home, The **169**
"Gherkin, the" (30 St. Mary Axe) **150**
Granary Square **122**
Grant Museum of Zoology **122**
Green Park **92**
Greenwich **246**
Greenwich Foot Tunnel **241**
Guildhall Art Gallery **147**
Hackney **172**
Hampstead **244**
Hampstead Heath **244**
Hampstead Heath Ponds **244**
Hampton Court Palace (Hampton Court) **248**
Handel & Hendrix in London **60**
HMS Belfast **196**
Holborn **79**
Holland Park **229**
Horse Guards **99**
House of Illustration **123**
Houses of Parliament **97, 101**
Hoxton Square **168**
Hungerford Millennium Footbridges **189**
Hyde Park **219**

I-J

Imperial War Museum **190**
Informations touristiques **276**
Inns of Court **79**
Islington **123**
Jermyn Street **90, 94**
Jours fériés **280**

K-L

Kensington **226**
Kensington Gardens **229**
Kensington Palace **226**
Kenwood House (Hampstead) **245**
Kew Gardens **241, 248**
Kew Gardens (Royal Botanic Gardens) **248**
King's Cross **122**
Knightsbridge **216**
Leadenhall Market **149**
Leicester Square **68**
Lido (Knightsbridge) **220**
Lincoln's Inn **80**
Linley Sambourne House (18 Stafford Terrace) **212, 226**
Little Venice **131**
Lloyd's Building **149**
London Dungeon, The **190**
London Eye **188**
London Film Museum **77**
London Transport Museum **77**
London Wall **153**
Lord Mayor's Show **143**

M-N

Madame Tussaud's **114**
Maltby Street Market **201**
Marlborough House **91**
Mayfair **59**
Millennium Bridge **194**
Monument **151**
Museum of London **153**
Museum of London Docklands **246**
National Gallery, The **81**
National Maritime Museum (Greenwich) **247**
National Portrait Gallery **82**
National Theatre **188**
Natural History Museum **215**
New Bond Street **60**
Notting Hill **227**

O

O2 Arena, The **246**
Old Bond Street **60**
Old Compton Street **66**
Old Royal Naval College (Greenwich) **247**
Old Royal Observatory (Greenwich) **248**
Old Spitalfields Market **160**
Old Street **168**
Old Truman Brewery **165**
Old Truman Brewery, The **161**
Oxford Street **54, 60**

P

Park Crescent **115**
Parliament Hill (Hampstead) **244**
Parliament Hill Lido (Hampstead) **245**

Passeport **276**
Peckham **198**
Photographers' Gallery, The **68**
Piccadilly **58**
Piccadilly Circus **58**
Poids et mesures **286**
Portobello Road **227**
Portobello Road Market **210, 233**
Primrose Hill **131**
Prince's Arcade **95**
Proms (Promenade Concerts) **211**

QG des Forces françaises libres **91**
Queen Elizabeth Olympic Park **172**
Queen Mary's Gardens **116**
Queen's Gallery, The **89**
Queen's House (Greenwich) **247**
Queen's Walk, The **184, 189**

Regent's Canal **131**
Regent's Park **116**
Regent's Park Open Air Theatre **116**
Regent Street **54, 60**
Relève de la garde **89**
Ropewalk (Maltby Street Market) **201**
Royal Academy of Arts (Burlington House) **58**
Royal Albert Hall **214**
Royal Botanic Gardens (Kew Gardens) **248**
Royal College of Arts **214**
Royal Exchange, The **148**
Royal Mews **89**
Royal Opera House **77**

S

Saatchi Gallery **217**
Savile Row **94**
Science Museum **215**
Sea Life London Aquarium **188**
Serpentine **220**
Serpentine Gallery **229**
Serpentine Lido **219**
Seven Dials **78**
Shakespeare's Globe Theatre **184, 199**
Shard, The **196**
Sir John Soane's Museum **80**
Sky Garden (20 Fenchurch Street) **150**
Smithfield **155**
Smithfield Market **155**
Somerset House **78**
Southbank Centre **190**
South Kensington **214**
South London Gallery **198**
Southwark Cathedral **195**
Speakers' Corner **61, 220**
Spencer House **91**
Stamford Bridge Chelsea FC **210**
St. Bartholomew-the-Great **153**
St. Bride's **80**

St. James's **90**
St. James's Palace **90**
St. James's Park **92**
St. James's Street **90**
St. John's Concert Hall **101**
St. John Street **155**
St. Katharine's Docks **246**
St Martin-in-the-Fields **82**
St. Mary-le-Bow **148**
St. Paul's Cathedral **146**
St. Saviour's Docks **246**
St. Stephen Walbrook **150**
Sunday Upmarket (Old Truman Brewery) **165**

T

Tate Britain **98**
Tate Modern **194**
Tate to Tate Boat **184**
Tea Building **168**
Téléphone **287**
Temple **79**
Thames River Boats **240**
Theatreland **54**
The Sherlock Holmes Museum **114**
The Wallace Collection **114**
Tower Bridge **152**
Tower of London **151**
Trafalgar Square **55**
Trafalgar Square Christmas Tree **55**
Transports **280**

U-V-W-Z

Urgences **287**
V&A Museum of Childhood **163**
Victoria Park **144**
Victoria & Albert Museum **216**
"Walkie Talkie" (20 Fenchurch Street) **150**
Warner Bros Studio Tour (Watford) **249**
Waterloo Place **91**
Wellcome Collection **121**
Wellington Arch **61**
Wellington Museum (Apsley House) **61**
West End **47**
Westminster Abbey **96**
Westminster Cathedral **99**
Westminster Passenger Services Association **240**
Whitechapel **162**
Whitechapel Gallery **162**
White Cube **168**
Whitehall **99**
Windsor Castle (Windsor) **249**
ZSL London Zoo **116**

ADRESSES

PAUSES
→ 5th View **62**
→ Bageriet **82**
→ Barge House **113**
→ Bar Kick **170**
→ Beigel Bake **164**
→ Belsize Kitchen **242**
→ Brew House Kenwood (Hampstead) **250**
→ Cellarium Café **102**
→ Chin Chin Labs **132**
→ Foyles Café **56, 69**
→ Gail's Bakery **242**
→ Haché **132**
→ Hampstead Butcher & Providore **243**
→ Hummingbird Bakery **230**
→ Jerusalem Tavern **156**
→ Kensington Palace Orangery **229**
→ Konditor & Cook **200**
→ La Fromagerie **118**
→ Lamb & Flag **83**
→ Leila's Shop **170**
→ London Review Cake Shop **123**
→ Look Mum No Hands ! **156**
→ Louis Pâtisserie (Hampstead) **250**
→ Maison Bertaux **99**
→ Maria's Market Café **200**
→ Marine Ices **132**
→ Mo Café **62**
→ My Place **56**
→ Nordic Bakery **56**
→ Oddono's **220**
→ Ottolenghi **229**
→ OXO Tower Bar **191**
→ Pâtisserie Valérie **69**
→ Paul Rothe & Son Delicatessen **117**
→ Pimlico Fresh **102**
→ Prêt à manger **92**
→ Princi **69**
→ Rose Bakery **92**
→ Ruby Violet **123**
→ Savoy **83**
→ Scooter Caffè **191**
→ Somerset House **82**
→ St John Bread & Wine **163**
→ Tangerine Dream Café **220**
→ The Anchor **200**
→ The Anglesea Arms **221**
→ The Bar at The Dorchester **63**
→ The Big Chill Bar **164**
→ The Book Club **170**
→ The Café Below **156**
→ The Canonbury Tavern **124**
→ The Cow **230**
→ The Cricketers (Kew) **251**
→ The Diamond Jubilee Tea Salon at Fortnum & Mason **62**
→ The Greenwich Union (Greenwich) **251**
→ The Holly Bush **243**
→ The Holly Bush (Hampstead) **250**
→ The Market Porter **200**
→ The Modern Pantry Café **156**

INDEX

→ The Narrowboat **112**
→ The Old Brewery
(Greenwich) **250**
→ The Orange Public House &
Hotel **220**
→ The Parlour at Sketch **62**
→ The Pavilion Café
(Greenwich) **251**
→ The Rake **198**
→ The Regent's Bar and
Kitchen **117**
→ The Ritz **63**
→ The Royal Oak **170, 198**
→ The Tower Brasserie
(Windsor) **251**
→ The Wallace Restaurant **117**
→ Tiltyard Café (Hampton
Court) **251**
→ Villandry Grand Café **118**
→ Windsor Castle **230**
→ Wright Brothers **57**

RESTAURANTS
→ 10 Greek Street **71**
→ Abeno Too **70**
→ Amaya **221**
→ Baltic **192**
→ Bao **70**
→ Barrafina **71**
→ Bar Shu **72**
→ Berber & Q **174**
→ Bibendum Restaurant et Oyster
Bar **222**
→ Bleeding Heart **157**
→ Brasserie Zédel **63**
→ Brick Lane Market **164**
→ Bukowski Grill (Brixton) **186**
→ Busaba Eathai **118**
→ Café in the Crypt **84**
→ Café Spice Namasté **165**
→ Canto Corvino **164**
→ Caravan **124, 158**
→ Churchill Arms Thai Kitchen **231**
→ Cinnamon Club **103**
→ Comptoir Libanais **119**
→ Daphne's **222**
→ Daylesford Organic Café **231**
→ Dishoom **125**
→ Dock Kitchen **213**
→ Duke of Cambridge **112**
→ Electric Diner **231**
→ El Vergel **201**
→ E. Pellicci **164**
→ Exmouth Market Street Food
Market **157**
→ Fifth Floor **221**
→ Get the Focaccia **94**
→ Gordon's Wine Bar **84**
→ Inn The Park **94**
→ Isarn **125**
→ KaoSarn (Brixton) **186**
→ Lahore Kebab House **144**
→ Lmnh Kitchen **145**
→ Mildred's **71**
→ Moro **158**
→ New World **72**
→ Nico's Cafe-Diner **144**
→ North Sea Fish Restaurant **125**
→ Pig's Ear **221**
→ Pizza East **170**

→ Polpetto **71**
→ Pop Brixton (Brixton) **186**
→ Prince George **174**
→ Quality Chop House **158**
→ Randall & Aubin **71**
→ Real Food Market @ Southbank
Centre **191**
→ Relish, the Sandwich Shop **102**
→ Rex Whistler Restaurant **103**
→ Riverford at The Duke of
Cambridge **125**
→ Roast **201**
→ Rock & Sole Plaice **84**
→ Ropewalk (Maltby Street
Market) **201**
→ Rotorino **174**
→ Royal Dragon **56**
→ Seafresh **102**
→ Sheekey **65**
→ Simpson's-in-the-Strand **84**
→ 'Smiths' of Smithfield **159**
→ Sông Quê Café **170**
→ St. John **158**
→ Sweetings **157**
→ Tamarind **64**
→ Tayyabs **164**
→ The Anchor & Hope **192**
→ The Butlers Wharf Chop
House **201**
→ The Cock Tavern **145**
→ The Eagle **157**
→ The Gallery at Fortnum &
Mason **64**
→ The Golden Hind **118**
→ The Grain Store **125**
→ The National Dining Rooms **85**
→ The Peasant **159**
→ The Pig and Butcher **126**
→ Truckles of Pied Bull Yard **124**
→ Trullo **126**
→ Vineet Bhatia London **223**
→ Yauatcha **71**

SHOPPING
→ Agent Provocateur **73**
→ Alexander McQueen **65**
→ Alfies Antique Market **119**
→ Algerian Coffee Store **72**
→ All Saints **132**
→ Andy & Tuly **95**
→ Anthropologie **224**
→ Benjamin Pollock's Toy Shop **86**
→ Berwick Street **74**
→ Boxpark **171**
→ British Boot Company **132**
→ Brora **225**
→ Camden Passage **126**
→ Cass Art **112**
→ Cath Kidston **224**
→ Chapel Market **126**
→ Cheshire Street **166**
→ Conran Shop **224**
→ Cundall and Garcia **166**
→ Donna Ida **223**
→ Dover Street Market **95**
→ Floris **94**
→ Fortnum & Mason **64**
→ Geo. F. Trumper **62**
→ Hamleys **65**
→ Harrods **223**

→ Harvey Nichols **223**
→ Hilditch & Key **94**
→ Honest Jon's **213, 232**
→ James Smith & Sons **126**
→ Jermyn Street **94**
→ Labour & Wait **171**
→ Les Couilles du Chien **212**
→ Liberty **72**
→ Lulu Guinness **86**
→ Marks & Spencer **64**
→ Neal's Yard Dairy **87**
→ Neal's Yard Remedies **85**
→ Notting Hill Farmers' Market **232**
→ Office **73**
→ OTHER/shop **73**
→ Oxfam Shop **85**
→ Paul Smith **232**
→ Petit Chou **119**
→ Portobello Green **233**
→ Portobello Road **227**
→ Portobello Road Market **210,
233**
→ Relax Garden **171**
→ Rellik **212, 231**
→ Ropewalk (Maltby Street
Market) **201**
→ Rough Trade **232**
→ Rough Trade East **166**
→ Rupert Sanderson **65**
→ Selfridges **65**
→ Slam City Skates **86**
→ Stella McCartney **65**
→ Sunday Upmarket (Old Truman
Brewery) **165**
→ Tatty Devine **86**
→ Taylor of Old Bond Street **94**
→ The Harry Potter Shop **127**
→ The London Silver Vaults **87**
→ The Shop at Bluebird **224**
→ Topshop/Topman **65**
→ Traffic People **166**
→ Turnbull & Asser **94**
→ Urban Outfitters **73**
→ Vintage Magazine Store **73**

SORTIES
→ 69 Colebrooke Row **129**
→ 93 Feet East **167**
→ 333 Mother **171**
→ Almeida Theatre **127**
→ Bar 190 **225**
→ Barbican Arts Centre **159**
→ Bar Italia **75**
→ Bradley's Spanish Bar **128**
→ Café Cairo (Brixton) **187**
→ Corsica Studios **193**
→ Dalston Yard Street Feast
(Dalston) **173**
→ Dinerama **169**
→ Dreambagsjaguarshoes **171**
→ Dukes Hotel **95**
→ Egg London **128**
→ Electric Cinema **233**
→ Experimental Cocktail Club **75**
→ Gilgamesh **133**
→ Heaven **87**
→ ICA – Institute of Contemporary
Arts **95**
→ Jazz Café **133**
→ Kings Place **128**

→ KOKO **133**
→ Mark's Bar **74**
→ Ministry of Sound **193**
→ National Film Theatre – British Film Institute / BFI **192**
→ Portobello Star **233**
→ Purl **119**
→ Ronnie Scott's **74**
→ Royal Albert Hall **225**
→ Scala **128**
→ Shakespeare's Globe Theatre **184, 199**

→ Shochu Lounge **129**
→ The Alibi **174**
→ The Alice House **243**
→ The Bethnal Green Working Men's Club **167**
→ The Borderline **75**
→ The Coach & Horses **74**
→ The Cut **192**
→ The Dublin Castle **133**
→ The Lamb **128**
→ The Laslett **213**
→ The Nest **174**

→ The Old Vic **193**
→ The Prince Charles Cinema **74**
→ The Round House **133**
→ The Star of Bethnal Green **167**
→ The Wenlock Arms **129**
→ Union Chapel **129**
→ Vertigo 42 **159**
→ Wigmore Hall **119**
→ XOYO **171**
→ Ye Olde Cheshire Cheese **87**
→ ZTH Cocktail Lounge **159**

Crédits photographiques

ILLUSTRATION RÉALISÉE EN PARTENARIAT AVEC **hemis·fr**

Couverture : Lucasmei/Fotolia.fr **4ᵉ** - © Ludovic Maisant/hemis.fr **3** - © Donald Z/Fotolia.fr **4** - haut gauche © Lukasz Pajor/Shutterstock.com, haut droite © XtravaganT/Fotolia.fr, bas gauche © Jean-Claude Amiel/hemis.fr, bas droite © Robert Harding/hemis.fr **Reportage** - © Vincent Mercier **18** - © Lucasmei/Fotolia.fr **22** - © imageBROKER/hemis.fr **23** - haut © Ludovic Maisant/hemis.fr, bas © Bertrand Gardel/hemis.fr. **24** - © Ludovic Maisant/hemis.fr **25** - haut © René Mattes/hemis.fr, bas © Jon Arnold Images/hemis.fr **26** - haut © Robert Harding/hemis.fr, bas © René Mattes/hemis.fr **27** - © Bertrand Gardel/hemis.fr **28** - © Bertrand Gardel/hemis.fr **29** - © Ludovic Maisant/hemis.fr bas © Anton Georgiev/Fotolia.fr **31** - © IR Stone/Shutterstock.com **33** - © Ludovic Maisant/hemis.fr **34** - © Ludovic Maisant/hemis.fr **36-37** - © René Mattes/hemis.fr **38** - © René Mattes/hemis.fr **40** - © Jon Arnold Images/hemis.fr **43** - © Keith Mayhew/Alamy/hemis.fr **44** - © Keith Mayhew/Alamy/hemis.fr **46** - © Jon Arnold Images/hemis.fr **52** - haut © Jon Arnold Images/hemis.fr, bas gauche © Jon Arnold Images/hemis.fr, bas droite © Jon Arnold Images/hemis.fr **53** - haut © Cultura/hemis.fr, bas © Jon Arnold Images/hemis.fr **55** - © PjrTravel/Alamy/hemis.fr **56** - DR **57** - © S. Swenson/Alamy/hemis.fr. **59** - © Jon Arnold Images/hemis.fr **61** - © Alex Segre/Alamy/hemis.fr **63** - © Camille Moirenc/hemis.fr **64** - © ViewPictures/hemis.fr **67** - © Philippe Renault/hemis.fr **68** - © Jon Arnold Images/hemis.fr **69** - © Tony French/Alamy/hemis.fr **70** - © SM Photography/Alamy/hemis.fr **73** - © Gregory Wrona/Alamy/hemis.fr **75** - © RayArt Graphics/Alamy/hemis.fr **77** - © ViewPictures/hemis.fr **78** - © Jon Arnold Images/hemis.fr **80** - © Arcaid Images/Alamy/hemis.fr **83** - © Tom's Kitchen Somerset House/Header **86** - © Christian Mueller/Shutterstock.com **89** - © Kamira/Shutterstock.com **90** - © Rusu Dimitru Costinel/Shutterstock.com **93** - © Cultura/hemis.fr **95** - © Ludovic Maisant/hemis.fr **97** - © René Mattes/hemis.fr **98** - © Jon Arnold Images/hemis.fr **100** - © Walter Bibikow/hemis.fr **103** - © View Pictures Ltd/Alamy/hemis.fr **104** - © Robert Harding / hemis.fr **108** - haut © Image Source/hemis.fr, bas © René Mattes/hemis.fr **109** - haut © Jon Arnold Images/hemis.fr, bas © Gil Giuglio/hemis.fr **111** - © Gil Giuglio/hemis.fr **112** - DR **113** - © I-Wei Huang/Fotolia.fr **115** - © Pawel Wysocki/hemis.fr **116** - © View Pictures/hemis.fr **118** - © Jean-Claude Amiel/hemis.fr **121** - © Jon Arnold Images/hemis.fr **122** - © Jon Arnold Images/hemis.fr **124** - © Alex Segre/Alamy/hemis.fr **127** - © Peter Cripps/Alamy/hemis.fr **128** - © View Pictures/hemis.fr **131** - © Jon Arnold Images/hemis.fr **132** - © Alex Segre/Shutterstock.com **134** - © René Mattes/hemis.fr **140** - haut © Jon Arnold Images/hemis.fr, bas © Drima Film/Shutterstock.com **141** - haut © Jon Arnold Images/hemis.fr, bas © Philippe Renault/hemis.fr **142** - © René Mattes/hemis.fr **143** - © Ludovic Maisant/hemis.fr **144** - DR **145** - © Alex Hubenov/Shutterstock.com **147** - © Jon Arnold Images/hemis.fr **149** - © Walter Bibikow/hemis.fr **150** - © Jon Arnold Images/hemis.fr **152** - © Alexander Chaikin/Shutterstock.com **154** - © Ludovic Maisant/hemis.fr **155** - © Alamy/hemis.fr **156** - © Ludovic Maisant/hemis.fr **157** - © Tim E White/hemis.fr **158** - © Tony French/Alamy/hemis.fr **161** - © Bertrand Gardel/hemis.fr **162** - © Ludovic Maisant/hemis.fr **165** - © Ludovic Maisant/hemis.fr **166** - © Cath Harries/Alamy/hemis.fr **169** - © Nicola Ferrari/Alamy/hemis.fr **173** - © Jason Bryan/Alamy/hemis.fr **175** - © Jean-Claude Amiel/hemis.fr **176** - © Jon Arnold Images/hemis.fr **182** - haut © View Pictures/hemis.fr, bas © Gimas/Shutterstock.com **183** - haut © Jon Arnold Images/hemis.fr, bas © Bertrand Gardel/hemis.fr **185** - © Jon Arnold Images/hemis.fr **186** - DR **187** - © Drima Film/Shutterstock.com **189** - © Mauritius/hemis.fr **191** - © Christian Heeb/hemis.fr **193** - © Everynight Images/Alamy/hemis.fr **195** - © Robert Harding/hemis.fr **197** - © Ludovic Maisant/hemis.fr **199** - © Jon Arnold Images/hemis.fr **200** - © View Pictures/hemis.fr **201** - © View Pictures/hemis.fr **202** - © Jon Arnold Images/hemis.fr **208** - haut © Bertrand Gardel/hemis.fr, bas © IR Stone/Shutterstock.com **209** - haut © Lukasz Pajor/Shutterstock.com, bas © Jon Arnold Images/hemis.fr **210** - © Jenny Lilly/Shutterstock.com **211** - © Richie Chan/Shutterstock.com **212** - DR **213** - © Jeff Gilbert/Alamy/hemis.fr **215** - © René Mattes/hemis.fr **217** - © Ludovic Maisant/hemis.fr **219** - © XtravaganT/Fotolia.com **220** - © Peter Scholey/Shutterstock.com **222** - © Jon Arnold Images/hemis.fr **224** - © Ludovic Maisant/hemis.fr **225** - © Kevin George/Alamy/hemis.fr **227** - © Alamy/hemis.fr **228** - © Jon Arnold Images/hemis.fr **230** - © Neil Setchfield/Alamy/hemis.fr **232** - © E.Westmacott/Alamy/hemis.fr **234** - © Jon Arnold Images/hemis.fr **238** - haut © View Pictures/hemis.fr, bas © Alex Segre/hemis.fr **239** - haut © Incamerastock/Alamy/hemis.fr, bas © Jon Arnold Images/hemis.fr **240** - © Londonstills.com/Alamy/hemis.fr **241** - © Image Source/hemis.fr **242** - DR **243** - © Network Photographers/Alamy/hemis.fr **245** - © John Farnham/Alamy/hemis.fr **246** - © Jon Arnold Images/hemis.fr **249** - © Alamy/hemis.fr **250** - © Greg Balfour Evans/Alamy/hemis.fr **250** - © Patrice Hauser/hemis.fr **255** - © Vibrant Pictures/Alamy/hemis.fr **259** - © Everett Historical/Shutterstock.com **260** - © Jon Arnold Images/hemis.fr **263** - © Jon Arnold Images/hemis.fr **265** - © Ludovic Maisant/hemis.fr **267** - © Patrice Hauser/hemis.fr **269** - © Wayne Tippetts/Alamy/hemis.fr **271** - © Chris Dorney/Shutterstock.com **272** - © Maggie Sully/Alamy/hemis.fr **274** - © imageBROKER/hemis.fr **288** - © Sam Spiro/Fotolia.com *(handwritten)* 181 Picadilly st. St James.

Londres

Auteurs Laurent Vaultier
Antoine Besse, Karim Bourtel, Virginia Rigot-Muller, Isabelle Vatan, Sabine Albertini, Diana Béraud, Aurélia Bollé, Arwa Haider, Philip Harriss, Hélène Le Tac, Anthony Moinet, Nicolas Peyroles, Lisa Ritchie, Anne-Sophie Glavet
Reportage Texte François Simon **Photo** Vincent Mercier

Édition
Responsable éditoriale Virginie Maubourguet
Éditrices Christina Beckers, Anne-Valérie Cadoret
Directeur artistique Yann Le Duc
Maquette Karelle Juglar
Iconographe Anaïck Bourhis

Conception graphique Elhadi Yazi
Mise en page Nord Compo (Villeneuve-d'Asq)
Infographie Stéphane Jungers
Cartographie EdiCarto

Remerciements à
Franck Friès, Pierre Chardot

Publicité Régie publicitaire KETIL Media 76, bd de la République 92100 Boulogne-Billancourt
Responsable de clientèle Vincent Buffin Tél. 01 78 90 11 40

Gallimard Loisirs 5, rue Gaston-Gallimard 75328 Paris Cedex 07
Tél. 01 49 54 42 00 contact@geo-guide.fr www.geo-guide.fr
La collection GEOGuide a été créée en association entre Prisma Presse/GEO et Gallimard Loisirs
© Gallimard Loisirs 2017 - Dépôt légal Septembre 2017
Numéro d'édition 312981 - ISBN 978-2-74-244927-9
Impression Lego (Italie) **Photogravure** Nord Compo (Villeneuve-d'Asq)

Avis aux GEOVoyageurs Entre l'enquête faite sur le terrain et la parution du guide, les établissements proposés peuvent avoir disparu et certaines informations peuvent avoir été modifiées : n'hésitez pas à nous faire part de vos commentaires et de vos corrections à l'adresse contact@geo-guide.fr !

Légende des plans

▦▦ Axe urbain principal	🛈 Office de tourisme	⬌ Station de métro *Underground*
▬▬ Voie ferrée	🏛 Site remarquable	
▦ Espace vert	🚉 Gare ferroviaire	⬌ Station de train *Overground*
🕇🕇🕇 Cimetière	🚌 Gare routière	**DLR** Station DLR *Docklands Light Railway*
▦ Bâtiment	✈ Aéroport	
	🏥 Hôpital	